George Orwell
1984

George Orwell

1984

Ediciones Destino
Colección
Áncora y Delfín
Volumen 968

Título original: *Nineteen Eighty Four*
Traducción: Rafael Vázquez Zamora

© Herederos de Sonia Brownell Orwell
© Ediciones Destino, S. A.
Diagonal, 662-664. 08034 Barcelona
www.edestino.es
Primera edición: abril 1952
Primera edición en este formato: marzo 2003
Segunda edición en este formato: marzo 2003
ISBN: 84-233-3470-8
Depósito legal: B. 15.466-2003
Impreso por Romanyà Valls, S. A.
Verdaguer, 1. Capellades (Barcelona)
Impreso en España - Printed in Spain

PARTE PRIMERA

I

Era un día luminoso y frío de abril y los relojes daban las trece. Winston Smith, con la barbilla clavada en el pecho en su esfuerzo por burlar el molestísimo viento, se deslizó rápidamente por entre las puertas de cristal de las Casas de la Victoria, aunque no con la suficiente rapidez para evitar que una ráfaga polvorienta se colara con él.

El vestíbulo olía a legumbres cocidas y a esteras viejas. Al fondo, un cartel de colores, demasiado grande para hallarse en un interior, estaba pegado a la pared. Representaba sólo un enorme rostro de más de un metro de anchura: la cara de un hombre de unos cuarenta y cinco años con un gran bigote negro y facciones hermosas y endurecidas. Winston se dirigió hacia las escaleras. Era inútil intentar subir en el ascensor. No funcionaba con frecuencia y en esta época la corriente se cortaba durante las horas de día. Esto era parte de las restricciones con que se preparaba la Semana del Odio. Winston tenía que subir a un séptimo piso. Con sus treinta y nueve años y una úlcera de varices por encima del tobillo derecho, subió lentamente, descansando varias veces. En cada descansillo, frente a la puerta del ascensor, el cartelón del enorme rostro miraba desde el muro. Era uno de esos dibujos realizados de tal manera que los ojos le siguen a uno adondequiera que esté. EL GRAN HERMANO TE VIGILA, decían las palabras al pie.

Dentro del piso una voz llena leía una lista de números

que tenían algo que ver con la producción de lingotes de hierro. La voz salía de una placa oblonga de metal, una especie de espejo empañado, que formaba parte de la superficie de la pared situada a la derecha. Winston hizo funcionar su regulador y la voz disminuyó de volumen aunque las palabras seguían distinguiéndose. El instrumento (llamado *telepantalla*) podía ser amortiguado, pero no había manera de cerrarlo del todo. Winston fue hacia la ventana: una figura pequeña y frágil cuya delgadez resultaba realzada por el «mono» azul, uniforme del Partido. Tenía el cabello muy rubio, una cara sanguínea y la piel embastecida por un jabón malo, las romas hojas de afeitar y el frío de un invierno que acababa de terminar.

Afuera, incluso a través de los ventanales cerrados, el mundo parecía frío. Calle abajo se formaban pequeños torbellinos de viento y polvo; los papeles rotos subían en espirales y, aunque el sol lucía y el cielo estaba intensamente azul, nada parecía tener color a no ser los carteles pegados por todas partes. La cara de los bigotes negros miraba desde todas las esquinas que dominaban la circulación. En la casa de enfrente había uno de estos cartelones. EL GRAN HERMANO TE VIGILA, decían las grandes letras, mientras los sombríos ojos miraban fijamente a los de Winston. En la calle, en línea vertical con aquél, había otro cartel roto por un pico, que flameaba espasmódicamente azotado por el viento, descubriendo y cubriendo alternativamente una sola palabra: INGSOC. A lo lejos, un autogiro pasaba entre los tejados, se quedaba un instante colgado en el aire y luego se lanzaba otra vez en un vuelo curvo. Era de la patrulla de policía encargada de vigilar a la gente a través de los balcones y ventanas. Sin embargo, las patrullas eran lo de menos. Lo que importaba verdaderamente era la Policía del Pensamiento.

A la espalda de Winston, la voz de la telepantalla seguía murmurando datos sobre el hierro y el cumplimiento del noveno Plan Trienal. La telepantalla recibía y transmitía simultáneamente. Cualquier sonido que hiciera Winston superior a un susurro, era captado por el aparato. Además, mientras permaneciera dentro del radio de visión de la placa de metal, podía ser visto a la vez que oído. Por supuesto, no había manera de saber si le contemplaban a uno en un momento dado. Lo único posible era figurarse la frecuencia y el plan que empleaba la Policía del Pensamiento para controlar un hilo privado. Incluso se concebía que los vigilaran a todos a la vez. Pero, desde luego, podían intervenir su línea de usted cada vez que se les antojara. Tenía usted que vivir –y en esto el hábito se convertía en un instinto– con la seguridad de que cualquier sonido emitido por usted sería registrado y escuchado por alguien y que, excepto en la oscuridad, todos sus movimientos serían observados.

Winston se mantuvo de espaldas a la telepantalla. Así era más seguro; aunque, como él sabía muy bien, incluso una espalda podía ser reveladora. A un kilómetro de distancia, el Ministerio de la Verdad, donde trabajaba Winston, se elevaba inmenso y blanco sobre el sombrío paisaje. «Esto es Londres», pensó con una sensación vaga de disgusto; Londres, principal ciudad de la Franja aérea 1, que era a su vez la tercera de las provincias más pobladas de Oceanía. Trató de exprimirse de la memoria algún recuerdo infantil que le dijera si Londres había sido siempre así. ¿Hubo siempre estas vistas de decrépitas casas decimonónicas, con los costados revestidos de madera, las ventanas tapadas con cartón, los techos remendados con planchas de cinc acanalado y trozos sueltos de tapias de antiguos jardines? ¿Y los lugares bombardeados, cuyos restos de yeso y cemento revoloteaban pulverizados en el aire, y el césped amontonado, y los lugares donde las bombas habían abierto claros de mayor extensión y habían surgido en ellos sórdidas colonias de chozas de madera que parecían gallineros? Pero era inútil, no podía recordar: nada le quedaba de su infancia excepto una serie de cuadros brillantemente iluminados y sin fondo, que en su mayoría le resultaban ininteligibles.

El Ministerio de la Verdad –que en *neolengua*[1] se le llamaba el *Miniver*– era diferente, hasta un extremo asombroso, de cualquier otro objeto que se presentara a la vista. Era una

---

1. La *neolengua* era el idioma oficial de Oceanía.

enorme estructura piramidal de cemento armado blanco y reluciente, que se elevaba, terraza tras terraza, a unos trescientos metros de altura. Desde donde Winston se hallaba, podían leerse, adheridas sobre su blanca fachada en letras de elegante forma, las tres consignas del Partido:

LA GUERRA ES LA PAZ
LA LIBERTAD ES LA ESCLAVITUD
LA IGNORANCIA ES LA FUERZA

Se decía que el Ministerio de la Verdad tenía tres mil habitaciones sobre el nivel del suelo y las correspondientes ramificaciones en el subsuelo. En Londres sólo había otros tres edificios del mismo aspecto y tamaño. Éstos aplastaban de tal manera la arquitectura de los alrededores que desde el techo de las Casas de la Victoria se podían distinguir, a la vez, los cuatro edificios. En ellos estaban instalados los cuatro Ministerios entre los cuales se dividía todo el sistema gubernamental. El Ministerio de la Verdad, que se dedicaba a las noticias, a los espectáculos, la educación y las bellas artes. El Ministerio de la Paz, para los asuntos de guerra. El Ministerio del Amor, encargado de mantener la ley y el orden. Y el Ministerio de la Abundancia, al que correspondían los asuntos económicos. Sus nombres, en neolengua: *Miniver*, *Minipax*, *Minimor* y *Minindancia*.

El Ministerio del Amor era terrorífico. No tenía ventanas en absoluto. Winston nunca había estado dentro del Minimor, ni siquiera se había acercado a medio kilómetro de él. Era imposible entrar allí a no ser por un asunto oficial y en ese caso había que pasar por un laberinto de caminos rodeados de alambre espinoso, puertas de acero y ocultos nidos de ametralladoras. Incluso las calles que conducían a sus salidas extremas, estaban muy vigiladas por guardias, con caras de gorila y uniformes negros, armados con porras.

Winston se volvió de pronto. Había adquirido su rostro instantáneamente la expresión de tranquilo optimismo que era prudente llevar al enfrentarse con la telepantalla. Cruzó la habitación hacia la diminuta cocina. Por haber salido del

Ministerio a esta hora tuvo que renunciar a almorzar en la cantina y en seguida comprobó que no le quedaban víveres en la cocina a no ser un mendrugo de pan muy oscuro que debía guardar para el desayuno del día siguiente. Tomó de un estante una botella de un líquido incoloro con una sencilla etiqueta que decía: *Ginebra de la Victoria*. Aquello olía a medicina, algo así como el espíritu de arroz chino. Winston se sirvió una tacita, se preparó los nervios para el choque, y se lo tragó de un golpe como si se lo hubieran recetado.

Al momento, se le volvió roja la cara y los ojos empezaron a llorarle. Este líquido era como ácido nítrico; además, al tragarlo, se tenía la misma sensación que si le dieran a uno un golpe en la nuca con una porra de goma. Sin embargo, unos segundos después, desaparecía la incandescencia del vientre y el mundo empezaba a resultar más alegre. Winston sacó un cigarrillo de una cajetilla sobre la cual se leía: *Cigarrillos de la Victoria*, y como lo tenía cogido verticalmente por distracción, se le vació en el suelo. Con el próximo pitillo tuvo ya cuidado y el tabaco no se salió. Volvió al cuarto de estar y se sentó ante una mesita situada a la izquierda de la telepantalla. Del cajón sacó un portaplumas, un tintero y un grueso libro en blanco de tamaño in-quarto, con el lomo rojo y cuyas tapas de cartón imitaban el mármol.

Por alguna razón la telepantalla del cuarto de estar se encontraba en una posición insólita. En vez de hallarse colocada, como era normal, en la pared del fondo, desde donde podría dominar toda la habitación, estaba en la pared más larga, frente a la ventana. A un lado de ella había una alcoba que apenas tenía fondo, en la que se había instalado ahora Winston. Era un hueco que, al ser construido el edificio, habría sido calculado seguramente para alacena o biblioteca. Sentado en aquel hueco y situándose lo más dentro posible, Winston podía mantenerse fuera del alcance de la telepantalla en cuanto a la visualidad, ya que no podía evitar que oyera sus ruidos. En parte, fue la misma distribución insólita del cuarto lo que le indujo a lo que ahora se disponía a hacer.

Pero también se lo había sugerido el libro que acababa de sacar del cajón. Era un libro excepcionalmente bello. Su

13

papel, suave y cremoso, un poco amarillento por el paso del tiempo, por lo menos hacía cuarenta años que no se fabricaba. Sin embargo, Winston suponía que el libro tenía muchos años más. Lo había visto en el escaparate de un establecimiento de compraventa en un barrio miserable de la ciudad (no recordaba exactamente en qué barrio había sido) y en el mismísimo instante en que lo vio, sintió un irreprimible deseo de poseerlo. Los miembros del Partido no deben entrar en las tiendas corrientes (a esto se le llamaba, en tono de severa censura, «traficar en el mercado libre»), pero no se acataba rigurosamente esta prohibición porque había varios objetos –como cordones para los zapatos y hojas de afeitar– que era imposible adquirir de otra manera. Winston, antes de entrar en la tienda, había mirado en ambas direcciones de la calle para asegurarse de que no venía nadie y, en pocos minutos, adquirió el libro por dos dólares cincuenta. En aquel momento no sabía exactamente para qué deseaba el libro. Sintiéndose culpable se lo había llevado a su casa, guardado en su cartera de mano. Aunque estuviera en blanco, era comprometido guardar aquel libro.

Lo que ahora se disponía Winston a hacer era abrir su Diario. Esto no se consideraba ilegal (en realidad, nada era ilegal, ya que no existían leyes), pero si lo detenían podía estar seguro de que lo condenarían a muerte, o por lo menos a veinticinco años de trabajos forzados. Winston puso un plumín en el portaplumas y lo chupó primero para quitarle la grasa. La pluma era ya un instrumento arcaico. Se usaba rarísimas veces, ni siquiera para firmar, pero él se había procurado una, furtivamente y con mucha dificultad, simplemente porque tenía la sensación de que el bello papel cremoso merecía una pluma de verdad en vez de ser rascado con un lápiz tinta. Pero lo malo era que no estaba acostumbrado a escribir a mano. Aparte de las notas muy breves, lo corriente era dictárselo todo al *hablescribe*, totalmente inadecuado para las circunstancias actuales. Mojó la pluma en la tinta y luego dudó unos instantes. En los intestinos se le había producido un ruido que podía delatarle. El acto trascendental, decisivo, era marcar el papel. En una letra pequeña e inhábil escribió:

4 de abril de 1984

Se echó hacia atrás en la silla. Estaba absolutamente desconcertado. Lo primero que no sabía con certeza era si aquel era, *de verdad*, el año 1984. Desde luego, la fecha había de ser aquélla muy aproximadamente, puesto que él había nacido en 1944 o 1945, según creía; pero, «¡cualquiera va a saber hoy en qué año vive!», se decía Winston.

Y se le ocurrió de pronto preguntarse: ¿Para quién estaba escribiendo él este diario? Para el futuro, para los que aún no habían nacido. Su mente se posó durante unos momentos en la fecha que había escrito a la cabecera y luego se le presentó, sobresaltándose terriblemente, la palabra neolingüística *doblepensar*. Por primera vez comprendió la magnitud de lo que se proponía hacer. ¿Cómo iba a comunicar con el futuro? Esto era imposible por su misma naturaleza. Una de dos: o el futuro se parecería al presente y entonces no le haría ningún caso, o sería una cosa distinta y, en tal caso, lo que él dijera carecería de todo sentido para ese futuro.

Durante algún tiempo permaneció contemplando estúpidamente el papel. La telepantalla transmitía ahora estridente música militar. Es curioso: Winston no sólo parecía haber perdido la facultad de expresarse, sino haber olvidado de qué iba a ocuparse. Por espacio de varias semanas se había estado preparando para este momento y no se le había ocurrido pensar que para realizar esa tarea se necesitara algo más que atrevimiento. El hecho mismo de expresarse por escrito, creía él, le sería muy fácil. Sólo tenía que trasladar al papel el interminable e inquieto monólogo que desde hacía muchos años venía corriéndole por la cabeza. Sin embargo, en este momento hasta el monólogo se le había secado. Además, sus varices habían empezado a escocerle insoportablemente. No se atrevía a rascarse porque siempre que lo hacía se le inflamaba aquello. Transcurrían los segundos y él sólo tenía conciencia de la blancura del papel ante sus ojos, el absoluto vacío de esta blancura, el escozor de la piel sobre el tobillo, el estruendo de la música militar, y una leve sensación de atontamiento producido por la ginebra.

De repente, empezó a escribir con gran rapidez, como si lo impulsara el pánico, dándose apenas cuenta de lo que escribía. Con su letrita infantil iba trazando líneas torcidas y si primero empezó a «comerse» las mayúsculas, luego suprimió incluso los puntos:

4 de abril de 1984. *Anoche estuve en los* flicks. *Todas las películas eran de guerra. Había una muy buena de un barco lleno de refugiados que lo bombardeaban en no sé dónde del Mediterráneo. Al público le divirtieron mucho los planos de un hombre muy grande y muy gordo que intentaba escaparse nadando de un helicóptero que lo perseguía, primero se le veía en el agua chapoteando como una tortuga, luego lo veías por los visores de las ametralladoras del helicóptero, luego se veía cómo lo iban agujereando a tiros y el agua a su alrededor que se ponía toda roja y el gordo se hundía como si el agua le entrase por los agujeros que le habían hecho las balas. La gente se moría de risa cuando el gordo se iba hundiendo en el agua, y también una lancha salvavidas llena de niños con un helicóptero que venga a darle vueltas y más vueltas. había una mujer de edad madura que bien podía ser una judía y estaba sentada en la proa con un niño en los brazos que quizás tuviera unos tres años. el niño chillaba con mucho pánico, metía la cabeza entre los pechos de la mujer y parecía que se quería esconder así y la mujer lo rodeaba con los brazos y lo consolaba como si ella no estuviese también aterrada y como si por tenerlo así en los brazos fuera a evitar que le alcanzaran al niño las balas. entonces va el helicóptero y tira una bomba de veinte kilos sobre el bote y no queda ni una astilla de él, que fue una explosión pero que magnífica, y luego salía un primer plano maravilloso del brazo del niño subiendo por el aire yo creo que un helicóptero con su cámara debe haberlo seguido así por el aire y la gente aplaudió muchísimo pero una mujer que estaba entre los proletarios empezó a armar un escándalo terrible chillando que no debían echar eso no debían echarlo delante de los críos que no debían hasta que la policía la sacó de allí a rastras no creo que le pasara nada a nadie le importa lo que dicen los proletarios*

porque dicen es la reacción típica de los proletarios y nadie
hace caso y nunca...

Winston dejó de escribir, en parte debido a que le daban calambres. No sabía por qué había soltado esta sarta de incongruencias. Pero lo curioso era que mientras lo hacía se le había aclarado otra faceta de su memoria hasta el punto de que ya se creía en condiciones de escribir lo que realmente había querido poner en su libro. Ahora se daba cuenta de que si había querido venir a casa a empezar su diario precisamente hoy era a causa de este otro incidente.

Había ocurrido aquella misma mañana en el Ministerio, si es que algo de tal vaguedad podía haber ocurrido.

Cerca de las once y ciento en el Departamento de Registro, donde trabajaba Winston, sacaban las sillas de las cabinas y las agrupaban en el centro del vestíbulo, frente a la gran telepantalla, preparándose para los Dos Minutos de Odio. Winston acababa de sentarse en su sitio, en una de las filas de en medio, cuando entraron dos personas a quienes él conocía de vista, pero a las cuales nunca había hablado. Una de estas personas era una muchacha con la que se había encontrado frecuentemente en los pasillos. No sabía su nombre, pero sí que trabajaba en el Departamento de Novela. Probablemente –ya que la había visto algunas veces con las manos grasientas y llevando paquetes de composición de imprenta– tendría alguna labor mecánica en una de las máquinas de escribir novelas. Era una joven de aspecto audaz, de unos veintisiete años, con espeso cabello negro, cara pecosa y movimientos rápidos y atléticos. Llevaba el «mono» ceñido por una estrecha faja roja que le daba varias veces la vuelta a la cintura realzando así la atractiva forma de sus caderas; y ese cinturón era el emblema de la Liga juvenil Anti-Sex. A Winston le produjo una sensación desagradable desde el primer momento en que la vio. Y sabía la razón de este mal efecto: la atmósfera de los campos de hockey y duchas frías, de excursiones colectivas y el aire general de higiene mental que trascendía de ella. En realidad, a Winston le molestaban casi todas las mujeres y especialmente las jóvenes y bonitas porque eran siempre las mujeres, y sobre todo las jóvenes, lo más fanático del Partido, las que se tragaban todos los *slogans* de propaganda y abundaban entre ellas las espías aficionadas y las que mostraban demasiada curiosidad por lo heterodoxo de los demás. Pero esta muchacha determinada le había dado la impresión de ser más peligrosa que la mayoría. Una vez que se cruzaron en el corredor, la joven le dirigió una rápida mirada oblicua que por unos momentos dejó aterrado a Winston. Incluso se le había ocurrido que podía ser una agente de la Policía del Pensamiento. No era, desde luego, muy probable. Sin embargo, Winston siguió sintiendo una intranquilidad muy especial cada vez que la muchacha se hallaba cerca de él, una mezcla de miedo y hostilidad. La otra persona era un hombre llamado O'Brien, miembro del Partido Interior y titular de un cargo tan remoto e importante, que Winston tenía una idea muy confusa de qué se trataba. Un rápido murmullo pasó por el grupo ya instalado en las sillas cuando vieron acercarse el «mono» negro de un miembro del Partido Interior. O'Brien era un hombre corpulento con un ancho cuello y un rostro basto, brutal, y sin embargo rebosante de buen humor. A pesar de su formidable aspecto, sus modales eran bastante agradables. Solía ajustarse las gafas con un gesto que tranquilizaba a sus interlocutores, un gesto que tenía algo de civilizado, y esto era sorprendente tratándose de algo tan leve. Ese gesto –si alguien hubiera sido capaz de pensar así todavía– podía haber recordado a un aristócrata del siglo XVIII ofreciendo rapé en su cajita. Winston había visto a O'Brien quizás sólo una docena de veces en otros tantos años. Sentíase fuertemente atraído por él y no sólo porque le intrigaba el contraste entre los delicados modales de O'Brien y su aspecto de campeón de lucha libre, sino mucho más por una convicción secreta –o quizás ni siquiera fuera una convicción, sino sólo una esperanza– de que la ortodoxia política de O'Brien no era perfecta. Algo había en su cara que le impulsaba a uno a sospecharlo irresistiblemente. Y quizás no fuera ni siquiera heterodoxia lo que estaba escrito en su rostro, sino, sencillamente, inteligencia. Pero de todos modos su aspecto era el de una persona a la que se le podría hablar si, de algún modo, se pudiera eludir la telepantalla y llevarlo aparte. Winston no había hecho nunca el menor esfuerzo para comprobar su sospecha y es que, en verdad, no había manera de hacerlo. En este momento, O'Brien miró su reloj de pulsera y, al ver que eran las once y ciento, seguramente decidió quedarse en el Departamento de Registro hasta que pasaran los Dos Minutos de Odio. Tomó asiento en la misma fila que Winston, separado de él por dos sillas. Una mujer bajita y de cabello color arena, que trabajaba en la cabina vecina a la de Winston, se instaló entre ellos. La muchacha del cabello negro se sentó detrás de Winston.

Un momento después se oyó un espantoso chirrido, como de una monstruosa máquina sin engrasar, ruido que procedía de la gran telepantalla situada al fondo de la habitación. Era un ruido que le hacía rechinar a uno los dientes y que ponía los pelos de punta. Había empezado el Odio.

Como de costumbre, apareció en la pantalla el rostro de Emmanuel Goldstein, el Enemigo del Pueblo. Del público salieron aquí y allá fuertes silbidos. La mujeruca del pelo arenoso dio un chillido mezcla de miedo y asco. Goldstein era el renegado que desde hacía mucho tiempo (nadie podía recordar cuánto) había sido una de las figuras principales del Partido, casi con la misma importancia que el Gran Hermano, y luego se había dedicado a actividades contrarrevolucionarias, había sido condenado a muerte y se había escapado misteriosamente, desapareciendo para siempre. Los programas de los Dos Minutos de Odio variaban cada día, pero en ninguno de ellos dejaba de ser Goldstein el protagonista. Era el traidor por excelencia, el que antes y más que nadie había manchado la pureza del Partido. Todos los subsiguientes crímenes contra el Partido, todos los actos de sabotaje, herejías, desviaciones y traiciones de toda clase procedían directamente de sus enseñanzas. En cierto modo, seguía vivo y conspirando. Quizás se encontrara en algún lugar enemigo, a sueldo de sus amos extranjeros, e incluso era posible que, como se rumoreaba alguna vez, estuviera escondido en algún sitio de la propia Oceanía.

El diafragma de Winston se encogió. Nunca podía ver la cara de Goldstein sin experimentar una penosa mezcla de emociones. Era un rostro judío, delgado, con una aureola de pelo blanco y una barbita de chivo: una cara inteligente que tenía, sin embargo, algo de despreciable y una especie de tontería senil que le prestaba su larga nariz, a cuyo extremo se sostenían en difícil equilibrio unas gafas. Parecía el rostro de una oveja y su misma voz tenía algo de ovejuna. Goldstein pronunciaba su habitual discurso en el que atacaba venenosamente las doctrinas del Partido; un ataque tan exagerado y perverso que hasta un niño podía darse cuenta de que sus acusaciones no se tenían de pie, y sin embargo, lo bastante plausible para que pudiera uno alarmarse y no fueran a dejarse influir por insidias algunas personas ignorantes. Insultaba al Gran Hermano, acusaba al Partido de ejercer una dictadura y pedía que se firmara inmediatamente la paz con Eurasia. Abogaba por la libertad de palabra, la libertad de Prensa, la libertad de reunión y la libertad de pensamiento, gritando histéricamente que la revolución había sido traicionada. Y todo esto a una rapidez asombrosa que era una especie de parodia del estilo habitual de los oradores del Partido e incluso utilizando palabras de neolengua, quizás con más palabras neolingüísticas de las que solían emplear los miembros del Partido en la vida corriente. Y mientras gritaba, por detrás de él desfilaban interminables columnas del ejército de Eurasia, para que nadie interpretase como simple palabrería la oculta maldad de las frases de Goldstein. Aparecían en la pantalla filas y más filas de forzudos soldados, con impasibles rostros asiáticos; se acercaban a primer término y desaparecían. El sordo y rítmico clap-clap de las botas militares formaba el contrapunto de la hiriente voz de Goldstein.

Antes de que el Odio hubiera durado treinta segundos, la mitad de los espectadores lanzaban incontenibles exclamaciones de rabia. La satisfecha y ovejuna faz del enemigo y el terrorífico poder del ejército que desfilaba a sus espaldas, era demasiado para que nadie pudiera resistirlo indiferente. Además, sólo con ver a Goldstein o pensar en él surgían el miedo y la ira automáticamente. Era él un objeto de odio más constante que Eurasia o que Asia Oriental, ya que cuando Oceanía estaba en guerra con alguna de estas potencias, solía hallarse en paz con la otra. Pero lo extraño era que, a pesar de ser Goldstein el blanco de todos los odios y de que todos lo despreciaran, a pesar de que apenas pasaba día –y cada día ocurría esto mil veces– sin que sus teorías fueran refutadas, aplastadas, ridiculizadas, en la telepantalla, en las tribunas públicas, en los periódicos y en los libros... a pesar de todo ello, su influencia no parecía disminuir. Siempre había nuevos incautos dispuestos a dejarse engañar por él. No pasaba ni un solo día sin que espías y saboteadores que trabajaban siguiendo sus instrucciones fueran atrapados por la Policía del Pensamiento. Era el jefe supremo de un inmenso ejército que actuaba en la sombra, una subterránea red de conspiradores que se proponían derribar al Estado. Se suponía que esa organización se llamaba la Hermandad. Y también se rumoreaba que existía un libro terrible, compendio de todas las herejías, del cual era autor Goldstein y que circulaba clandestinamente. Era un libro sin título. La gente se refería a él llamándole sencillamente *el libro*. Pero de estas cosas sólo era posible enterarse por vagos rumores. Los miembros corrientes del Partido no hablaban jamás de la Hermandad ni del libro si tenían manera de evitarlo.

En su segundo minuto, el odio llegó al frenesí. Los espectadores saltaban y gritaban enfurecidos tratando de apagar con sus gritos la perforante voz que salía de la pantalla. La mujer del cabello color arena se había puesto al rojo vivo y abría y cerraba la boca como un pez al que acaban de dejar en tierra. Incluso O'Brien tenía la cara congestionada. Estaba sentado muy rígido y respiraba con su poderoso pecho como si estuviera resistiendo la presión de una gigantesca ola. La joven sentada exactamente detrás de Winston, aquella morena, había empezado a gritar: «¡Cerdo! ¡Cerdo! ¡Cerdo!», y, de pronto, cogiendo un pesado diccionario de neolengua, lo arrojó a la pantalla. El diccionario le dio a Goldstein en la nariz y rebotó. Pero la voz continuó inexorable. En un momento de lucidez descubrió Winston que estaba chillando histéricamente como los demás y dando fuertes patadas con los talones contra los palos de su propia silla. Lo horrible de los Dos Minutos de Odio no era el que cada uno tuviera que desempeñar allí un papel sino, al contrario, que era absolutamente imposible evitar la participación porque era uno arrastrado irremisiblemente. A los treinta segundos no hacía falta fingir. Un éxtasis de miedo y venganza, un deseo de matar, de torturar, de aplastar rostros con un martillo, parecían recorrer a todos los presentes como una corriente eléctrica convirtiéndole a uno, incluso contra su voluntad, en un loco gesticulador y vociferante. Y sin embargo, la rabia que se sentía era una emoción abstracta e indirecta que podía aplicarse a uno u otro objeto como la llama de una lámpara de soldadura autógena. Así, en un momento determinado, el odio de Winston no se dirigía contra Goldstein, sino contra el propio Gran Hermano, contra el Partido y contra la Policía del Pensamiento; y entonces su corazón estaba de parte del solitario e insultado hereje de la pantalla, único guardián de la verdad y la cordura en un mundo de mentiras. Pero al instante siguiente, se hallaba identificado por completo con la gente que le rodeaba y le parecía verdad todo lo que decían de Goldstein. Entonces, su odio contra el Gran Hermano se transformaba en adoración, y el Gran Hermano se elevaba como una invencible torre, como una valiente roca capaz de resistir los ataques de las hordas asiáticas, y Goldstein, a pesar de su aislamiento, de su desamparo y de la duda que flotaba sobre su existencia misma, aparecía como un siniestro brujo capaz de acabar con la civilización entera tan sólo con el poder de su voz.

Incluso era posible, en ciertos momentos, desviar el odio en una u otra dirección mediante un esfuerzo de voluntad. De pronto, por un esfuerzo semejante al que nos permite separar de la almohada la cabeza para huir de una pesadilla, Winston conseguía trasladar su odio a la muchacha que se encontraba detrás de él. Por su mente pasaban, como ráfagas, bellas y deslumbrantes alucinaciones. Le daría latigazos con una porra de goma hasta matarla. La ataría desnuda en un piquete y la atravesaría con flechas como a san Sebastián. La violaría y en el momento del clímax le cortaría la garganta. Sin embargo se dio cuenta mejor que antes de por qué la odiaba. La odiaba porque era joven y bonita y asexuada; porque quería irse a la cama con ella y no lo haría nunca; porque alrededor de su dulce y cimbreante cintura, que parecía pedir qué la rodearan con el brazo, no había más que la odiosa banda roja, agresivo símbolo de castidad.

El odio alcanzó su punto de máxima exaltación. La voz de Goldstein se había convertido en un auténtico balido ovejuno. Y su rostro, que había llegado a ser el de una oveja, se transformó en la cara de un soldado de Eurasia, el cual parecía avanzar, enorme y terrible, sobre los espectadores disparando atronadoramente su fusil ametralladora. Enteramente parecía salirse de la pantalla, hasta tal punto que muchos de los presentes se echaban hacia atrás en sus asientos. Pero en el mismo instante, produciendo con ello un hondo suspiro de alivio en todos, la amenazadora figura se fundía para que surgiera en su lugar el rostro del Gran Hermano, con su negra cabellera y sus grandes bigotes negros, un rostro rebosante de poder y de misteriosa calma y tan grande que llenaba casi la pantalla. Nadie oía lo que el gran camarada estaba diciendo. Eran sólo unas cuantas palabras para animarlos, esas palabras que suelen decirse a las tropas en cualquier batalla, y que no es preciso entenderlas una por una, sino que infunden confianza por el simple hecho de ser pronunciadas. Entonces, desapareció a su vez la monumental cara del Gran Hermano y en su lugar aparecieron los tres *slogans* del Partido en grandes letras:

LA GUERRA ES LA PAZ
LA LIBERTAD ES LA ESCLAVITUD
LA IGNORANCIA ES LA FUERZA

Pero daba la impresión –por un fenómeno óptico psicológico– de que el rostro del Gran Hermano persistía en la pantalla durante algunos segundos, como si el «impacto» que había producido en las retinas de los espectadores fuera demasiado intenso para borrarse inmediatamente. La mujeruca del cabello color arena se lanzó hacia delante, agarrándose a la silla de la fila anterior y luego, con un trémulo murmullo que sonaba algo así como «¡Mi salvador!», extendió los brazos hacia la pantalla. Después ocultó la cara entre sus manos. Sin duda, estaba rezando a su manera.

Entonces, todo el grupo prorrumpió en un canto rítmico, lento y profundo: «¡Ge-Hache. Ge-Hache... Ge-Hache!», dejando una gran pausa entre la G y la H. Era un canto monótono y salvaje en cuyo fondo parecían oírse pisadas de pies desnudos y el batir de los tam-tam. Este canturreo duró unos treinta segundos. Era un estribillo que surgía en todas las ocasiones de gran emoción colectiva. En parte, era una especie de himno a la sabiduría y majestad del Gran Hermano; pero, más aún, constituía aquello un procedimiento de autohipnosis, un modo deliberado de ahogar la conciencia mediante un ruido rítmico. A Winston parecían enfriársele las entrañas. En los Dos Minutos de Odio, no podía evitar que la oleada emotiva le arrastrase, pero este infrahumano canturreo –«¡G-H... G-H... G-H!»– siempre le llenaba de horror. Desde luego, se unía al coro; esto era obligatorio. Controlar los verdaderos sentimientos y hacer lo mismo que hicieran los demás era una reacción natural. Pero durante un par de segundos, sus ojos podían haberlo delatado. Y fue precisamente en esos instantes cuando ocurrió aquello que a él le había parecido significativo... si es que había ocurrido.

Momentáneamente, sorprendió la mirada de O'Brien. Éste se había levantado; se había quitado las gafas volviéndoselas a colocar con su delicado y característico gesto. Pero durante una fracción de segundo, se encontraron sus ojos con los de Winston y éste supo –sí, lo *supo*– que O'Brien pensaba lo mismo que él. Un inconfundible mensaje se había cruzado entre ellos. Era como si sus dos mentes se hubieran abierto y los pensamientos hubieran volado de la una a la otra a través de los ojos. «Estoy contigo», parecía estarle diciendo O'Brien. «Sé en qué estás pensando. Conozco tu asco, tu odio, tu disgusto. Pero no te preocupes; ¡estoy contigo!» Y luego la fugacísima comunicación se había interrumpido y la expresión de O'Brien volvió a ser tan inescrutable como la de todos los demás.

Esto fue todo y ya no estaba seguro de si había sucedido efectivamente. Tales incidentes nunca tenían consecuencias para Winston. Lo único que hacían era mantener viva en él la creencia o la esperanza de que otros, además de él, eran enemigos del Partido. Quizás, después de todo, resultaran ciertos los rumores de extensas conspiraciones subterráneas; quizás existiera de verdad la Hermandad. Era imposible, a pesar de los continuos arrestos y las constantes confesiones y ejecuciones, estar seguro de que la Hermandad no era sencillamente un mito. Algunos días lo creía Winston; otros, no. No había pruebas, sólo destellos que podían significar algo o no significar nada: retazos de conversaciones oídas al pasar, algunas palabras garrapateadas en las paredes de los lavabos, y, alguna vez, al encontrarse dos desconocidos, ciertos movimientos de las manos que podían parecer señales de reconocimiento. Pero todo ello eran suposiciones que podían resultar totalmente falsas. Winston había vuelto a su cubículo sin mirar otra vez a O'Brien. Apenas cruzó por su mente la idea de continuar este momentáneo contacto. Hubiera sido extremadamente peligroso incluso si hubiera sabido él cómo entablar esa relación. Durante uno o dos segundos, se había cruzado entre ellos una mirada equívoca, y eso era todo. Pero incluso así, se trataba de un acontecimiento memorable en el aislamiento casi hermético en que uno tenía que vivir.

Winston se sacudió de encima estos pensamientos y tomó una posición más erguida en su silla. Se le escapó un eructo. La ginebra estaba haciendo su efecto.

Volvieron a fijarse sus ojos en la página. Descubrió entonces que durante todo el tiempo en que había estado recordando, no había dejado de escribir como por una acción automática. Y ya no era la inhábil escritura retorcida de antes. Su pluma se había deslizado voluptuosamente sobre el suave papel, imprimiendo en claras y grandes mayúsculas lo siguiente:

ABAJO EL GRAN HERMANO
ABAJO EL GRAN HERMANO
ABAJO EL GRAN HERMANO
ABAJO EL GRAN HERMANO
ABAJO EL GRAN HERMANO

Una vez y otra, hasta llenar media página.

No pudo evitar un escalofrío de pánico. Era absurdo, ya que escribir aquellas palabras no era más peligroso que el acto inicial de abrir un diario; pero, por un instante, estuvo tentado de romper las páginas ya escritas y abandonar su propósito.

Sin embargo, no lo hizo, porque sabía que era inútil. El hecho de escribir ABAJO EL GRAN HERMANO o no escribirlo, era completamente igual. Seguir con el diario o renunciar a escribirlo, venía a ser lo mismo. La Policía del Pensamiento lo descubriría de todas maneras. Winston había cometido –seguiría habiendo cometido aunque no hubiera llegado a posar la pluma sobre el papel– el crimen esencial que contenía en sí todos los demás. El *crimental* (crimen mental), como lo llamaban. El *crimental* no podía ocultarse durante mucho tiempo. En ocasiones, se podía llegar a tenerlo oculto años enteros, pero antes o después lo descubrían a uno.

Las detenciones ocurrían invariablemente por la noche. Se despertaba uno sobresaltado porque una mano le sacudía a uno el hombro, una linterna le enfocaba los ojos y un círculo de sombríos rostros aparecía en torno al lecho. En la mayoría de los casos no había proceso alguno ni se daba cuenta oficialmente de la detención. La gente desaparecía sencillamente y siempre durante la noche. El nombre del individuo en cuestión desaparecía de los registros, se borraba de todas partes toda referencia a lo que hubiera hecho y su paso por la vida quedaba totalmente anulado como si jamás hubiera existido. Para esto se empleaba la palabra *vaporizado*.

Winston sintió una especie de histeria al pensar en estas cosas. Empezó a escribir rápidamente y con muy mala letra:

me matarán no me importa me matarán me dispararán en la nuca me da lo mismo abajo el gran hermano siempre le matan a uno por la nuca no me importa abajo el gran hermano...

Se echó hacia atrás en la silla, un poco avergonzado de sí mismo, y dejó la pluma sobre la mesa. De repente, se sobresaltó espantosamente. Habían llamado a la puerta.

¡Tan pronto! Siguió sentado inmóvil, como un ratón asustado, con la tonta esperanza de que quien fuese se marchara al ver que no le abrían. Pero no, la llamada se repitió. Lo peor que podía hacer Winston era tardar en abrir. Le redoblaba el corazón como un tambor, pero es muy probable que sus facciones, a fuerza de la costumbre, resultaran inexpresivas. Levantóse y se acercó pesadamente a la puerta.

II

Al poner la mano en el pestillo recordó Winston que había dejado el Diario abierto sobre la mesa. En aquella página se podía leer desde lejos el ABAJO EL GRAN HERMANO repetido en toda ella con letras grandísimas. Pero Winston sabía que incluso en su pánico no había querido estropear el cremoso papel cerrando el libro mientras la tinta no se hubiera secado.

Contuvo la respiración y abrió la puerta. Instantáneamente, le invadió una sensación de alivio. Una mujer insignificante, avejentada, con el cabello revuelto y la cara llena de arrugas, estaba a su lado.

—¡Oh, camarada! —empezó a decir la mujer en una voz lúgubre y quejumbrosa—; te sentí llegar y he venido por si puedes echarle un ojo al desagüe del fregadero. Se nos ha atascado...

Era la señora Parsons, esposa de un vecino del mismo piso (señora era una palabra desterrada por el Partido, ya que había que llamar a todos camaradas, pero con algunas mujeres se usaba todavía instintivamente). Era una mujer de unos treinta años, pero aparentaba mucha más edad. Se tenía la impresión de que había polvo reseco en las arrugas de su cara. Winston la siguió por el pasillo. Estas reparaciones de aficionado constituían un fastidio casi diario. Las Casas de la Victoria eran unos antiguos pisos construidos hacia 1930 aproximadamente y se hallaban en estado ruinoso.

Caían constantemente trozos de yeso del techo y de la pared, las tuberías se estropeaban con cada helada, había innumerables goteras y la calefacción funcionaba sólo a medias cuando funcionaba, porque casi siempre la cerraban por economía. Las reparaciones, excepto las que podía hacer uno por sí mismo, tenían que ser autorizadas por remotos comités que solían retrasar dos años incluso la compostura de un cristal roto.

–Si le he molestado es porque Tom no está en casa –dijo la señora Parsons vagamente.

El piso de los Parsons era mayor que el de Winston y mucho más descuidado. Todo parecía roto y daba la impresión de que allí acababa de agitarse un enorme y violento animal. Por el suelo estaban tirados diversos artículos para deportes –bastones de hockey, guantes de boxeo, un balón de reglamento, unos pantalones vueltos del revés– y sobre la mesa había un montón de platos sucios y cuadernos escolares muy usados. En las paredes, unos carteles rojos de la Liga juvenil y de los Espías y un gran cartel con el retrato de tamaño natural del Gran Hermano. Por supuesto, se percibía el habitual olor a verduras cocidas que era el dominante en todo el edificio, pero en este piso era más fuerte el olor a sudor, que –se notaba desde el primer momento, aunque no podría uno decir por qué– era el sudor de una persona que no se hallaba presente entonces. En otra habitación, alguien con un peine y un trozo de papel higiénico trataba de acompañar a la música militar que brotaba todavía de la telepantalla.

–Son los niños –dijo la señora Parsons, lanzando una mirada aprensiva hacia la puerta–. Hoy no han salido. Y, desde luego...

Aquella mujer tenía la costumbre de interrumpir sus frases por la mitad. El fregadero de la cocina estaba lleno casi hasta el borde con agua sucia y verdosa que olía aún peor que la verdura. Winston se arrodilló y examinó el ángulo de la tubería de desagüe donde estaba el tornillo. Le molestaba emplear sus manos y también tener que arrodillarse, porque esa postura le hacía toser. La señora Parsons lo miró desanimada:

–Naturalmente, si Tom estuviera en casa lo arreglaría en un momento. Le gustan esas cosas. Es muy hábil en cosas manuales. Sí, Tom es muy...

Parsons era el compañero de oficina de Winston en el Ministerio de la Verdad. Era un hombre muy grueso, pero activo y de una estupidez asombrosa, una masa de entusiasmos imbéciles, uno de esos idiotas de los cuales, todavía más que de la Policía del Pensamiento, dependía la estabilidad del Partido. A sus treinta y cinco años acababa de salir de la Liga Juvenil, y antes de ser admitido en esa organización había conseguido permanecer en la de los Espías un año más de lo reglamentario. En el Ministerio estaba empleado en un puesto subordinado para el que no se requería inteligencia alguna, pero, por otra parte, era una figura sobresaliente del Comité deportivo y de todos los demás comités dedicados a organizar excursiones colectivas, manifestaciones espontáneas, las campañas pro ahorro y en general todas las actividades «voluntarias». Informaba a quien quisiera oírle, con tranquilo orgullo y entre chupadas a su pipa, que no había dejado de acudir ni un solo día al Centro de la Comunidad durante los cuatro años pasados. Un fortísimo olor a sudor, una especie de testimonio inconsciente de su continua actividad y energía, le seguía a donde quiera que iba, y quedaba tras él cuando se hallaba lejos.

–¿Tiene usted un destornillador? –dijo Winston tocando el tapón del desagüe.

–Un destornillador –dijo la señora Parsons, inmovilizándose inmediatamente–. Pues, no sé. Es posible que los niños...

En la habitación de al lado se oían fuertes pisadas y más trompetazos con el peine. La señora Parsons trajo el destornillador. Winston dejó salir el agua y quitó con asco el pegote de cabello que había atrancado el tubo. Se limpió los dedos lo mejor que pudo en el agua fría del grifo y volvió a la otra habitación.

–¡Arriba las manos! –chilló una voz salvaje.

Un chico, guapo y de aspecto rudo, que parecía tener unos nueve años, había surgido por detrás de la mesa y amenazaba a Winston con una pistola automática de juguete mientras que su hermanita, de unos dos años menos, hacía el mismo ademán con un pedazo de madera. Ambos iban vestidos con pantalones cortos azules, camisas grises y pañuelo rojo al cuello. Éste era el uniforme de los Espías. Winston levantó las manos, pero a pesar de la broma sentía cierta inquietud por el gesto del maldad que veía en el niño.

—¡Eres un traidor! —gritó el chico—. ¡Eres un criminal mental! ¡Eres un espía de Eurasia! ¡Te mataré, te vaporizaré; te mandaré a las minas de sal!

De pronto, tanto el niño como la niña empezaron a saltar en torno a él gritando: «¡Traidor!» «¡Criminal mental!», imitando la niña todos los movimientos de su hermano. Aquello producía un poco de miedo, algo así como los juegos de los cachorros de los tigres cuando pensamos que pronto se convertirán en devoradores de hombres. Había una especie de ferocidad calculadora en la mirada del pequeño, un deseo evidente de darle un buen golpe a Winston, de hacerle daño de alguna manera, una convicción de ser ya casi lo suficientemente hombre para hacerlo. «¡Qué suerte que el niño no tenga en la mano más que una pistola de juguete!», pensó Winston.

La mirada de la señora Parsons iba nerviosamente de los niños a Winston y de éste a los niños. Como en aquella habitación había mejor luz, pudo notar Winston que en las arrugas de la mujer había efectivamente polvo.

—Hacen tanto ruido... —dijo ella—. Están disgustados porque no pueden ir a ver ahorcar a esos. Estoy segura de que por eso revuelven tanto. Yo no puedo llevarlos; tengo demasiado quehacer. Y Tom no volverá de su trabajo a tiempo.

—¿Por qué no podemos ir a ver como los cuelgan? —gritó el pequeño con su tremenda voz, impropia de su edad.

—¡Queremos verlos colgar! ¡Queremos verlos colgar! —canturreaba la chiquilla mientras saltaba.

Varios prisioneros eurasiáticos, culpables de crímenes de guerra, serían ahorcados en el parque aquella tarde, recordó Winston. Esto solía ocurrir una vez al mes y constituía un espectáculo popular. A los niños siempre les hacía gran ilusión asistir a él. Winston se despidió de la señora Parsons y se dirigió hacia la puerta. Pero apenas había bajado seis escalones cuando algo le dio en el cuello por detrás produciéndole un terrible dolor. Era como si le hubieran aplicado un alambre incandescente. Se volvió a tiempo de ver cómo retiraba la señora Parsons a su hijo del descansillo. El chico se guardaba un tirachinas en el bolsillo.

–¡Goldstein! –gritó el pequeño antes de que la madre cerrara la puerta, pero lo que más asustó a Winston fue la mirada de terror y desamparo de la señora Parsons.

De nuevo en su piso, cruzó rápidamente por delante de la telepantalla y volvió a sentarse ante la mesita sin dejar de pasarse la mano por su dolorido cuello. La música de la telepantalla se había detenido. Una voz militar estaba leyendo, con una especie de brutal complacencia, una descripción de los armamentos de la nueva fortaleza flotante que acababa de ser anclada entre Islandia y las islas Feroe.

Con aquellos niños, pensó Winston, la desgraciada mujer debía de llevar una vida terrorífica. Dentro de uno o dos años sus propios hijos podían descubrir en ella algún indicio de herejía. Casi todos los niños de entonces eran horribles. Lo peor de todo era que esas organizaciones, como la de los Espías, los convertían sistemáticamente en pequeños salvajes ingobernables, y, sin embargo, este salvajismo no les impulsaba a rebelarse contra la disciplina del Partido. Por el contrario, adoraban al Partido y a todo lo que se relacionaba con él. Las canciones, los desfiles, las pancartas, las excursiones colectivas, la instrucción militar infantil con fusiles de juguete, los *slogans* gritados por doquier, la adoración del Gran Hermano... todo ello era para los niños un estupendo juego. Toda su ferocidad revertía hacia fuera, contra los enemigos del Estado, contra los extranjeros, los traidores, saboteadores y criminales del pensamiento. Era casi normal que personas de más de treinta años les tuvieran un miedo cerval a sus hijos. Y con razón, pues apenas pasaba una semana sin que el *Times* publicara unas líneas describiendo cómo alguna viborilla –la denominación oficial era «heroico niño»– había denunciado a sus padres a la

Policía del Pensamiento contándole a ésta lo que había oído en casa.

La molestia causada por el proyectil del tirachinas se le había pasado. Winston volvió a coger la pluma preguntándose si no tendría algo más que escribir. De pronto, empezó a pensar de nuevo en O'Brien.

Años atrás –cuánto tiempo hacía, quizás siete años– había soñado Winston que paseaba por una habitación oscura... Alguien sentado a su lado le había dicho al pasar él: «Nos encontraremos en el lugar donde no hay oscuridad». Se lo había dicho con toda calma, de una manera casual, más como una afirmación cualquiera que como una orden. Él había seguido andando. Y lo curioso era que al oírlas en el sueño, aquellas palabras no le habían impresionado. Fue sólo más tarde y gradualmente cuando empezaron a tomar significado. Ahora no podía recordar si fue antes o después de tener el sueño cuando había visto a O'Brien por vez primera; y tampoco podía recordar cuándo había identificado aquella voz como la de O'Brien. Pero, de todos modos, era indudablemente O'Brien quien le había hablado en la oscuridad.

Nunca había podido sentirse absolutamente seguro –incluso después del fugaz encuentro de sus miradas esta mañana– de si O'Brien era un amigo o un enemigo. Ni tampoco importaba mucho esto. Lo cierto era que existía entre ellos un vínculo de comprensión más fuerte y más importante que el afecto o el partidismo. «Nos encontraremos en el lugar donde no hay oscuridad», le había dicho. Winston no sabía lo que podían significar estas palabras, pero sí sabía que se convertirían en realidad.

La voz de la telepantalla se interrumpió. Sonó un claro y hermoso toque de trompeta y la voz prosiguió en tono chirriante:

«Atención. ¡Vuestra atención, por favor! En este momento nos llega un notirrelámpago del frente malabar. Nuestras fuerzas han logrado una gloriosa victoria en el sur de la India. Estoy autorizado para decir que la batalla a que me refiero puede aproximarnos bastante al final de la guerra. He aquí el texto del notirrelámpago...»

Malas noticias, pensó Winston. Ahora seguirá la descripción, con un repugnante realismo, del aniquilamiento de todo un ejército eurásico, con fantásticas cifras de muertos y prisioneros... para decirnos luego que, desde la semana próxima, reducirán la ración de chocolate a veinte gramos en vez de los treinta de ahora.

Winston volvió a eructar. La ginebra perdía ya su fuerza y lo dejaba desanimado. La telepantalla –no se sabe si para celebrar la victoria o para quitar el mal sabor del chocolate perdido– lanzó los acordes de *Oceanía, todo para ti*. Se suponía que todo el que escuchara el himno, aunque estuviera solo, tenía que escucharlo de pie. Sin embargo, Winston se aprovechó de que la telepantalla no lo veía y siguió sentado.

Oceanía, todo para ti, terminó y empezó la música ligera. Winston se dirigió hacia la ventana, manteniéndose de espaldas a la pantalla. El día era todavía frío y claro. Allá lejos estalló una bombacohete con un sonido sordo y prolongado. Ahora solían caer en Londres unas veinte o treinta bombas a la semana.

Abajo, en la calle, el viento seguía agitando el cartel donde la palabra *Ingsoc* aparecía y desaparecía. Ingsoc. Los principios sagrados de Ingsoc. Neolengua, doblepensar, mutabilidad del pasado. A Winston le parecía estar recorriendo las selvas submarinas, perdido en un mundo monstruoso cuyo monstruo era él mismo. Estaba solo. El pasado había muerto, el futuro era inimaginable. ¿Qué certidumbre podía tener él de que ni un solo ser humano estaba de su parte? Y ¿cómo iba a saber si el dominio del Partido no duraría siempre? Como respuesta, los tres *slogans* sobre la blanca fachada del Ministerio de la Verdad, le recordaron que:

LA GUERRA ES LA PAZ
LA LIBERTAD ES LA ESCLAVITUD
LA IGNORANCIA ES LA FUERZA

Sacó de su bolsillo una moneda de veinticinco centavos. También en ella, en letras pequeñas, pero muy claras, aparecían las mismas frases y, en el reverso de la moneda, la cabeza del Gran Hermano. Los ojos de éste le perseguían a uno hasta desde las monedas. Sí, en las monedas, en los sellos de correo, en pancartas, en las envolturas de los paquetes de los cigarrillos, en las portadas de los libros, en todas partes. Siempre los ojos que os contemplaban y la voz que os envolvía. Despiertos o dormidos, trabajando o comiendo, en casa o en la calle, en el baño o en la cama, no había escape. Nada era del individuo a no ser unos cuantos centímetros cúbicos dentro de su cráneo.

El sol había seguido su curso y las mil ventanas del Ministerio de la Verdad, en las que ya no reverberaba la luz, parecían los tétricos huecos de una fortaleza. Winston sintió angustia ante aquella masa piramidal. Era demasiado fuerte para ser asaltada. Ni siquiera un millar de bombascohete podrían abatirla. Volvió a preguntarse para quién escribía el Diario. ¿Para el pasado, para el futuro, para una época imaginaria? Frente a él no veía la muerte, sino algo peor: el aniquilamiento absoluto. El Diario quedaría reducido a cenizas y a él lo *vaporizarían*. Sólo la Policía del Pensamiento leería lo que él hubiera escrito antes de hacer que esas líneas desaparecieran incluso de la memoria. ¿Cómo iba usted a apelar a la posteridad cuando ni una sola huella suya, ni siquiera una palabra garrapateada en un papel iba a sobrevivir físicamente?

En la telepantalla sonaron las catorce. Winston tenía que marchar dentro de diez minutos. Debía reanudar el trabajo a las catorce y treinta. Qué curioso: las campanadas de la hora lo reanimaron. Era como un fantasma solitario diciendo una verdad que nadie oiría nunca. De todos modos, mientras Winston pronunciara esa verdad, la continuidad no se rompía. La herencia humana no se continuaba porque uno se hiciera oír sino por el hecho de permanecer cuerdo. Volvió a la mesa, mojó en tinta su pluma y escribió:

Para el futuro o para el pasado, para la época en que se pueda pensar libremente, en que los hombres sean distintos unos de otros y no vivan solitarios... Para cuando la verdad exista y lo que se haya hecho no pueda ser deshecho:

*Desde esta época de uniformidad, de este tiempo de sole-
dad, la Edad del Gran Hermano, la época del doblepensar...
¡muchas felicidades!*

Winston comprendía que ya estaba muerto. Le parecía
que sólo ahora, en que empezaba a poder formular sus pensamientos, era cuando había dado el paso definitivo. Las
consecuencias de cada acto van incluidas en el acto mismo.
Escribió:

El crimental (el crimen de la mente) *no implica la muerte; el
crimental es la muerte misma.* Al reconocerse ya a sí mismo
muerto, se le hizo imprescindible vivir lo más posible. Tenía
manchados de tinta dos dedos de la mano derecha. Era exactamente uno de esos detalles que le pueden delatar a uno.
Cualquier entrometido del Ministerio (probablemente, una
mujer: alguna como la del cabello color de arena o la muchacha morena del Departamento de Novela) podía preguntarse por qué habría usado una pluma anticuada y *qué* habría
escrito... y luego dar el soplo a donde correspondiera. Fue al
cuarto de baño y se frotó cuidadosamente la tinta con el oscuro y rasposo jabón que le limaba la piel como un papel de lija
y resultaba por tanto muy eficaz para su propósito.

Guardó el Diario en el cajón de la mesita. Era inútil pre-
tender esconderlo; pero, por lo menos, podía saber si lo habían descubierto o no. Un cabello sujeto entre las páginas sería demasiado evidente. Por eso, con la yema de un dedo
recogió una partícula de polvo de posible identificación y la
depositó sobre una esquina de la tapa, de donde tendría que
caerse si cogían el libro.

III

Winston estaba soñando con su madre. Él debía de tener unos diez u once años cuando su madre murió. Era una mujer alta, estatuaria y más bien silenciosa, de movimientos pausados y magnífico cabello rubio. A su padre lo recordaba, más vagamente, como un hombre moreno y delgado, vestido siempre con impecables trajes oscuros (Winston recordaba sobre todo las suelas extremadamente finas de los zapatos de su padre) y usaba gafas. Seguramente, tanto el padre como la madre debieron de haber caído en una de las primeras grandes *purgas* de los años cincuenta.

En aquel momento –en el sueño– su madre estaba sentada en un sitio profundo junto a él y con su niña en brazos. De esta hermana sólo recordaba Winston que era una chiquilla débil e insignificante, siempre callada y con ojos grandes que se fijaban en todo. Se hallaban las dos en algún sitio subterráneo –por ejemplo, el fondo de un pozo o en una cueva muy honda–, pero era un lugar que, estando ya muy por debajo de él, se iba hundiendo sin cesar. Sí, era la cámara de un barco que se hundía y la madre y la hermana lo miraban a él desde la tenebrosidad de las aguas que invadían el buque. Aún había aire en la cámara. Su madre y su hermanita podían verlo todavía y él a ellas, pero no dejaban de irse hundiendo ni un solo instante, de ir cayendo en las aguas, de un verde muy oscuro, que de un momento a otro las ocultarían para siempre. Winston, en cambio, se encontraba al aire libre y a plena luz mientras a ellas se las iba tragando la muerte, y ellas se hundían *porque* él estaba allí arriba. Winston lo sabía y también ellas lo sabían y él descubría en las caras de ellas este conocimiento. Pero la expresión de las dos no le reprochaba nada ni sus corazones tampoco –él lo sabía– y sólo se transparentaba la convicción de que ellas morían para que él pudiera seguir viviendo allá arriba y que esto formaba parte del orden inevitable de las cosas.

No podía recordar qué había ocurrido, pero mientras soñaba estaba seguro de que, de un modo u otro, las vidas de su madre y su hermana fueron sacrificadas para que él viviera. Era uno de esos ensueños que, a pesar de utilizar toda la escenografía onírica habitual, son una continuación de nuestra vida intelectual y en los que nos damos cuenta de hechos e ideas que siguen teniendo un valor después del despertar. Pero lo que de pronto sobresaltó a Winston, al pensar luego en lo que había soñado, fue que la muerte de su madre, ocurrida treinta años antes, había sido trágica y dolorosa de un modo que ya no era posible. Pensó que la tragedia pertenecía a los tiempos antiguos y que sólo podía concebirse en una época en que había aún intimidad –vida privada, amor y amistad– y en que los miembros de una familia permanecían juntos sin necesidad de tener una razón especial para ello. El recuerdo de su madre le torturaba porque había muerto amándole cuando él era demasiado joven y egoísta para devolverle ese cariño y porque de alguna manera –no recordaba cómo– se había sacrificado a un concepto de la lealtad que era privatísimo e inalterable. Bien comprendía Winston que esas cosas no podían suceder ahora. Lo que ahora había era miedo, odio y dolor físico, pero no emociones dignas ni penas profundas y complejas. Todo esto lo había visto, soñando, en los ojos de su madre y su hermanita, que lo miraban a él a través de las aguas verdeoscuras, a una inmensa profundidad y sin dejar de hundirse.

De pronto, se vio de pie sobre el césped en una tarde de verano en que los rayos oblicuos del sol doraban la corta hierba. El paisaje que se le aparecía ahora se le presentaba con tanta frecuencia en sueños que nunca estaba completamente seguro de si lo había visto alguna vez en la vida real. Cuando estaba despierto, lo llamaba el País Dorado. Lo cubrían pastos mordidos por los conejos con un sendero que serpenteaba por él y, aquí y allá, unas pequeñísimas elevaciones del terreno. Al fondo, se veían unos olmos que se balanceaban suavemente con la brisa y sus follajes parecían cabelleras de mujer. Cerca, aunque fuera de la vista, corría un claro arroyuelo de lento fluir.

La muchacha morena venía hacia él por aquel campo. Con un solo movimiento se despojó de sus ropas y las arrojó despectivamente a un lado. Su cuerpo era blanco y suave, pero no despertaba deseo en Winston, que se limitaba a contemplarlo. Lo que le llenaba de entusiasmo en aquel momento era el gesto con que la joven se había librado de sus ropas. Con la gracia y el descuido de aquel gesto, parecía estar aniquilando toda su cultura, todo un sistema de pensamiento, como si el Gran Hermano, el Partido y la Policía del Pensamiento pudieran ser barridos y enviados a la Nada con un simple movimiento del brazo. También aquel gesto pertenecía a los tiempos antiguos. Winston se despertó con la palabra «Shakespeare» en los labios.

La telepantalla emitía en aquel instante un prolongado silbido que partía el tímpano y que continuaba en la misma nota treinta segundos. Eran las cero-siete-quince, la hora de levantarse para los oficinistas. Winston se echó abajo de la cama —desnudo porque los miembros del Partido Exterior recibían sólo tres mil cupones para vestimenta durante el año y un pijama necesitaba seiscientos cupones— y se puso un sucio *singlet* y unos *shorts* que estaban sobre una silla. Dentro de tres minutos empezarían las Sacudidas Físicas. Inmediatamente le entró el ataque de tos habitual en él en cuanto se despertaba. Vació tanto sus pulmones que, para volver a respirar, tuvo que tenderse de espaldas abriendo y cerrando la boca repetidas veces y en rápida sucesión. Con el esfuerzo de la tos se le hinchaban las venas y sus varices le habían empezado a escocer.

—¡Grupo de treinta a cuarenta! —ladró una penetrante voz

de mujer–. ¡Grupo de treinta a cuarenta! Ocupad vuestros sitios, por favor.

Winston se colocó de un salto a la vista de la telepantalla, en la cual había aparecido ya la imagen de una mujer más bien joven, musculosa y de facciones duras, vestida con una túnica y calzando sandalias de gimnasia.

–¡Doblad y extended los brazos! –gritó–. ¡Contad a la vez que yo! ¡*Uno*, dos, tres, cuatro! ¡*Uno*, dos, tres, cuatro! ¡Vamos, camaradas, un poco de vida en lo que hacéis! ¡*Uno*, dos, tres, cuatro! ¡*Uno*, dos, tres, cuatro!...

La intensa molestia de su ataque de tos no había logrado desvanecer en Winston la impresión que le había dejado el ensueño y los movimientos rítmicos de la gimnasia contribuían a conservarle aquel recuerdo. Mientras doblaba y desplegaba mecánicamente los brazos –sin perder ni por un instante la expresión de contento que se consideraba apropiada durante las Sacudidas Físicas–, se esforzaba por resucitar el confuso período de su primera infancia. Pero le resultaba extraordinariamente difícil. Más allá de los años cincuenta y tantos –al final de la década– todo se desvanecía. Sin datos externos de ninguna clase a qué referirse era imposible reconstruir ni siquiera el esquema de la propia vida. Se recordaban los acontecimientos de enormes proporciones –que muy bien podían no haber acaecido–, se recordaban también detalles sueltos de hechos sucedidos en la infancia, de cada uno, pero sin poder captar la atmósfera. Y había extensos períodos en blanco donde no se podía colocar absolutamente nada. Entonces todo había sido diferente. Incluso los nombres de los países y sus formas en el mapa. La Franja Aérea número 1, por ejemplo, no se llamaba así en aquellos días: la llamaban Inglaterra o Bretaña, aunque Londres –Winston estaba casi seguro de ello– se había llamado siempre Londres.

No podía recordar claramente una época en que su país no hubiera estado en guerra, pero era evidente que había un intervalo de paz bastante largo durante su infancia porque uno de sus primeros recuerdos era el de un ataque aéreo que parecía haber cogido a todos por sorpresa. Quizá fue cuando la bomba atómica cayó en Colchester. No se acordaba del ataque propiamente dicho, pero sí de la mano de su padre que le tenía cogida la suya mientras descendían precipitadamente por algún lugar subterráneo muy profundo, dando vueltas por una escalera de caracol que finalmente le había cansado tanto las piernas que empezó a sollozar y su padre tuvo que dejarle descansar un poco. Su madre, lenta y pensativa como siempre, los seguía a bastante distancia. La madre llevaba a la hermanita de Winston, o quizás sólo llevase un lío de mantas. Winston no estaba seguro de que su hermanita hubiera nacido por entonces. Por último, desembocaron a un sitio ruidoso y atestado de gente, una estación de Metro.

Muchas personas se hallaban sentadas en el suelo de piedra y otras, arracimadas, se habían instalado en diversos objetos que llevaban. Winston y sus padres encontraron un sitio libre en el suelo y junto a ellos un viejo y una vieja se apretaban el uno contra el otro. El anciano vestía un buen traje oscuro y una boina de paño negro bajo la cual le asomaba abundante cabello muy blanco. Tenía la cara enrojecida; los ojos, azules y lacrimosos. Olía a ginebra. Ésta parecía salírsele por los poros en vez del sudor y podría haberse pensado que las lágrimas que le brotaban de los ojos eran ginebra pura. Sin embargo, a pesar de su borrachera, sufría de algún dolor auténtico e insoportable. De un modo infantil, Winston comprendió que algo terrible, más allá del perdón y que jamás podría tener remedio, acababa de ocurrirle al viejo. También creía saber de qué se trataba. Alguien a quien el anciano amaba, quizás alguna nietecita, había muerto en el bombardeo. Cada pocos minutos, repetía el viejo:

–No debíamos habernos fiado de ellos. ¿Verdad que te lo dije, abuelita? Nos ha pasado esto por fiarnos de ellos. Siempre lo he dicho. Nunca debimos confiar en esos canallas.

Lo que Winston no podía recordar es a quién se refería el viejo y quiénes eran esos de los que no había que fiarse.

Desde entonces, la guerra había sido continua, aunque hablando con exactitud no se trataba siempre de la misma guerra. Durante algunos meses de su infancia había habido una confusa lucha callejera en el mismo Londres y él recordaba con toda claridad algunas escenas. Pero hubiera sido imposible reconstruir la historia de aquel período ni saber quién luchaba contra quién en un momento dado, pues no quedaba ningún documento ni pruebas de ninguna clase que permitieran pensar que la disposición de las fuerzas en lucha hubiera sido en algún momento distinta a la actual. Por ejemplo, en este momento, en 1984 (si es que efectivamente era 1984), Oceanía estaba en guerra con Eurasia y era aliada de Asia Oriental. En ningún discurso público ni conversación privada se admitía que estas tres potencias se hubieran hallado alguna vez en distinta posición cada una respecto a las otras. Winston sabía muy bien que, hacía sólo cuatro años, Oceanía había estado en guerra contra Asia Oriental y aliada con Eurasia. Pero aquello era sólo un conocimiento furtivo que él tenía porque su memoria «fallaba» mucho, es decir, no estaba lo suficientemente controlada. Oficialmente, nunca se había producido un cambio en las alianzas. Oceanía estaba en guerra con Eurasia; por tanto, Oceanía siempre había luchado contra Eurasia. El enemigo circunstancial representaba siempre el absoluto mal, y de ahí resultaba que era totalmente imposible cualquier acuerdo pasado o futuro con él.

Lo horrible, pensó por diezmilésima vez mientras se forzaba los hombros dolorosamente hacia atrás (con las manos en las caderas, giraban sus cuerpos por la cintura, ejercicio que se suponía conveniente para los músculos de la espalda), lo horrible era que todo ello podía ser verdad. Si el Partido podía alargar la mano hacia el pasado y decir que este o aquel acontecimiento *nunca había ocurrido*, esto resultaba mucho más horrible que la tortura y la muerte.

El Partido dijo que Oceanía nunca había sido aliada de Eurasia. Él, Winston Smith, sabía que Oceanía había estado aliada con Eurasia cuatro años antes. Pero ¿dónde constaba ese conocimiento? Sólo en su propia conciencia, la cual, en todo caso, iba a ser aniquilada muy pronto. Y si todos los demás aceptaban la mentira que impuso el Partido, si todos los testimonios decían lo mismo, entonces la mentira pasaba a la Historia y se convertía en verdad. «El que controla el pasado –decía el *slogan* del Partido–, controla también el futuro. El que controla el presente, controla el pasado.» Y, sin embargo, el pasado, alterable por su misma naturaleza, nunca había sido alterado. Todo lo que ahora era verdad, había sido verdad eternamente y lo seguiría siendo. Era muy sencillo. Lo único que se necesitaba era una interminable serie de victorias que cada persona debía lograr sobre su propia memoria. A esto le llamaban «control de la realidad». Pero en *neolengua* había una palabra especial para ello: *doblepensar*.

–¡Descansen! –ladró la instructora, cuya voz parecía ahora menos malhumorada.

Winston dejó caer los brazos de sus costados y volvió a llenar de aire sus pulmones. Su mente se deslizó por el laberíntico mundo del *doblepensar*. Saber y no saber, hallarse consciente de lo que es realmente verdad mientras se dicen mentiras cuidadosamente elaboradas, sostener simultáneamente dos opiniones sabiendo que son contradictorias y creer sin embargo en ambas; emplear la lógica contra la lógica, repudiar la moralidad mientras se recurre a ella, creer que la democracia es imposible y que el Partido es el guardián de la democracia; olvidar cuanto fuera necesario olvidar y, no obstante, recurrir a ello, volverlo a traer a la memoria en cuanto se necesitara y luego olvidarlo de nuevo; y, sobre todo, aplicar el mismo proceso al procedimiento mismo. Ésta era la más refinada sutileza del sistema: inducir conscientemente a la inconsciencia, y luego hacerse inconsciente para no reconocer que se había realizado un acto de autosugestión. Incluso comprender la palabra *doblepensar* implicaba el uso del *doblepensar*.

La instructora había vuelto a llamarles la atención:

–Y ahora, a ver cuáles de vosotros pueden tocarse los dedos de los pies sin doblar las rodillas –gritó la mujer con gran entusiasmo–. ¡Por favor, camaradas! ¡Uno, dos! ¡Uno, dos...!

A Winston le fastidiaba indeciblemente este ejercicio que le hacía doler todo el cuerpo y a veces le causaba golpes de tos. Ya no disfrutaba con sus meditaciones. El pasado, pensó Winston, no sólo había sido alterado, sino que estaba siendo destruido. Pues, ¿cómo iba usted a establecer el hecho más evidente si no existía más prueba que el recuerdo de su propia memoria? Trató de recordar en qué año había oído hablar por primera vez del Gran Hermano. Creía que debió de ser hacia el sesenta y tantos, pero era imposible estar seguro. Por supuesto, en los libros de historia editados por el Partido, el Gran Hermano figuraba como jefe y guardián de la Revolución desde los primeros días de ésta. Sus hazañas habían ido retrocediendo en el tiempo cada vez más y ya se extendían hasta el mundo fabuloso de los años cuarenta y treinta cuando los capitalistas, con sus extraños sombreros cilíndricos, cruzaban todavía por las calles de Londres en relucientes automóviles o en coches de caballos –pues aún quedaban vehículos de éstos–, con lados de cristal. Desde luego, se ignoraba cuánto había de cierto en esta leyenda y cuánto de inventado. Winston no podía recordar ni siquiera en qué fecha había empezado el Partido a existir. No creía haber oído la palabra «Ingsoc» antes de 1960. Pero era posible que en su forma viejolingüística –es decir, «socialismo inglés»– hubiera existido antes. Todo se había desvanecido en la niebla. Sin embargo, a veces era posible poner el dedo sobre una mentira concreta. Por ejemplo, no era verdad, como pretendían los libros de historia lanzados por el Partido, que éste hubiera inventado los aeroplanos. Winston recordaba los aeroplanos desde su más temprana infancia. Pero tampoco podría probarlo. Nunca se podía probar nada. Sólo una vez en su vida había tenido en sus manos la innegable prueba documental de la falsificación de un hecho histórico. Y en aquella ocasión...

–¡Smith! –chilló la voz de la telepantalla–; ¡6079 Smith W! ¡Sí, tú! ¡Inclínate más, por favor! Puedes hacerlo mejor; es que no te esfuerzas; más doblado, haz el favor. Ahora está mucho mejor, camarada. Descansad todos y fijaos en mí.

Winston sudaba por todo su cuerpo, pero su cara permanecía completamente inescrutable. ¡Nunca os manifestéis desanimados! ¡Nunca os mostréis resentidos! Un leve pestañeo podría traicionaros. Por eso, Winston miraba impávido a la instructora mientras ésta levantaba los brazos por encima de la cabeza y, si no con gracia, sí con notable precisión y eficacia, se dobló y se tocó los dedos de los pies sin doblar las rodillas.

—¡Ya habéis visto, camaradas; así es como quiero que lo hagáis! Miradme otra vez. Tengo treinta y nueve años y cuatro hijos. Mirad —volvió a doblarse—. Ya veis que mis rodillas no se han doblado. Todos vosotros podéis hacerlo si queréis —añadió mientras se ponía derecha—. Cualquier persona de menos de cuarenta y cinco años es perfectamente capaz de tocarse así los dedos de los pies. No todos nosotros tenemos el privilegio de luchar en el frente, pero por lo menos podemos mantenernos en forma. ¡Recordad a nuestros muchachos en el frente malabar! ¡Y a los marineros de las fortalezas flotantes! Pensad en las penalidades que han de soportar. Ahora, probad otra vez. Eso está mejor, camaradas, mucho mejor —añadió en tono estimulante dirigiéndose a Winston, el cual, con un violento esfuerzo, había logrado tocarse los dedos de los pies sin doblar las rodillas. Desde varios años atrás, no lo conseguía.

IV

Con el hondo e inconsciente suspiro que ni siquiera la proximidad de la telepantalla podía ahogarle cuando empezaba el trabajo del día, Winston se acercó al *hablescribe*, sopló para sacudir el polvo del micrófono y se puso las gafas. Luego desenrolló y juntó con un clip cuatro pequeños cilindros de papel que acababan de caer del tubo neumático sobre el lado derecho de su mesa de despacho.

En las paredes de la cabina había tres orificios. A la derecha del hablescribe, un pequeño tubo neumático para mensajes escritos, a la izquierda, un tubo más ancho para los periódicos; y en la otra pared, de manera que Winston lo tenía a mano, una hendidura grande y oblonga protegida por una rejilla de alambre. Esta última servía para tirar el papel inservible. Había hendiduras semejantes a miles o a docenas de miles por todo el edificio, no sólo en cada habitación, sino a lo largo de todos los pasillos, a pequeños intervalos. Les llamaban «agujeros de la memoria». Cuando un empleado sabía que un documento había de ser destruido, o incluso cuando alguien veía un pedazo de papel por el suelo y por alguna mesa, constituía ya un acto automático levantar la tapa del más cercano «agujero de la memoria» y tirar el papel en él. Una corriente de aire caliente se llevaba el papel en seguida hasta los enormes hornos ocultos en algún lugar desconocido de los sótanos del edificio.

Winston examinó las cuatro franjas de papel que había

desenrollado. Cada una de ellas contenía una o dos líneas escritas en el *argot* abreviado (no era exactamente *neolengua*, pero consistía principalmente en palabras neolingüísticas) que se usaba en el Ministerio para fines internos. Decían así:

times 17.3.84. discurso gh malregistrado áfrica rectificar

times 19.12.83 predicciones plantrienal cuarto trimestre 83 erratas comprobar número corriente

times 14.2.84. Minibundancia malcitado chocolate rectificar

times 3.12.83 referente ordendía gh doblemásnobueno refs nopersonas reescribir completo someter antesarchivar

Con cierta satisfacción apartó Winston el cuarto mensaje. Era un asunto intrincado y de responsabilidad y prefería ocuparse de él al final. Los otros tres eran tarea rutinaria, aunque el segundo le iba a costar probablemente buscar una serie de datos fastidiosos.

Winston pidió por la telepantalla los números necesarios del *Times*, que le llegaron por el tubo neumático pocos minutos después. Los mensajes que había recibido se referían a artículos o noticias que por una u otra razón era necesario cambiar, o, como se decía oficialmente, rectificar. Por ejemplo, en el número del *Times* correspondiente al 17 de marzo se decía que el Gran Hermano, en su discurso del día anterior, había predicho que el frente de la India Meridional seguiría en calma, pero que, en cambio, se desencadenaría una ofensiva eurasiática muy pronto en África del Norte. Como quiera que el alto mando de Eurasia había iniciado su ofensiva en la India del Sur y había dejado tranquila al África del Norte, era por tanto necesario escribir un nuevo párrafo del discurso del Gran Hermano, con objeto de hacerle predecir lo que había ocurrido efectivamente. Y en el *Times* del 19 de diciembre del año anterior se habían publicado los pronósticos oficiales sobre el consumo de ciertos productos en el cuarto trimestre de 1983, que era también el sexto grupo del noveno plan trienal. Pues bien, el número de hoy contenía una referencia al consumo efectivo y resultaba que los pronósticos se habían equivocado muchísimo. El trabajo de Winston consistía en cambiar las cifras originales haciéndolas coincidir con las posteriores. En cuanto al tercer mensaje, se refería a un error muy sencillo que se podía arreglar en un par de minutos. Muy poco tiempo antes, en febrero, el Ministerio de la Abundancia había lanzado la promesa (oficialmente se le llamaba «compromiso categórico») de que no habría reducción de la ración de chocolate durante el año 1984. Pero la verdad era, como Winston sabía muy bien, que la ración de chocolate sería reducida, de los treinta gramos que daban, a veinte al final de aquella semana. Como se verá, el error era insignificante y el único cambio necesario era sustituir la promesa original por la advertencia de que probablemente habría que reducir la ración hacia el mes de abril.

Cuando Winston tuvo preparadas las correcciones las unió con un clip al ejemplar del *Times* que le habían enviado y los mandó por el tubo neumático. Entonces, con un movimiento casi inconsciente, arrugó los mensajes originales y todas las notas que él había hecho sobre el asunto y los tiró por el «agujero de la memoria» para que los devoraran las llamas.

Él no sabía con exactitud lo que sucedía en el invisible laberinto adonde iban a parar los tubos neumáticos, pero tenía una idea general. En cuanto se reunían y ordenaban todas las correcciones que había sido necesario introducir en un número determinado del *Times*, ese número volvía a ser impreso, el ejemplar primitivo se destruía y el ejemplar corregido ocupaba su puesto en el archivo. Este proceso de continua alteración no se aplicaba sólo a los periódicos, sino a los libros, revistas, folletos, carteles, programas, películas, bandas sonoras, historietas para niños, fotografías..., es decir, a toda clase de documentación o literatura que pudiera tener algún significado político o ideológico. Diariamente y casi minuto por minuto, el pasado era puesto al día. De este modo, todas las predicciones hechas por el Partido resultaban acertadas según prueba documental. Toda la historia se convertía así en un palimpsesto, raspado y vuelto a escribir con toda la frecuencia necesaria. En ningún caso habría sido posible demostrar la existencia de una falsificación. La sección más nutrida del Departamento de Registro, mucho mayor que aquélla donde trabajaba Winston, se componía sencillamente de personas cuyo deber era recoger todos los ejemplares de libros, diarios y otros documentos que se hubieran quedado atrasados y tuvieran que ser destruidos. Un número del *Times* que –a causa de cambios en la política exterior o de profecías equivocadas hechas por el Gran Hermano– hubiera tenido que ser escrito de nuevo una docena de veces, seguía estando en los archivos con su fecha original y no existía ningún otro ejemplar para contradecirlo. También los libros eran recogidos y reescritos muchas veces y cuando se volvían a editar no se confesaba que se hubiera introducido modificación alguna. Incluso las instrucciones escritas que recibía Winston y que él hacía desaparecer invariablemente en cuanto se enteraba de su contenido, nunca daban a entender ni remotamente que se estuviera cometiendo una falsificación. Sólo se referían a erratas de imprenta o a citas equivocadas que era necesario poner bien en interés de la verdad.

Lo más curioso era –pensó Winston mientras arreglaba las cifras del Ministerio de la Abundancia– que ni siquiera se trataba de una falsificación. Era, sencillamente, la sustitución de un tipo de tonterías por otro. La mayor parte del material que allí manejaban no tenía relación alguna con el mundo real, ni siquiera en esa conexión que implica una mentira directa. Las estadísticas eran tan fantásticas en su versión original como en la rectificada. En la mayor parte de los casos, tenía que sacárselas el funcionario de su cabeza. Por ejemplo, las predicciones del Ministerio de la Abundancia calculaban la producción de botas para el trimestre venidero en ciento cuarenta y cinco millones de pares. Pues bien, la cantidad efectiva fue de sesenta y dos millones de pares. Es decir, la cantidad declarada oficialmente. Sin embargo, Winston, al modificar ahora la «predicción», rebajó la cantidad a cincuenta y siete millones, para que resultara posible la habitual declaración de que se había superado la producción. En todo caso, sesenta y dos millones no se acercaban a la verdad más que los cincuenta y siete millones o los ciento cuarenta y cinco. Lo más probable es que no se hubieran producido botas en absoluto. Nadie sabía en definitiva cuánto se había producido ni le importaba. Lo único de que se estaba seguro era de que cada trimestre se producían *sobre el papel* cantidades astronómicas de botas mientras que media población de Oceanía iba descalza. Y lo mismo ocurría con los demás datos, importantes o minúsculos, que se registraban. Todo se disolvía en un mundo de sombras en el cual incluso la fecha del año era insegura.

Winston miró hacia el vestíbulo. En la cabina de enfrente trabajaba un hombre pequeñito, de aire eficaz, llamado Tillotson, con un periódico doblado sobre sus rodillas y la boca muy cerca de la bocina del hablescribe. Daba la impresión de que lo que decía era un secreto entre él y la telepantalla. Levantó la vista y los cristales de sus gafas le lanzaron a Winston unos reflejos hostiles.

Winston no conocía apenas a Tillotson ni tenía idea de la clase de trabajo que le habían encomendado. Los funcionarios del Departamento del Registro no hablaban de sus tareas. En el largo vestíbulo, sin ventanas, con su doble fila de cabinas y su interminable ruido de periódicos y el murmullo de las voces junto a los hablescribe, había por lo menos una docena de personas a las que Winston no conocía ni siquiera de nombre, aunque los veía diariamente apresurándose por los pasillos o gesticulando en los Dos Minutos de Odio. Sabía que en la cabina vecina a la suya la mujercilla del cabello arenoso trabajaba en descubrir y borrar en los números atrasados de la Prensa los nombres de las personas *vaporizadas*, las cuales se consideraba que nunca habían existido. Ella estaba especialmente capacitada para este trabajo, ya que su propio marido había sido *vaporizado* dos años antes. Y pocas cabinas más allá, un individuo suave, soñador e ineficaz, llamado Ampleforth, con orejas muy peludas y un talento sorprendente para rimar y medir los versos, estaba encargado de producir los textos definitivos de poemas que se habían hecho ideológicamente ofensivos, pero que, por una u otra razón, continuaban en las antologías. Este vestíbulo, con sus cincuenta funcionarios, era sólo una subsección, una pequeñísima célula de la enorme complejidad del Departamento de Registro. Más allá, arriba, abajo, trabajaban otros enjambres de funcionarios en multitud de tareas increíbles. Allí estaban las grandes imprentas con sus expertos en tipografía y sus bien dotados estudios para la falsificación de fotografías. Había la sección de teleprogramas con sus ingenieros, sus directores y equipos de actores escogidos especialmente por su habilidad para imitar voces. Había también un gran número de empleados cuya labor sólo consistía en redactar listas de libros y periódicos que debían ser «repasados». Los documentos corregidos se guardaban y los ejemplares originales eran destruidos en hornos ocultos. Por último, en un lugar desconocido estaban los cerebros directores que coordinaban todos estos esfuerzos y establecían las líneas políticas según las cuales un fragmento del pasado había de ser conservado, falsificado otro, y otro borrado de la existencia.

El Departamento de Registro, después de todo, no era más que una simple rama del Ministerio de la Verdad, cuya principal tarea no era reconstruir el pasado, sino proporcionarles a los ciudadanos de Oceanía periódicos, películas, libros de texto, programas de telepantalla, comedias, novelas, con toda clase de información, instrucción o entretenimiento. Fabricaban desde una estatua a un *slogan*, de un poema lírico a un tratado de biología y desde la cartilla de los párvulos hasta el diccionario de neolengua. Y el Ministerio no sólo tenía que atender a las múltiples necesidades del Partido, sino repetir toda la operación en un nivel más bajo a beneficio del proletariado. Había toda una cadena de secciones separadas que se ocupaban de la literatura, la música, el teatro y, en general, de todos los entretenimientos para los proletarios. Allí se producían periódicos que no contenían más que informaciones deportivas, sucesos y astrología, noveluchas sensacionalistas, películas que rezumaban sexo y canciones sentimentales compuestas por medios exclusivamente mecánicos en una especie de calidoscopio llamado *versificador*. Había incluso una sección conocida en neolengua con el nombre de *Pornosec*, encargada de producir pornografía de clase ínfima y que era enviada en paquetes sellados que ningún miembro del Partido, aparte de los que trabajaban en la sección, podía abrir.

Habían salido tres mensajes por el tubo neumático mientras Winston trabajaba, pero se trataba de asuntos corrientes y los había despachado antes de ser interrumpido por los Dos Minutos de Odio. Cuando el odio terminó, volvió Winston a su cabina, sacó del estante el diccionario de neolengua, apartó a un lado el hablescribe, se limpió las gafas y se dedicó a su principal cometido de la mañana.

El mayor placer de Winston era su trabajo. La mayor parte de éste consistía en una aburrida rutina, pero también incluía labores tan difíciles e intrincadas que se perdía uno en ellas como en las profundidades de un problema de matemáticas: delicadas labores de falsificación en que sólo se podía guiar uno por su conocimiento de los principios del *Ingsoc* y el cálculo de lo que el Partido quería que uno dijera. Winston servía para esto. En una ocasión le encargaron incluso la rectificación de los editoriales del *Times*, que estaban escritos totalmente en neolengua. Desenrolló el mensaje que antes había dejado a un lado como más difícil. Decía:

times 3.12.83 referente ordendía gh doblemásnobueno refs nopersonas reescribir completo someter antesarchivar.

En antiguo idioma (en inglés) quedaba así:

La información sobre la orden del día del Gran Hermano en el *Times* del 3 de diciembre de 1983 es absolutamente insatisfactoria y se refiere a las personas inexistentes. Volverlo a escribir por completo y someter el borrador a la autoridad superior antes de archivar.

Winston leyó el artículo ofensivo. La orden del día del Gran Hermano se dedicaba a alabar el trabajo de una organización conocida por FFCC, que proporcionaba cigarrillos y otras cosas a los marineros de las fortalezas flotantes. Cierto camarada Withers, destacado miembro del Partido Interior, había sido agraciado con una mención especial y le habían concedido una condecoración, la Orden del Mérito Conspicuo, de segunda clase.

Tres meses después, la FFCC había sido disuelta sin que se supieran los motivos. Podía pensarse que Withers y sus asociados habían caído en desgracia, pero no había información alguna sobre el asunto en la Prensa ni en la telepantalla. Era lo corriente, ya que muy raras veces se procesaba ni se denunciaba públicamente a los delincuentes políticos. Las grandes «purgas» que afectaban a millares de personas, con procesos públicos de traidores y criminales del pensamiento que confesaban abyectamente sus crímenes para ser luego ejecutados, constituían espectáculos especiales que se daban sólo una vez cada dos años. Lo habitual era que las personas caídas en desgracia desapareciesen sencillamente y no se volviera a oír hablar de ellas. Nunca se tenía la menor noticia de lo que pudiera haberles ocurrido. En algunos casos, ni siquiera habían muerto. Aparte de sus padres, unas treinta personas conocidas por Winston habían desaparecido en una u otra ocasión.

Mientras pensaba en todo esto, Winston se daba golpecitos en la nariz con un sujetador de papeles. En la cabina de enfrente, el camarada Tillotson seguía misteriosamente inclinado sobre su hablescribe. Levantó la cabeza un momento. Otra vez, los destellos hostiles de las gafas. Winston se preguntó si el camarada Tillotson estaría encargado del mismo trabajo que él. Era perfectamente posible. Una tarea tan difícil y complicada no podía estar a cargo de una sola persona. Por otra parte, encargarla a un grupo sería admitir abiertamente que se estaba realizando una falsificación. Muy probablemente, una docena de personas trabajaban al mismo tiempo en distintas versiones rivales para inventar lo que el Gran Hermano había dicho «efectivamente». Y, después, algún cerebro privilegiado del Partido Interior elegiría esta o aquella versión, la redactaría definitivamente a su manera y pondría en movimiento el complejo proceso de confrontaciones necesarias. Luego, la mentira elegida pasaría a los registros permanentes y se convertiría en la verdad.

Winston no sabía por qué había caído Withers en desgracia. Quizás fuera por corrupción o incompetencia. O quizás el Gran Hermano se hubiera librado de un subordinado demasiado popular. También pudiera ser que Withers o alguno relacionado con él hubiera sido acusado de tendencias heréticas. O quizás –y esto era lo más probable– hubiese ocurrido aquello sencillamente porque las «purgas» y las *vaporizaciones* eran parte necesaria de la mecánica gubernamental. El único indicio real era el contenido en las palabras «refs nopersonas», con lo que se indicaba que Withers estaba ya muerto. Pero no siempre se podía presumir que un individuo hubiera muerto por el hecho de haber desaparecido. A veces los soltaban y los dejaban en libertad durante uno o dos años antes de ser ejecutados. De vez en cuando, algún individuo a quien se creía muerto desde hacía mucho tiempo, reaparecía como un fantasma en algún proceso sensacional donde comprometía a centenares de otras personas con sus testimonios antes de desaparecer, esta vez para siempre. Sin embargo, en el caso de Withers, estaba claro que lo habían matado. Era ya una *nopersona*. No existía: nunca había existido. Winston decidió que no bastaría con cambiar el sentido del discurso del Gran Hermano. Era mejor hacer que se refiriese a un asunto sin relación alguna con el auténtico.

Podía trasladar el discurso al tema habitual de los traidores y los criminales del pensamiento, pero esto resultaba demasiado claro; y por otra parte, inventar una victoria en el frente o algún triunfo de superproducción en el noveno plan trienal, podía complicar demasiado los registros. Lo que se necesitaba era una fantasía pura. De pronto se le ocurrió inventar que un cierto camarada Ogilvy había muerto recientemente en la guerra en circunstancias heroicas. En ciertas ocasiones, el Gran Hermano dedicaba su orden del día a conmemorar a algunos miembros ordinarios del Partido cuya vida y muerte ponía como ejemplo digno de ser imitado por todos. Hoy conmemoraría al camarada Ogilvy. Desde luego, no existía el tal Ogilvy, pero unas cuantas líneas de texto y un par de fotografías falsificadas bastarían para darle vida.

Winston reflexionó un momento, se acercó luego al hablescribe y empezó a dictar en el estilo habitual del Gran Hermano: un estilo militar y pedante a la vez y fácil de imitar por el truco de hacer preguntas y contestárselas él mismo en seguida. (Por ejemplo: «¿Qué nos enseña este hecho, camaradas? Nos enseña la lección –que es también uno de los principios fundamentales de Ingsoc– que», etc., etc.)

A la edad de tres años, el camarada Ogilvy había rechazado todos los juguetes excepto un tambor, una ametralladora y un autogiro. A los seis años –uno antes de lo reglamentario por concesión especial– se había alistado en los Espías; a los nueve años, era ya jefe de tropa. A los once había denunciado a su tío a la Policía del Pensamiento después de oírle una conversación donde el adulto se había mostrado con tendencias criminales. A los diecisiete fue organizador en su distrito de la Liga Juvenil Anti-Sex. A los diecinueve había inventado una granada de mano que fue adoptada por el Ministerio de la Paz y que, en su primera prueba, mató a treinta y un prisioneros eurasiáticos. A los veintitrés murió en acción de guerra. Perseguido por cazas enemigos de propulsión a chorro mientras volaba sobre el Océano Índico portador de mensajes secretos, se había arrojado al mar con las ametralladoras y los documentos... Un final, decía el Gran Hermano, que necesariamente despertaba la envidia. El Gran Hermano añadía unas consideraciones sobre la pureza y rectitud de la vida del camarada Ogilvy. Era abstemio y no fumador, no se permitía más diversiones que una hora diaria en el gimnasio y había hecho voto de soltería por creer que el matrimonio y el cuidado de una familia imposibilitaban dedicar las veinticuatro horas del día al cumplimiento del deber. No tenía más tema de conversación que los principios de Ingsoc, ni más finalidad en la vida que la derrota del enemigo eurasiático y la caza de espías, saboteadores, criminales mentales y traidores en general.

Winston discutió consigo mismo si debía o no concederle al camarada Ogilvy la Orden del Mérito Conspicuo; al final decidió no concedérsela porque ello acarrearía un excesivo trabajo de confrontaciones para que el hecho coincidiera con otras referencias.

De nuevo miró a su rival de la cabina de enfrente. Algo parecía decirle que Tillotson se ocupaba en lo mismo que él. No había manera de saber cuál de las versiones sería adoptada finalmente, pero Winston tenía la firme convicción de que se elegiría la suya. El camarada Ogilvy, que hace una hora no existía, era ya un hecho. A Winston le resultaba curioso que se pudieran crear hombres muertos y no hombres vivos. El camarada Ogilvy, que nunca había existido en el presente, era ya una realidad en el pasado, y cuando quedara olvidado en el acto de la falsificación, seguiría existiendo con la misma autenticidad –y con pruebas de la misma fuerza– que Carlomagno o Julio César.

V

En la cantina, un local de techo bajo en los sótanos, la cola para el almuerzo avanzaba lentamente. La estancia estaba atestada de gente y llena de un ruido ensordecedor. De la parrilla tras el mostrador emanaba el olorcillo del asado. Al extremo de la cantina había un pequeño bar, una especie de agujero en el muro, donde podía comprarse la ginebra a diez centavos el vasito.

–Precisamente el que andaba yo buscando –dijo una voz a espaldas de Winston. Éste se volvió. Era su amigo Syme, que trabajaba en el Departamento de Investigaciones. Quizás no fuera «amigo» la palabra adecuada. Ya no había amigos, sino camaradas. Pero persistía una diferencia: unos camaradas eran más agradables que otros. Syme era filósofo, especializado en neolengua. Desde luego, pertenecía al inmenso grupo de expertos dedicados a redactar la onceava edición del Diccionario de Neolengua. Era más pequeño que Winston, con cabello negro y sus ojos saltones, a la vez tristes y burlones, que parecían buscar continuamente algo dentro de su interlocutor.

–Quería preguntarte si tienes hojas de afeitar –dijo.

–¡Ni una! –dijo Winston con una precipitación culpable–. He tratado de encontrarlas por todas partes, pero ya no hay.

Todos buscaban hojas de afeitar. La verdad era que Winston guardaba en su casa dos sin estrenar. Durante los meses pasados hubo una gran escasez de hojas. Siempre faltaba algún artículo necesario que en las tiendas del Partido no podían proporcionar; unas veces, botones; otras, hilo de coser; a veces, cordones para los zapatos, y ahora faltaban cuchillas de afeitar. Era imposible adquirirlas a no ser que se buscaran furtivamente en el mercado «libre».

–Llevo seis semanas usando la misma cuchilla –mintió Winston.

La cola avanzó otro poco. Winston se volvió otra vez para observar a Syme. Cada uno de ellos cogió una bandeja grasienta de metal de una pila que había al borde del mostrador.

–¿Fuiste a ver ahorcar a los prisioneros ayer? –le preguntó Syme.

–Estaba trabajando –respondió Winston en tono indiferente–. Lo veré en el cine, seguramente.

–Un sustitutivo muy inadecuado –comentó Syme.

Sus ojos burlones recorrieron el rostro de Winston. «Te conozco», parecían decir los ojos. «Veo a través de ti. Sé muy bien por qué no fuiste a ver ahorcar los prisioneros.» Intelectualmente, Syme era de una ortodoxia venenosa. Por ejemplo, hablaba con una satisfacción repugnante de los bombardeos de los helicópteros contra los pueblos enemigos, de los procesos y confesiones de los criminales del pensamiento y de las ejecuciones en los sótanos del Ministerio del Amor. Hablar con él suponía siempre un esfuerzo por apartarle de esos temas e interesarle en problemas técnicos de neolingüística en los que era una autoridad y sobre los que podía decir cosas interesantes. Winston volvió un poco la cabeza para evitar el escrutinio de los grandes ojos negros.

–Fue una buena ejecución –dijo Syme añorante–. Pero me parece que estropean el efecto atándoles los pies. Me gusta verlos patalear. De todos modos, es estupendo ver cómo sacan la lengua, que se les pone azul... ¡de un azul tan brillante! Ese detalle es el que más me gusta.

–¡El siguiente, por favor! –dijo la *prole*(taria) del delantal blanco que servía tras el mostrador.

Winston y Syme presentaron sus bandejas. A cada uno

de ellos les pusieron su ración: guiso con un poquito de carne, algo de pan, un cubito de queso, un poco de café de la Victoria y una pastilla de sacarina.

–Allí hay una mesa libre, debajo de la telepantalla –dijo Syme–. De camino podemos coger un poco de ginebra.

Les sirvieron la ginebra en unas terrinas. Se abrieron paso entre la multitud y colocaron el contenido de sus bandejas sobre la mesa de tapa de metal, en una esquina de la cual había dejado alguien un chorreón de grasa del guiso, un líquido asqueroso. Winston cogió la terrina de ginebra, se detuvo un instante para decidirse, y se tragó de un golpe aquella bebida que sabía a aceite. Le acudieron lágrimas a los ojos como reacción y de pronto descubrió que tenía hambre. Empezó a tragar cucharadas del guiso, que contenía unos trocitos de un material sustitutivo de la carne. Ninguno de ellos volvió a hablar hasta que vaciaron los recipientes. En la mesa situada a la izquierda de Winston, un poco detrás de él, alguien hablaba rápidamente y sin cesar, una cháchara que recordaba el cua-cua del pato. Esa voz perforaba el jaleo general de la cantina.

–¿Cómo va el diccionario? –dijo Winston elevando la voz para dominar el ruido.

–Despacio –respondió Syme–. Por los adjetivos. Es un trabajo fascinador.

En cuanto oyó que le hablaban de lo suyo, se animó inmediatamente. Apartó el plato de aluminio, tomó el mendrugo de pan con gesto delicado y el queso con la otra mano. Se inclinó sobre la mesa para hablar sin tener que gritar.

–La onceava edición es la definitiva –dijo–. Le estamos dando al idioma su forma final, la forma que tendrá cuando nadie hable más que neolengua. Cuando terminemos nuestra labor, tendréis que empezar a aprenderlo de nuevo. Creerás, seguramente, que nuestro principal trabajo consiste en inventar nuevas palabras. Nada de eso. Lo que hacemos es destruir palabras, centenares de palabras cada día. Estamos podando el idioma para dejarlo en los huesos. De las palabras que contenga la onceava edición, ninguna quedará anticuada antes del año 2050. –Dio un hambriento bocado a su pedazo de pan y se lo tragó sin dejar de hablar con una especie de apasionamiento pedante. Se le había animado su rostro moreno, y sus ojos, sin perder el aire soñador, no tenían ya su expresión burlona.

–La destrucción de las palabras es algo de gran hermosura. Por supuesto, las principales víctimas son los verbos y los adjetivos, pero también hay centenares de nombres de los que puede uno prescindir. No se trata sólo de los sinónimos. También los antónimos. En realidad ¿qué justificación tiene el empleo de una palabra sólo porque sea lo contrario de otra? Toda palabra contiene en sí misma su contraria. Por ejemplo, tenemos «bueno». Si tienes una palabra como «bueno», ¿qué necesidad hay de la contraria, «malo»? *Nobueno* sirve exactamente igual, mejor todavía, porque es la palabra exactamente contraria a «bueno» y la otra no. Por otra parte, si quieres un reforzamiento de la palabra «bueno», ¿qué sentido tienen esas confusas e inútiles palabras «excelente, espléndido» y otras por el estilo? *Plusbueno* basta para decir lo que es mejor que lo simplemente bueno y *dobleplusbueno* sirve perfectamente para acentuar el grado de bondad. Es el superlativo perfecto. Ya sé que usamos esas formas, pero en la versión final de la neolengua se suprimirán las demás palabras que todavía se usan como equivalentes. Al final todo lo relativo a la bondad podrá expresarse con seis palabras; en realidad una sola. ¿No te das cuenta de la belleza que hay en esto, Winston? Naturalmente, la idea fue del Gran Hermano –añadió después de reflexionar un poco.

Al oír nombrar al Gran Hermano, el rostro de Winston se animó automáticamente. Sin embargo, Syme descubrió inmediatamente una cierta falta de entusiasmo.

–Tú no aprecias la neolengua en lo que vale –dijo Syme con tristeza–. Incluso cuando escribes sigues pensando en la antigua lengua. He leído algunas de las cosas que has escrito para el *Times*. Son bastante buenas, pero no pasan de traducciones. En el fondo de tu corazón prefieres el viejo idioma con toda su vaguedad y sus inútiles matices de significado. No sientes la belleza de la destrucción de las palabras. ¿No sabes que la neolengua es el único idioma del mundo cuyo vocabulario disminuye cada día?

Winston no lo sabía, naturalmente. Sonrió –creía hacerlo agradablemente– porque no se fiaba de hablar. Syme comió otro bocado del pan negro, lo masticó un poco y siguió:

–¿No ves que la finalidad de la neolengua es limitar el alcance del pensamiento, estrechar el radio de acción de la mente? Al final, acabaremos haciendo imposible todo crimen del pensamiento. En efecto, ¿cómo puede haber *crimental* si cada concepto se expresa claramente con *una* sola palabra, una palabra cuyo significado esté decidido rigurosamente y con todos sus significados secundarios eliminados y olvidados para siempre? Y en la onceava edición nos acercamos a ese ideal, pero su perfeccionamiento continuará mucho después de que tú y yo hayamos muerto. Cada año habrá menos palabras y el radio de acción de la conciencia será cada vez más pequeño. Por supuesto, tampoco ahora hay justificación alguna para cometer un crimen por el pensamiento. Sólo es cuestión de autodisciplina, de control de la realidad. Pero llegará un día en que ni esto será preciso. La revolución será completa cuando la lengua sea perfecta. Neolengua es Ingsoc e Ingsoc es neolengua –añadió con una satisfacción mística–. ¿No se te ha ocurrido pensar, Winston, que lo más tarde hacia el año 2050, ni un solo ser humano podrá entender una conversación como esta que ahora sostenemos?

–Excepto... –empezó a decir Winston, dubitativo, pero se interrumpió alarmado.

Había estado a punto de decir «excepto los proles»; pero no estaba muy seguro de que esta observación fuera muy ortodoxa. Sin embargo, Syme adivinó lo que iba a decir.

–Los *proles* no son seres humanos –dijo–. Hacia el 2050, quizás antes, habrá desaparecido todo conocimiento efectivo del viejo idioma. Toda la literatura del pasado habrá sido destruida. Chaucer, Shakespeare, Milton, Byron... sólo existirán en versiones neolingüísticas, no sólo transformados en algo muy diferente, sino convertidos en lo contrario de lo que eran. Incluso la literatura del Partido cambiará; hasta los *slogans* serán otros. ¿Cómo vas a tener un *slogan* como el de «la libertad es la esclavitud» cuando el concepto de libertad no exista? Todo el clima del pensamiento será distinto. En realidad, no habrá pensamiento en el sentido en que ahora lo entendemos. La ortodoxia significa no pensar, no necesitar el pensamiento. Nuestra ortodoxia es la inconsciencia.

De pronto tuvo Winston la profunda convicción de que uno de aquellos días *vaporizarían* a Syme. Es demasiado inteligente. Lo ve todo con demasiada claridad y habla con demasiada sencillez. Al Partido no le gusta esta gente. Cualquier día desaparecerá. Lo lleva escrito en la cara.

Winston había terminado el pan y el queso. Se volvió un poco para beber la terrina de café. En la mesa de la izquierda, el hombre de la voz estridente seguía hablando sin cesar. Una joven, que quizás fuera su secretaria y que estaba sentada de espaldas a Winston, le escuchaba y asentía continuamente. De vez en cuando, Winston captaba alguna observación como: «Cuánta razón tienes» o «No sabes hasta qué punto estoy de acuerdo contigo», en una voz juvenil y algo tonta. Pero la otra voz no se detenía ni siquiera cuando la muchacha decía algo. Winston conocía de vista a aquel hombre aunque sólo sabía que ocupaba un puesto importante en el Departamento de Novela. Era un hombre de unos treinta años con un poderoso cuello y una boca grande y gesticulante.

Estaba un poco echado hacia atrás en su asiento y los cristales de sus gafas reflejaban la luz y le presentaban a Winston dos discos vacíos en vez de un par de ojos. Lo inquietante era que del torrente de ruido que salía de su boca resultaba casi imposible distinguir una sola palabra. Sólo un cabo de frase comprendió Winston «completa y definitiva eliminación del goldsteinismo», pronunciado con tanta rapidez que parecía salir en un solo bloque como la línea, fundida en plomo, de una linotipia. Lo demás era sólo ruido, un cuac-cuac-cuac, y, sin embargo, aunque no se podía oír lo que decía, era seguro que se refería a Goldstein acusándolo y exigiendo medidas más duras contra los criminales del pensamiento y los saboteadores. Sí, era indudable que lanzaba diatribas contra las atrocidades del ejército eurasiático y que alababa al Gran Hermano o a los héroes del frente malabar. Fuera lo que fuese, se podía estar seguro de que todas sus palabras eran ortodoxia pura. Ingsoc ciento por ciento. Al contemplar el rostro sin ojos con la mandíbula en rápido movimiento, tuvo Winston la curiosa sensación de que no era un ser humano, sino una especie de muñeco. No hablaba el cerebro de aquel hombre, sino su laringe. Lo que salía de ella consistía en palabras, pero no era un discurso en el verdadero sentido, sino un ruido inconsciente como el cuac-cuac de un pato.

Syme se había quedado silencioso unos momentos y con el mango de la cucharilla trazaba dibujos entre los restos del guisado. La voz de la otra mesa seguía con su rápido cuac-cuac, fácilmente perceptible a pesar de la algarabía de la cantina.

–Hay una palabra en neolengua –dijo Syme– que no sé si la conoces: *pathablar*, o sea, hablar de modo que recuerde el cuac-cuac de un pato. Es una de esas palabras interesantes que tienen dos sentidos contradictorios. Aplicada a un contrario, es un insulto; aplicada a alguien con quien estés de acuerdo, es un elogio.

No cabía duda, volvió a pensar Winston, a Syme lo vaporizarían. Lo pensó con cierta tristeza aunque sabía perfectamente que Syme lo despreciaba y era muy capaz de denunciarle como culpable mental. Había algo de sutilmente malo en Syme. Algo le faltaba: discreción, prudencia, algo así como estupidez salvadora. No podía decirse que no fuera ortodoxo. Creía en los principios del Ingsoc, veneraba al Gran Hermano, se alegraba de las victorias y odiaba a los herejes, no sólo sinceramente, sino con inquieto celo hallándose al día hasta un grado que no solía alcanzar el miembro ordinario del Partido. Sin embargo, se cernía sobre él un vago aire de sospecha. Decía cosas que debía callar, leía demasiados libros, frecuentaba el Café del Nogal, guarida de pintores y músicos. No había ley que prohibiera la frecuentación del Café del Nogal. Sin embargo, era sitio de mal agüero. Los antiguos y desacreditados jefes del Partido se habían reunido allí antes de ser «purgados» definitivamente. Se decía que al mismo Goldstein lo habían visto allí algunas veces hacía años o décadas. Por tanto, el destino de Syme no era difícil de predecir. Pero, por otra parte, era indudable que si aquel hombre olía –sólo por tres segundos– las opiniones secretas de Winston, lo denunciaría inmediatamente a la Policía del Pensamiento. Por supuesto, cualquier otro lo haría; Syme se daría más prisa. Pero no bastaba con el celo. La ortodoxia era la inconsciencia.

Syme levantó la vista:

–Aquí viene Parsons –dijo.

Algo en el tono de su voz parecía añadir, «ese idiota». Parsons, vecino de Winston en las Casas de la Victoria, se abría paso efectivamente por la atestada cantina. Era un individuo de mediana estatura con cabello rubio y cara de rana. A los treinta y cinco años tenía ya una buena cantidad de grasa en el cuello y en la cintura, pero sus movimientos eran ágiles y juveniles. Todo su aspecto hacía pensar en un muchacho con excesiva corpulencia, hasta tal punto que, a pesar de vestir el «mono» reglamentario, era casi imposible no figurárselo con los pantalones cortos y azules, la camisa gris y el pañuelo rojo de los Espías. Al verlo, se pensaba siempre en escenas de la organización juvenil. Y, en efecto, Parsons se ponía *shorts* para cada excursión colectiva o cada vez que cualquier actividad física de la comunidad le daba una disculpa para hacerlo. Saludó a ambos con un alegre ¡Hola, hola!, y sentóse a la mesa esparciendo un intenso olor a sudor. Su rojiza cara estaba perlada de gotitas de sudor. Tenía un enorme poder sudorífico. En el Centro de la Comunidad se podía siempre asegurar si Parsons había jugado al tenis de mesa por la humedad del mango de la raqueta. Syme sacó una tira de papel en la que había una larga columna de palabras y se dedicó a estudiarla con un lápiz tinta entre los dedos.

–Mira cómo trabaja hasta en la hora de comer –dijo Parsons, guiñándole un ojo a Winston–. Eso es lo que se llama aplicación. ¿Qué tienes ahí, chico? Seguro que es algo demasiado intelectual para mí. Oye, Smith, te diré por qué te andaba buscando, es para la *sub*. Olvidaste darme el dinero.

–¿Qué *sub* es ésa? –dijo Winston buscándose el dinero automáticamente. Por lo menos una cuarta parte del sueldo de cada uno iba a parar a las subscripciones voluntarias. Éstas eran tan abundantes que resultaba muy difícil llevar la cuenta.

–Para la Semana del Odio. Ya sabes que soy el tesorero de nuestra manzana. Estamos haciendo un gran esfuerzo para que nuestro grupo de casas aporte más que nadie. No será culpa mía si las Casas de la Victoria no presentan el mayor despliegue de banderas de toda la calle. Me prometiste dos dólares.

Winston, después de rebuscar en sus bolsillos, sacó dos billetes grasientos y muy arrugados que Parsons metió en una carterita y anotó cuidadosamente.

–A propósito, chico –dijo–; me he enterado de que mi crío te disparó ayer su tirachinas. Ya le he arreglado las cuentas. Le dije que si lo volvía a hacer le quitaría el tirachinas.

–Me parece que estaba un poco fastidiado por no haber ido a la ejecución –dijo Winston.

–Hombre, no está mal; eso demuestra que el muchacho es de fiar. Son muy traviesos, pero, eso sí, no piensan más que en los espías; y en la guerra, naturalmente. ¿Sabes lo que hizo mi chiquilla el sábado pasado cuando su tropa fue de excursión a Berkhamstead? La acompañaban otras dos niñas. Las tres se separaron de la tropa, dejaron las bicicletas a un lado del camino y se pasaron toda la tarde siguiendo a un desconocido. No perdieron de vista al hombre durante dos horas, a campo traviesa, por los bosques... En fin, que, en cuanto llegaron a Amersham, lo entregaron a las patrullas.

–¿Por qué lo hicieron? –preguntó Winston, sobresaltado a pesar suyo. Parsons prosiguió, triunfante:

–Mi chica se aseguró de que era un agente enemigo... Probablemente, lo dejaron caer con paracaídas. Pero fíjate en el talento de la criatura: ¿en qué supones que le conoció al hombre que era un enemigo? Pues notó que llevaba unos zapatos muy raros. Sí, mi niña dijo que no había visto a nadie con unos zapatos así; de modo que la cosa estaba clara. Era un extranjero. Para una niña de siete años, no está mal, ¿verdad?

—¿Y qué le pasó a ese hombre? –se interesó Winston.

—Eso no lo sé, naturalmente. Pero no me sorprendería que... –Parsons hizo el ademán de disparar un fusil y chasqueó la lengua imitando el disparo.

—Muy bien –dijo Syme abstraído, sin levantar la vista de sus apuntes.

—Claro, no podemos permitirnos correr el riesgo... –asintió Winston, nada convencido.

—Por supuesto, no hay que olvidar que estamos en guerra. Como para confirmar esto, un trompetazo salió de la telepantalla vibrando sobre sus cabezas. Pero esta vez no se trataba de la proclamación de una victoria militar, sino sólo de un anuncio del Ministerio de la Abundancia.

—¡Camaradas! –exclamó una voz juvenil y resonante–. ¡Atención, camaradas! ¡Tenemos gloriosas noticias que comunicaros! Hemos ganado la batalla de la producción. Tenemos ya todos los datos completos y el nivel de vida se ha elevado en un veinte por ciento sobre el del año pasado. Esta mañana ha habido en toda Oceanía incontables manifestaciones espontáneas; los trabajadores salieron de las fábricas y de las oficinas y desfilaron, con banderas desplegadas, por las calles de cada ciudad proclamando su gratitud al Gran Hermano por la nueva y feliz vida que su sabia dirección nos permite disfrutar. He aquí las cifras completas. Ramo de la Alimentación...

La expresión «por la nueva y feliz vida» reaparecía varias veces. Éstas eran las palabras favoritas del Ministerio de la Abundancia. Parsons, pendiente todo él de la llamada de la trompeta, escuchaba, muy rígido, con la boca abierta y un aire solemne, una especie de aburrimiento sublimado. No podía seguir las cifras, pero se daba cuenta de que eran un motivo de satisfacción. Fumaba una enorme y mugrienta pipa. Con la ración de tabaco de cien gramos a la semana era raras veces posible llenar una pipa hasta el borde. Winston fumaba un cigarrillo de la Victoria cuidando de mantenerlo horizontal para que no se cayera su escaso tabaco. La nueva ración no la darían hasta mañana y le quedaban sólo cuatro cigarrillos. Había dejado de prestar atención a todos los ruidos excepto a la pesadez numérica de la pantalla. Por lo visto, había habido hasta manifestaciones para agradecerle al Gran Hermano el aumento de la ración de chocolate a veinte gramos cada semana. Ayer mismo, pensó, se había anunciado que la ración se *reduciría* a veinte gramos semanales. ¿Cómo era posible que pudieran tragarse aquello, si no habían pasado más que veinticuatro horas? Sin embargo, se lo tragaron. Parsons lo digería con toda facilidad, con la estupidez de un animal. El individuo de las gafas con reflejos, en la otra mesa, lo aceptaba fanática y apasionadamente con un furioso deseo de descubrir, denunciar y vaporizar a todo aquel que insinuase que la semana pasada la ración fue de treinta gramos. Syme también se lo había tragado aunque el proceso que seguía para ello era algo más complicado, un proceso de *doblepensar*. ¿Es que *sólo él*, Winston, seguía poseyendo memoria?

Las fabulosas estadísticas continuaron brotando de la telepantalla. En comparación con el año anterior, había más alimentos, más vestidos, más casas, más muebles, más ollas, más comestibles, más barcos, más autogiros, más libros, más bebés, más de todo, excepto enfermedades, crímenes y locura. Año tras año y minuto tras minuto, todos y todo subía vertiginosamente. Winston meditaba, resentido, sobre la vida. ¿Siempre había sido así; siempre había sido tan mala la comida? Miró en torno suyo por la cantina; una habitación de techo bajo, con las paredes sucias por el contacto de tantos trajes grasientos; mesas de metal abolladas y sillas igualmente estropeadas y tan juntas que la gente se tocaba con los codos. Todo resquebrajado, lleno de manchas y saturado de un insoportable olor a ginebra mala, a mal café, a sustitutivo de asado, a trajes sucios. Constantemente se rebelaban el estómago y la piel con la sensación de que se les había hecho trampa privándoles de algo a lo que tenían derecho. Desde luego, Winston no recordaba nada que fuera muy diferente. En todo el tiempo a que alcanzaba su memoria, nunca hubo bastante comida, nunca se podían llevar calcetines ni ropa interior sin agujeros, los muebles habían estado siempre desvencijados, en las habitaciones había faltado calefacción, los metros iban horriblemente atestados, las casas se deshacían a pedazos, el pan era negro, el té imposible de encontrar, el café sabía a cualquier cosa, escaseaban los cigarrillos y nada había barato y abundante a no ser la ginebra sintética. Y aunque, desde luego, todo empeoraba a medida que uno envejecía, ello era sólo señal de que éste no era el orden natural de las cosas. Si el corazón enfermaba con las incomodidades, la suciedad y la escasez, los inviernos interminables, la dureza de los calcetines, los ascensores que nunca funcionaban, el agua fría, el rasposo jabón, los cigarrillos que se deshacían, los alimentos de sabor repugnante... ¿cómo iba uno a considerar todo esto intolerable si no fuera por una especie de recuerdo ancestral de que las cosas habían sido diferentes alguna vez?

Winston volvió a recorrer la cantina con la mirada. Casi todos los que allí estaban eran feos y lo hubieran seguido siendo aunque no hubieran llevado los «monos» azules uniformes. Al extremo de la habitación, solo en una mesa, se hallaba un hombrecillo con aspecto de escarabajo. Bebía una taza de café y sus ojillos lanzaban miradas suspicaces a un lado y a otro. Es muy fácil, pensó Winston, siempre que no mire uno en torno suyo, creer que el tipo físico fijado por el Partido como ideal –los jóvenes altos y musculosos y las muchachas de escaso pecho y de cabello rubio, vitales, tostadas por el sol y despreocupadas– existía e incluso predominaba. Pero en la realidad, la mayoría de los habitantes de la Franja Aérea número 1 eran pequeños, cetrinos y de facciones desagradables. Es curioso cuánto proliferaba el tipo de escarabajo entre los funcionarios de los ministerios: hombrecillos que engordaban desde muy jóvenes, con piernas cortas, movimientos toscos y rostros inescrutables, con ojos muy pequeños. Era el tipo que parecía florecer bajo el dominio del Partido.

La comunicación del Ministerio de la Abundancia terminó con otro trompetazo y fue seguida por música ligera. Parsons, lleno de vago entusiasmo por el reciente bombardeo de cifras, se sacó la pipa de la boca:

–El Ministerio de la Abundancia ha hecho una buena labor este año –dijo moviendo la cabeza como persona bien enterada–. A propósito, Smith, ¿no podrás dejarme alguna hoja de afeitar?

–¡Ni una! –le respondió Winston–. Llevo seis semanas usando la misma hoja.

–Entonces, nada... Es que se me ocurrió, por si tenías.

–Lo siento –dijo Winston.

El cuac-cuac de la próxima mesa, que había permanecido en silencio mientras duró el comunicado del Ministerio de la Abundancia, comenzó otra vez mucho más fuerte. Por alguna razón, Winston pensó de pronto en la señora Parsons con su cabello revuelto y el polvo de sus arrugas. Dentro de dos años aquellos niños la denunciarían a la Policía del Pensamiento. La señora Parsons sería vaporizada. Syme sería vaporizado. A Winston lo vaporizarían también. O'Brien sería vaporizado. A Parsons, en cambio, nunca lo vaporizarían. Tampoco el individuo de las gafas y del cuac-cuac sería vaporizado nunca. Ni tampoco la joven del cabello negro, la del Departamento de Novela. Le parecía a Winston conocer por intuición quién perecería, aunque no era fácil determinar lo que permitía sobrevivir a una persona.

En aquel momento le sacó de su ensoñación una violenta sacudida. La muchacha de la mesa vecina se había vuelto y lo estaba mirando. ¡Era la muchacha morena del Departamento de Novela! Miraba a Winston a hurtadillas, pero con una curiosa intensidad. En cuanto sus ojos tropezaron con los de Winston, volvió la cabeza.

Winston empezó a sudar. Le invadió una horrible sensación de terror. Se le pasó casi en seguida, pero le dejó intranquilo. ¿Por qué lo miraba aquella mujer? ¿Por qué se la encontraba tantas veces? Desgraciadamente, no podía recordar si la joven estaba ya en aquella mesa cuando él llegó o si había llegado después. Pero el día anterior, durante los

Dos Minutos de Odio, se había sentado inmediatamente detrás de él sin haber necesidad de ello. Seguramente, se proponía escuchar lo que él dijera y ver si gritaba lo bastante fuerte.

Pensó que probablemente la muchacha no era miembro de la Policía del Pensamiento, pero precisamente las espías aficionadas constituían el mayor peligro. No sabía Winston cuánto tiempo llevaba mirándolo la joven, pero quizás fueran cinco minutos. Era muy posible que en este tiempo no hubiera podido controlar sus gestos a la perfección. Constituía un terrible peligro pensar mientras se estaba en un sitio público o al alcance de la telepantalla. El detalle más pequeño podía traicionarle a uno. Un tic nervioso, una inconsciente mirada de inquietud, la costumbre de hablar con uno mismo entre dientes, todo lo que revelase la necesidad de ocultar algo. En todo caso, llevar en el rostro una expresión impropia (por ejemplo, parecer incrédulo cuando se anunciaba una victoria) constituía un acto punible. Incluso había una palabra para esto en neolengua: *caracrimen*.

La muchacha recuperó su posición anterior. Quizás no estuviese persiguiéndolo; quizás fuera pura coincidencia que se hubiera sentado tan cerca de él dos días seguidos. Se le había apagado el cigarrillo y lo puso cuidadosamente en el borde de la mesa. Lo terminaría de fumar después del trabajo si es que el tabaco no se había acabado de derramar para entonces. Seguramente, el individuo que estaba con la joven sería un agente de la Policía del Pensamiento y era muy probable, pensó Winston, que a él lo llevaran a los calabozos del Ministerio del Amor dentro de tres días, pero no era ésta una razón para desperdiciar una colilla. Syme dobló su pedazo de papel y se lo guardó en el bolsillo. Parsons había empezado a hablar otra vez.

–¿Te he contado, chico, lo que hicieron mis críos en el mercado? ¿No? Pues un día le prendieron fuego a la falda de una vieja vendedora porque la vieron envolver unas salchichas en un cartel con el retrato del Gran Hermano. Se pusieron detrás de ella y, sin que se diera cuenta, le prendieron fuego a la falda por abajo con una caja de cerillas. Le causaron graves quemaduras. Son traviesos, ¿eh? Pero eso sí, ¡más finos...! Esto se lo deben a la buena enseñanza que se da hoy a los niños en los Espías, mucho mejor que en mi tiempo. Están muy bien organizados. ¿Qué creen ustedes que les han dado a los chicos últimamente? Pues, unas trompetillas especiales para escuchar por las cerraduras. Mi niña trajo una a casa la otra noche. La probó en nuestra salita, y dijo que oía con doble fuerza que si aplicaba el oído al agujero. Claro que sólo es un juguete; sin embargo, así se acostumbran los niños desde pequeños.

En aquel momento, la telepantalla dio un penetrante silbido. Era la señal para volver al trabajo. Los tres hombres se pusieron automáticamente en pie y se unieron a la multitud en la lucha por entrar en los ascensores, lo que hizo que el cigarrillo de Winston se vaciara por completo.

VI

Winston escribía en su Diario:

Fue hace tres años. Era una tarde oscura, en una estrecha callejuela cerca de una de las estaciones del ferrocarril. Ella, de pie, apoyada en la pared cerca de una puerta, recibía la luz mortecina de un farol. Tenía una cara joven muy pintada. Lo que me atrajo fue la pintura, la blancura de aquella cara que parecía una máscara y los labios rojos y brillantes. Las mujeres del Partido nunca se pintan la cara. No había nadie más en la calle, ni telepantallas. Me dijo que dos dólares. Yo...

Le era difícil seguir. Cerró los ojos y apretó las palmas de las manos contra ellos tratando de borrar la visión interior. Sentía una casi invencible tentación de gritar una sarta de palabras. O de golpearse la cabeza contra la pared, de arrojar el tintero por la ventana, de hacer, en fin, cualquier acto violento, ruidoso, o doloroso, que le borrara el recuerdo que le atormentaba.

Nuestro peor enemigo, reflexionó Winston, es nuestro sistema nervioso. En cualquier momento, la tensión interior puede traducirse en cualquier síntoma visible. Pensó en un hombre con quien se había cruzado en la calle semanas atrás: un hombre de aspecto muy corriente, un miembro del Partido de treinta y cinco a cuarenta años, alto y delgado, que llevaba una cartera de mano. Estaban separados por unos cuantos metros cuando el lado izquierdo de la cara de aquel hombre se contrajo de pronto en una especie de espasmo. Esto volvió a ocurrir en el momento en que se cruzaban; fue sólo un temblor rapidísimo como el disparo de un objetivo de cámara fotográfica, pero sin duda se trataba de un tic habitual. Winston recordaba haber pensado entonces: el pobre hombre está perdido. Y lo aterrador era que el movimiento de los músculos era inconsciente. El peligro mortal por excelencia era hablar en sueños. Contra eso no había remedio.

Contuvo la respiración y siguió escribiendo:

> *Entré con ella en el portal y cruzamos un patio para bajar luego a una cocina que estaba en los sótanos. Había una cama contra la pared, y una lámpara en la mesilla con muy poca luz. Ella...*

Le rechinaban los dientes. Le hubiera gustado escupir. A la vez que en la mujer del sótano, pensó Winston en Katharine, su esposa. Winston estaba casado; es decir, había estado casado. Probablemente seguía estándolo, pues no sabía que su mujer hubiera muerto. Le pareció volver a aspirar el insoportable olor de la cocina del sótano, un olor a insectos, ropa sucia y perfume baratísimo; pero, sin embargo, atraía, ya que ninguna mujer del Partido usaba perfume ni podía uno imaginársela perfumándose. Solamente los *proles* se perfumaban, y ese olor evocaba en la mente, de un modo inevitable, la fornicación.

Cuando estuvo con aquella mujer, fue la primera vez que había caído Winston en dos años aproximadamente. Por supuesto, toda relación con prostitutas estaba prohibida, pero se admitía que alguna vez, mediante un acto de gran valentía, se permitiera uno infringir la ley. Era peligroso pero no un asunto de vida o muerte, porque ser sorprendido con una prostituta sólo significaba cinco años de trabajos forzados. Nunca más de cinco años con tal de que no se hubiera cometido otro delito a la vez. Lo cual resultaba estupendo ya que había la posibilidad de que no le descubrieran a uno. Los barrios pobres abundaban en mujeres dispuestas a venderse. El precio de algunas era una botella de ginebra, bebida que se suministraba a los proles. Tácitamente, el Partido se inclinaba a estimular la prostitución como salida de los instintos que no podían suprimirse. Esas juergas no importaban políticamente ya que eran furtivas y tristes y sólo implicaban a mujeres de una clase sumergida y despreciada. El crimen imperdonable era la promiscuidad entre miembros del Partido. Pero –aunque éste era uno de los crímenes que los acusados confesaban siempre en las purgas– era casi imposible imaginar que tal desafuero pudiera suceder.

La finalidad del Partido en este asunto no era sólo evitar que hombres y mujeres establecieran vínculos imposibles de controlar. Su objetivo verdadero y no declarado era quitarle todo placer al acto sexual. El enemigo no era tanto el amor como el erotismo, dentro del matrimonio y fuera de él. Todos los casamientos entre miembros del Partido tenían que ser aprobados por un Comité nombrado con este fin y –aunque al principio nunca fue establecido de un modo explícito– siempre se negaba el permiso si la pareja daba la impresión de hallarse físicamente enamorada. La única finalidad admitida en el matrimonio era engendrar hijos en beneficio del Partido. La relación sexual se consideraba como una pequeña operación algo molesta, algo así como soportar un enema. Tampoco esto se decía claramente, pero de un modo indirecto se grababa desde la infancia en los miembros del Partido. Había incluso organizaciones como la Liga Juvenil Anti-Sex, que defendía la soltería absoluta para ambos sexos. Los niños debían ser engendrados por inseminación artificial (*semart*, como se le llamaba en neolengua) y educados en instituciones públicas. Winston sabía que esta exageración no se defendía en serio, pero que estaba de acuerdo con la ideología general del Partido. Éste trataba de matar el instinto sexual o, si no podía suprimirlo del todo, por lo menos deformarlo y mancharlo. No sabía Winston por qué se seguía esta táctica, pero parecía natural que fuera así. Y en cuanto a las mujeres, los esfuerzos del Partido lograban pleno éxito.

Volvió a pensar en Katharine. Debía de hacer nueve o diez años, casi once, que se habían separado. Era curioso que se acordara tan poco de ella. Olvidaba durante días enteros que habían estado casados. Sólo permanecieron juntos unos quince meses. El Partido no permitía el divorcio, pero fomentaba las separaciones cuando no había hijos.

Katharine era una rubia alta, muy derecha y de movimientos majestuosos. Tenía una cara audaz, aquilina, que podría haber pasado por noble antes de descubrir que no había nada tras aquellas facciones. Al principio de su vida de casados –aunque quizás fuera sólo que Winston la conocía más íntimamente que a las demás personas– llegó a la conclusión de que su mujer era la persona más estúpida, vulgar y vacía que había conocido hasta entonces. No latía en su cabeza ni un solo pensamiento que no fuera un *slogan*. Se tragaba cualquier imbecilidad que el Partido le ofreciera. Winston la llamaba en su interior «la banda sonora humana». Sin embargo, podía haberla soportado de no haber sido por una cosa: el sexo.

Tan pronto como la rozaba parecía tocada por un resorte y se endurecía. Abrazarla era como abrazar una imagen con juntas de madera. Y lo que era todavía más extraño: incluso cuando ella lo apretaba contra sí misma, él tenía la sensación de que al mismo tiempo lo rechazaba con toda su fuerza. La rigidez de sus músculos ayudaba a dar esta impresión. Se quedaba allí echada con los ojos cerrados sin resistir ni cooperar, pero como sometible. Era de lo más vergonzoso y, a la larga, horrible. Pero incluso así habría podido soportar vivir con ella si hubieran decidido quedarse célibes. Pero curiosamente fue Katharine quien rehusó. «Debían –dijo– producir un niño si podían.» Así que la comedia seguía representándose una vez por semana regularmente, mientras no fuese imposible. Ella incluso se lo recordaba por la mañana como algo que había que hacer esa noche y que no debía olvidarse. Tenía dos expresiones para ello. Una era «hacer un bebé», y la otra «nuestro deber al Partido» (sí, había utilizado esta frase). Pronto empezó a tener una sensación de positivo temor cuando llegaba el día. Pero por suerte no apareció nin-

75

gún niño y finalmente ella estuvo de acuerdo en dejar de probar. Y poco después se separaron.

Winston suspiró inaudiblemente. Volvió a coger la pluma y escribió:

> *Se arrojó sobre la cama y en seguida, sin preliminar alguno, del modo más grosero y horrible que se puede imaginar, se levantó la falda. Yo...*

Se vio a sí mismo de pie en la mortecina luz con el olor a cucarachas y a perfume barato, y en su corazón brotó un resentimiento que incluso en aquel instante se mezclaba con el recuerdo del blanco cuerpo de Katharine, frígido para siempre por el hipnótico poder del Partido. ¿Por qué tenía que ser siempre así? ¿No podía él disponer de una mujer propia en vez de estas furcias a intervalos de varios años? Pero un asunto amoroso de verdad era una fantasía irrealizable. Las mujeres del Partido eran todas iguales. La castidad estaba tan arraigada en ellas como la lealtad al Partido. Por la educación que habían recibido en su infancia, por los juegos y las duchas de agua fría, por todas las estupideces que les metían en la cabeza, las conferencias, los desfiles, canciones, consignas y música marcial, les arrancaban todo sentimiento natural. La razón le decía que forzosamente habría excepciones, pero su corazón no lo creía. Todas ellas eran inalcanzables, como deseaba el Partido. Y lo que él quería, aún más que ser amado, era derruir aquel muro de estupidez aunque fuera una sola vez en su vida. El acto sexual, bien realizado, era una rebeldía. El deseo era un crimental. Si hubiera conseguido despertar los sentidos de Katharine, esto habría equivalido a una seducción aunque se trataba de su mujer.

Pero tenía que contar el resto de la historia. Escribió:

> *Encendí la luz. Cuando la vi claramente...*

Después de la casi inexistente luz de la lamparilla de aceite, la luz eléctrica parecía cegadora. Por primera vez pudo ver a la mujer tal como era. Avanzó un paso hacia ella y se detuvo horrorizado. Comprendía el riesgo a que se había expuesto. Era muy posible que las patrullas lo sorprendieran a la salida. Más aún: quizá lo estuvieran esperando ya a la puerta. Nada iba a ganar con marcharse sin hacer lo que se había propuesto.

Todo aquello tenía que escribirlo, confesarlo. Vio de pronto a la luz de la bombilla que la mujer era vieja. La pintura se apegotaba en su cara tanto que parecía ir a resquebrajarse como una careta de cartón. Tenía mechones de cabellos blancos; pero el detalle más horroroso era que la boca, entreabierta, parecía una oscura caverna. No tenía ningún diente.

Winston escribió a toda prisa:

Cuando la vi a plena luz resultó una verdadera vieja. Por lo menos tenía cincuenta años. Pero, de todos modos, lo hice.

Volvió a apoyar las palmas de las manos sobre los ojos. Ya lo había escrito, pero de nada servía. Seguía con la misma necesidad de gritar palabrotas con toda la fuerza de sus pulmones.

VII

Si hay alguna esperanza, escribió Winston, *está en los proles.*

Si había esperanza, tenía que estar en los proles porque sólo en aquellas masas abandonadas, que constituían el ochenta y cinco por ciento de la población de Oceanía, podría encontrarse la fuerza suficiente para destruir al Partido. Éste no podía descomponerse desde dentro. Sus enemigos, si los tenía en su interior, no podían de ningún modo unirse, ni siquiera identificarse mutuamente. Incluso si existía la legendaria Hermandad –y era muy posible que existiese– resultaba inconcebible que sus miembros se pudieran reunir en grupos mayores de dos o tres. La rebeldía no podía pasar de un destello en la mirada o determinada inflexión en la voz; a lo más, alguna palabra murmurada. Pero los proles, si pudieran darse cuenta de su propia fuerza, no necesitarían conspirar. Les bastaría con encabritarse como un caballo que se sacude las moscas. Si quisieran podrían destrozar el Partido mañana por la mañana. Desde luego, antes o después se les ocurrirá. Y, sin embargo...

Recordó Winston una vez que había dado un paseo por una calle de mucho tráfico cuando oyó un tremendo grito múltiple. Centenares de voces, voces de mujeres, salían de una calle lateral. Era un formidable grito de ira y desesperación, un tremendo ¡O-o-o-o-oh! Winston se sobresaltó terriblemente. ¡Ya empezó! ¡Un motín!, pensó. Por fin, los proles se sacudían el yugo; pero cuando llegó al sitio de la aglomeración vio que una multitud de doscientas o trescientas mujeres se agolpaban sobre los puestos de un mercado callejero con expresiones tan trágicas como si fueran las pasajeras de un barco en trance de hundirse. En aquel momento, la desesperación general se quebró en innumerables peleas individuales. Por lo visto, en uno de los puestos habían estado vendiendo sartenes de lata. Eran utensilios muy malos, pero los cacharros de cocina eran siempre de casi imposible adquisición. Por fin, había llegado una provisión inesperadamente. Las mujeres que lograron adquirir alguna sartén fueron atacadas por las demás y trataban de escaparse con sus trofeos mientras que las otras las rodeaban y acusaban de favoritismo a la vendedora. Aseguraban que tenía más en reserva. Aumentaron los chillidos. Dos mujeres, una de ellas con el pelo suelto, se habían apoderado de la misma sartén y cada una intentaba quitársela a la otra. Tiraron cada una por su lado hasta que se rompió el mango. Winston las miró con asco. Sin embargo, ¡qué energías tan aterradoras había percibido él bajo aquella gritería! Y, en total, no eran más que dos o tres centenares de gargantas. ¿Por qué no protestarían así por cada cosa de verdadera importancia?

Escribió:

> *Hasta que no tengan conciencia de su fuerza, no se rebelarán, y hasta después de haberse rebelado, no serán conscientes. Éste es el problema.*

Winston pensó que sus palabras parecían sacadas de uno de los libros de texto del Partido. El Partido pretendía, desde luego, haber liberado a los proles de la esclavitud. Antes de la Revolución, eran explotados y oprimidos ignominiosamente por los capitalistas. Pasaban hambre. Las mujeres tenían que trabajar a la viva fuerza en las minas de carbón (por supuesto, las mujeres seguían trabajando en las minas de carbón), los niños eran vendidos a las fábricas a la edad de seis años. Pero, simultáneamente, fiel a los principios del doblepensar, el Partido enseñaba que los proles eran inferiores por naturaleza y debían ser mantenidos bien sujetos, como animales, mediante la aplicación de unas cuantas reglas muy sencillas. En realidad, se sabía muy poco de los proles. Y no era necesario saber mucho de ellos. Mientras continuaran trabajando y teniendo hijos, sus demás actividades carecían de importancia. Dejándoles en libertad como ganado suelto en la pampa de la Argentina, tenían un estilo de vida que parecía serles natural. Se regían por normas ancestrales. Nacían, crecían en el arroyo, empezaban a trabajar a los doce años, pasaban por un breve período de belleza y deseo sexual, se casaban a los veinte años, empezaban a envejecer a los treinta y se morían casi todos ellos hacia los sesenta años. El duro trabajo físico, el cuidado del hogar y de los hijos, las mezquinas peleas entre vecinos, el cine, el fútbol, la cerveza y sobre todo, el juego, llenaban su horizonte mental. No era difícil mantenerlos a raya. Unos cuantos agentes de la Policía del Pensamiento circulaban entre ellos, esparciendo rumores falsos y eliminando a los pocos considerados capaces de convertirse en peligrosos; pero no se intentaba adoctrinarlos con la ideología del Partido. No era deseable que los proles tuvieran sentimientos políticos intensos. Todo lo que se les pedía era un patriotismo primitivo al que se recurría en caso de necesidad para que trabajaran horas extraordinarias o aceptaran raciones más pequeñas. E incluso cuando cundía entre ellos el descontento, como ocurría a veces, era un descontento que no servía para nada porque, por carecer de ideas generales, concentraban su instinto de rebeldía en quejas sobre minucias de la vida corriente. Los grandes males, ni los olían. La mayoría de los proles ni siquiera era vigilada con telepantallas. La policía los molestaba muy poco. En Londres había mucha criminalidad, un mundo revuelto de ladrones, bandidos, prostitutas, traficantes en drogas y maleantes de toda clase; pero como sus actividades tenían lugar entre los mismos proles, daba igual que existieran o no. En todas las cuestiones de moral se les permitía a los proles que siguieran su código ancestral. No se les imponía el puritanismo sexual del Partido. No se castigaba su promiscuidad y se permitía el divorcio. Incluso el culto religioso se les habría permitido si los proles hubieran manifestado la menor inclinación a él. Como decía el Partido: «los proles y los animales son libres». Winston se rascó con precaución sus varices. Habían empezado a picarle otra vez. Siempre volvía a preocuparle saber qué habría sido la vida anterior a la Revolución. Sacó del cajón un ejemplar del libro de historia infantil que le había prestado la señora Parsons y empezó a copiar un trozo en su Diario:

En los antiguos tiempos (decía el libro de texto) antes de la gloriosa Revolución, no era Londres la hermosa ciudad que hoy conocemos. Era un lugar tenebroso, sucio y miserable donde casi nadie tenía nada que comer y donde centenares y millares de desgraciados no tenían zapatos que ponerse ni siquiera un techo bajo el cual dormir. Niños de la misma edad que vosotros debían trabajar doce horas al día a las órdenes de crueles amos que los castigaban con látigos si trabajaban con demasiada lentitud y solamente los alimentaban con pan duro y agua. Pero entre toda esta horrible miseria, había unas cuantas casas grandes y hermosas donde vivían los ricos, cada uno de los cuales tenía por lo menos treinta criados a su disposición. Estos ricos se llamaban capitalistas. Eran individuos gordos y feos con caras de malvados como el que puede apreciarse en la ilustración de la página siguiente. Podréis ver, niños, que va vestido con una chaqueta negra larga a la que llamaban «frac» y un sombrero muy raro y brillante que parece el tubo de una estufa, al que llamaban «sombrero de copa». Éste era el uniforme de los capitalistas, y nadie más podía llevarlo; los capitalistas eran dueños de todo lo que había en el mundo y todos los que no eran capitalistas pasaban a ser sus esclavos. Poseían toda la tierra, todas las casas, todas las fábricas y el dinero todo. Si alguien les desobedecía, era encarcelado inmediatamente y podían dejarlo sin trabajo y hacerlo morir de hambre. Cuando una persona corriente hablaba con un capitalista tenía que descubrirse, inclinarse profundamente ante él y llamarle señor. El jefe supremo de todos los capitalistas era llamado el Rey y...

Winston se sabía toda la continuación. Se hablaba allí de los obispos y de sus vestimentas, de los jueces con sus trajes de armiño, de la horca, del gato de nueve colas, del banquete anual que daba el alcalde y de la costumbre de besar el anillo del Papa. También había una referencia al *jus primae noctis* que no convenía mencionar en un libro de texto para niños. Era la ley según la cual todo capitalista tenía el derecho de dormir con cualquiera de las mujeres que trabajaban en sus fábricas.

¿Cómo saber qué era verdad y qué era mentira en aquello? Después de todo, podía ser verdad que la Humanidad estuviera mejor entonces que antes de la Revolución. La única prueba en contrario era la protesta muda de la carne y los huesos, la instintiva sensación de que las condiciones de vida eran intolerables y que en otro tiempo tenían que haber sido diferentes. A Winston le sorprendía que lo más característico de la vida moderna no fuera su crueldad ni su inseguridad, sino sencillamente su vaciedad, su absoluta falta de contenido. La vida no se parecía, no sólo a las mentiras lanzadas por las telepantallas, sino ni siquiera a los ideales que el Partido trataba de lograr. Grandes zonas vitales, incluso para un miembro del Partido, nada tenían que ver con la política: se trataba sólo de pasar el tiempo en inmundas tareas, luchar para poder meterse en el Metro, remendarse un calcetín como un colador, disolver con resignación una pastilla de sacarina y emplear toda la habilidad posible para conservar una colilla. El ideal del Partido era inmenso, terrible y deslumbrante; un mundo de acero y de hormigón armado, de máquinas monstruosas y espantosas armas, una nación de guerreros y fanáticos que marchaba en bloque siempre hacia delante en unidad perfecta, pensando todos los mismos pensamientos y repitiendo a grito unánime la misma consigna, trabajando perpetuamente, luchando, triunfantes, persiguiendo a los traidores... trescientos millones de personas todas ellas con las misma cara. La realidad era, en cambio: lúgubres ciudades donde la gente, apenas alimentada, arrastraba de un lado a otro sus pies calzados con agujereados zapatos y vivía en ruinosas casas del siglo

XIX en las que predominaba el olor a verduras cocidas y retretes en malas condiciones. Winston creyó ver un Londres inmenso y en ruinas, una ciudad de un millón de cubos de la basura y, mezclada con esta visión, la imagen de la señora Parsons con sus arrugas y su pelo enmarañado tratando de arreglar infructuosamente una cañería atascada.

Volvió a rascarse el tobillo. Día y noche las telepantallas le herían a uno el tímpano con estadísticas según las cuales todos tenían más alimento, más trajes, mejores casas, entretenimientos más divertidos, todos vivían más tiempo, trabajaban menos horas, eran más sanos, fuertes, felices, inteligentes y educados que los que habían vivido hacía cincuenta años. Ni una palabra de todo ello podía ser probada ni refutada. Por ejemplo, el Partido sostenía que el cuarenta por ciento de los proles adultos sabía leer y escribir y que antes de la Revolución todos ellos, menos un quince por ciento, eran analfabetos. También aseguraba el Partido que la mortalidad infantil era ya sólo del ciento sesenta por mil mientras que antes de la Revolución había sido del trescientos por mil... y así sucesivamente. Era como una ecuación con dos incógnitas. Bien podía ocurrir que todos los libros de historia fueran una pura fantasía. Winston sospechaba que nunca había existido una ley sobre el *jus primae noctis* ni persona alguna como el tipo de capitalista que pintaban, ni siquiera un sombrero como aquel que parecía un tubo de estufa.

Todo se desvanecía en la niebla. El pasado estaba borrado. Se había olvidado el acto mismo de borrar, y la mentira se convertía en verdad. Sólo una vez en su vida había tenido Winston en la mano –*después* del hecho y eso es lo que importaba– una prueba concreta y evidente de un acto de falsificación. La había tenido entre sus dedos nada menos que treinta segundos. Fue en 1973, aproximadamente, pero desde luego por la época en que Katharine y él se habían separado. La fecha a que se refería el documento era de siete u ocho años antes.

La historia empezó en el sesenta y tantos, en el período de las grandes purgas, en el cual los primitivos jefes de la

Revolución fueron suprimidos de una sola vez. Hacia 1970 no quedaba ninguno de ellos, excepto el Gran Hermano. Todos los demás habían sido acusados de traidores y contrarrevolucionarios. Goldstein huyó y se escondió nadie sabía dónde. De los demás, unos cuantos habían desaparecido mientras que la mayoría fue ejecutada después de unos procesos públicos de gran espectacularidad en los que confesaron sus crímenes. Entre los últimos supervivientes había tres individuos llamados Jones, Aaronson y Rutherford. Hacia 1965 –la fecha no era segura– los tres fueron detenidos. Como ocurría con frecuencia, desaparecieron durante uno o más años de modo que nadie sabía si estaban vivos o muertos y luego aparecieron de pronto para acusarse ellos mismos de haber cometido terribles crímenes. Reconocieron haber estado en relación con el enemigo (por entonces el enemigo era Eurasia, que había de volver a serlo), malversación de fondos públicos, asesinato de varios miembros del Partido dignos de toda confianza, intrigas contra el mando del Gran Hermano que ya habían empezado mucho antes de estallar la Revolución y actos de sabotaje que habían costado la vida a centenares de miles de personas. Después de confesar todo esto, los perdonaron, les devolvieron sus cargos en el Partido, puestos que eran en realidad inútiles, pero que tenían nombres sonoros e importantes. Los tres escribieron largos y abyectos artículos en el *Times* analizando las razones que habían tenido para desertar y prometiendo enmendarse.

Poco tiempo después de ser puestos en libertad esos tres hombres, Winston los había visto en el Café del Nogal. Recordaba con qué aterrada fascinación los había observado con el rabillo del ojo. Eran mucho más viejos que él, reliquias del mundo antiguo, casi las últimas grandes figuras que habían quedado de los primeros y heroicos días del Partido. Todavía llevaban como una aureola el brillo de su participación clandestina en las primeras luchas y en la guerra civil. Winston creyó haber oído los nombres de estos tres personajes mucho antes de saber que existía el Gran Hermano, aunque con el tiempo se le confundían en la mente las fechas y los hechos. Sin embargo, estaban ya fuera de la ley, eran enemigos intocables, se cernía sobre ellos la absoluta certeza de un próximo aniquilamiento. Cuestión de uno o dos años. Nadie que hubiera caído una vez en manos de la Policía del Pensamiento, podía escaparse para siempre. Eran cadáveres que esperaban la hora de ser enviados otra vez a la tumba.

No había nadie en ninguna de las mesas próximas a ellos. No era prudente que le vieran a uno cerca de semejantes personas. Los tres, silenciosos, bebían ginebra con clavo; una especialidad de la casa. De los tres, era Rutherford el que más había impresionado a Winston. En tiempos, Rutherford fue un famoso caricaturista cuyas brutales sátiras habían ayudado a inflamar la opinión popular antes y durante la Revolución. Incluso ahora, a largos intervalos, aparecían sus caricaturas y satíricas historietas en el *Times*. Eran una imitación de su antiguo estilo y ya no tenían vida ni convencían. Era volver a cocinar los antiguos temas: niños que morían de hambre, luchas callejeras, capitalistas con sombrero de copa (hasta en las barricadas seguían los capitalistas con su sombrero de copa), es decir, un esfuerzo desesperado por volver a lo de antes. Era un hombre monstruoso con una crencha de cabellos gris grasienta, bolsones en la cara y unos labios negroides muy gruesos. De joven debió de ser muy fuerte; ahora su voluminoso cuerpo se inclinaba y parecía derrumbarse en todas las direcciones. Daba la impresión de una montaña que se iba a desmoronar de un momento a otro.

Era la solitaria hora de las quince. Winston no podía recordar ya por qué había entrado en el café a esa hora. No había casi nadie allí. Una musiquilla brotaba de las telepantallas. Los tres hombres, sentados en un rincón, casi inmóviles, no hablaban ni una palabra. El camarero, sin que le pidieran nada, volvía a llenar los vasos de ginebra. Había un tablero de ajedrez sobre la mesa, con todas las piezas colocadas, pero no habían empezado a jugar. Entonces, quizás sólo durante medio minuto, ocurrió algo en la telepantalla. Cambió la música que tocaba. Era difícil describir el tono de la nueva música: una nota burlona, cascada, que a veces parecía un rebuzno. Winston, mentalmente, la llamó «la nota amarilla». Y la voz de la telepantalla cantaba:

> *Bajo el Nogal de las ramas extendidas*
> *yo te vendí y tú me vendiste.*
> *Allí yacen ellos y aquí yacemos nosotros.*
> *Bajo el Nogal de las ramas extendidas.*

Los tres personajes no se movieron, pero cuando Winston volvió a mirar la desvencijada cara de Rutherford, vio que estaba llorando. Por vez primera observó, con sobresalto, pero sin saber por qué se impresionaba, que tanto Aaronson como Rutherford tenían partidas las narices.

Un poco después, los tres fueron detenidos de nuevo. Por lo visto, se habían comprometido en nuevas conspiraciones en el mismo momento de ser puestos en libertad. En el segundo proceso confesaron otra vez sus antiguos crímenes, con una sarta de nuevos delitos. Fueron ejecutados y su historia fue registrada en los libros de historia publicados por el Partido como ejemplo para la posteridad. Cinco años después de esto, en 1973, Winston desenrollaba un día unos documentos que le enviaban por el tubo automático cuando descubrió un pedazo de papel que, evidentemente, se había deslizado entre otros y había sido olvidado. En seguida vio su importancia. Era media página de un *Times* de diez años antes –la mitad superior de una página, de manera que incluía la fecha– y contenía una fotografía de los delegados en una solemnidad del Partido en Nueva York. Sobresalían en el centro del grupo Jones, Aaronson y Rutherford. Se les veía muy claramente, pero además sus nombres figuraban al pie.

Lo cierto es que en ambos procesos los tres personajes confesaron que en aquella fecha se hallaban en suelo eurasiático, que habían ido en avión desde un aeródromo secreto en el Canadá hasta Siberia, donde tenían una misteriosa cita. Allí se habían puesto en relación con miembros del Estado Mayor eurasiático al que habían entregado importantes secretos militares. La fecha se le había grabado a Winston en la memoria porque coincidía con el primer día de estío, pero toda aquella historia estaba ya registrada oficialmente en innumerables sitios. Sólo había una conclusión posible: las confesiones eran mentira.

Desde luego, esto no constituía en sí mismo un descubrimiento. Incluso por aquella época no creía Winston que las víctimas de las purgas hubieran cometido los crímenes de que eran acusados. Pero ese pedazo de papel era ya una prueba concreta; un fragmento del pasado abolido como un hueso fósil que reaparece en un estrato donde no se le esperaba y destruye una teoría geológica. Bastaba con ello para pulverizar al Partido si pudiera publicarse en el extranjero y explicarse bien su significado.

Winston había seguido trabajando después de su descubrimiento. En cuanto vio lo que era la fotografía y lo que significaba, la cubrió con otra hoja de papel. Afortunadamente, cuando la desenrolló había quedado de tal modo que la telepantalla no podía verla.

Se puso la carpeta sobre su rodilla y echó hacia atrás la silla para alejarse de la telepantalla lo más posible. No era difícil mantener inexpresiva la cara e incluso controlar, con un poco de esfuerzo, la respiración; pero lo que no podía controlarse eran los latidos del corazón y la telepantalla los recogía con toda exactitud. Winston dejó pasar diez minutos atormentado por el miedo de que algún accidente –por ejemplo, una súbita corriente de aire– lo traicionara. Luego, sin exponerla a la vista de la pantalla, tiró la fotografía en el «agujero de la memoria» mezclándola con otros papeles inservibles. Al cabo de un minuto, el documento sería un poco de ceniza.

Aquello había pasado hacía diez u once años. «De ocurrir ahora –pensó Winston–, me habría guardado la foto.» Era curioso que el hecho de haber tenido ese documento entre sus dedos le pareciera constituir una gran diferencia incluso ahora en que la fotografía misma, y no sólo el hecho registrado en ella, era sólo recuerdo. ¿Se aflojaba el dominio del Partido sobre el pasado –se preguntó Winston– porque una prueba documental que ya no existía *hubiera existido* una vez?

Pero hoy, suponiendo que pudiera resucitar de sus cenizas, la foto no podía servir de prueba. Ya en el tiempo en que él había hecho el descubrimiento, no estaba en guerra Oceanía con Eurasia y los tres personajes suprimidos tenían que haber traicionado su país con los agentes de Asia oriental y no con los de Eurasia. Desde entonces hubo otros cambios, dos o tres, ya no podía recordarlo. Probablemente, las confesiones habían sido nuevamente escritas varias veces hasta que los hechos y las fechas originales perdieran todo significado. No es sólo que el pasado cambiara, es que cambiaba continuamente. Lo que más le producía a Winston la sensación de una pesadilla es que nunca había llegado a comprender claramente *por qué* se emprendía la inmensa impostura. Desde luego, eran evidentes las ventajas inmediatas de falsificar el pasado, pero la última razón era misteriosa. Volvió a coger la pluma y escribió:

Comprendo CÓMO: *no comprendo* POR QUÉ.

Se preguntó, como ya lo había hecho muchas veces, si no estaría él loco. Quizás un loco era sólo una «minoría de uno». Hubo una época en que fue señal de locura creer que la Tierra giraba en torno al Sol: ahora, era locura creer que el pasado es inalterable. Quizá fuera él el único que sostenía esa creencia, y, siendo el único, estaba loco. Pero la idea de ser un loco no le afectaba mucho. Lo que le horrorizaba era la posibilidad de estar equivocado.

Cogió el libro de texto infantil y miró el retrato del Gran Hermano que llenaba la portada. Los ojos hipnóticos se clavaron en los suyos. Era como si una inmensa fuerza empezara a aplastarle a uno, algo que iba penetrando en el cráneo, golpeaba el cerebro por dentro, le aterrorizaba a uno y llegaba casi a persuadirle que era de noche cuando era de día. Al final, el Partido anunciaría que dos y dos son cinco y habría que creerlo. Era inevitable que llegara algún día al dos y dos son cinco. La lógica de su posición lo exigía. Su filosofía negaba no sólo la validez de la experiencia, sino que existiera la realidad externa. La mayor de las herejías era el sentido común. Y lo más terrible no era que le mataran a uno por pensar de otro modo, sino que pudieran tener razón. Porque, después de todo, ¿cómo sabemos que dos y dos son efectivamente cuatro? O que la fuerza de la gravedad existe. O que el pasado no puede ser alterado. ¿Y si el pasado y el mundo exterior sólo existen en nuestra mente y, siendo la mente controlable, también puede controlarse el pasado y lo que llamamos la realidad?

¡No, no!; a Winston le volvía el valor. El rostro de O'Brien, sin saber por qué, empezó a flotarle en la memoria; sabía, con más certeza que antes, que O'Brien estaba de su parte. Escribía este Diario para O'Brien; era como una carta interminable que nadie leería nunca, pero que se dirigía a una persona determinada y que dependía de este hecho en su forma y en su tono.

El Partido os decía que negaseis la evidencia de vuestros ojos y oídos. Ésta era su orden esencial. El corazón de Winston se encogió al pensar en el enorme poder que tenía enfrente, la facilidad con que cualquier intelectual del Partido lo vencería con su dialéctica, los sutiles argumentos que él nunca podría entender y menos contestar. Y, sin embargo, era él, Winston, quien tenía razón. Los otros estaban equivocados y él no. Había que defender lo evidente. El mundo sólido existe y sus leyes no cambian. Las piedras son duras, el agua moja, los objetos faltos de apoyo caen en dirección al centro de la Tierra... Con la sensación de que hablaba con O'Brien, y también de que anotaba un importante axioma, escribió:

> La libertad es poder decir libremente que dos y dos son cuatro. Si se concede esto, todo lo demás vendrá por sus pasos contados.

VIII

Del fondo del pasillo llegaba un aroma a café tostado –café de verdad, no café de la Victoria–, un aroma penetrante. Winston se detuvo involuntariamente. Durante unos segundos volvió al mundo medio olvidado de su infancia. Entonces se oyó un portazo y el delicioso olor quedó cortado tan de repente como un sonido.

Winston había andado varios kilómetros por las calles y se le habían irritado sus varices. Era la segunda vez en tres semanas que no había llegado a tiempo a una reunión del Centro Comunal, lo cual era muy peligroso ya que el número de asistencias al Centro era anotado cuidadosamente. En principio, un miembro del Partido no tenía tiempo libre y nunca estaba solo a no ser en la cama. Se suponía que, de no hallarse trabajando, comiendo, o durmiendo, estaría participando en algún recreo colectivo. Hacer algo que implicara una inclinación a la soledad, aunque sólo fuera dar un paseo, era siempre un poco peligroso. Había una palabra para ello en neolengua: *vidapropia*, es decir, individualismo y excentricidad. Pero esa tarde, al salir del Ministerio, el aromático aire abrileño le había tentado. El cielo tenía un azul más intenso que en todo el año y de pronto le había resultado intolerable a Winston la perspectiva del aburrimiento, de los juegos agotadores, de las conferencias, de la falsa camaradería lubricada por la ginebra... Sintió el impulso de marcharse de la parada del autobús y callejear por el laberinto de Londres, primero hacia el sur, luego hacia el este y otra vez hacia el norte, perdiéndose por calles desconocidas y sin preocuparse apenas por la dirección que tomaba.

«Si hay esperanza –habría escrito en el Diario–, está en los proles.» Estas palabras le volvían como afirmación de una verdad mística y de un absurdo palpable. Penetró por los suburbios del norte y del este alrededor de lo que en tiempos había sido la estación de San Pancracio. Marchaba por una calle empedrada, cuyas viejas casas sólo tenían dos pisos y cuyas puertas abiertas descubrían los sórdidos interiores. De trecho en trecho había charcos de agua sucia por entre las piedras. Entraban y salían en las casuchas y llenaban las callejuelas infinidad de personas: muchachas en la flor de la edad con bocas violentamente pintadas, muchachos que perseguían a las jóvenes, y mujeres de cuerpos obesos y bamboleantes, vivas pruebas de lo que serían las muchachas cuando tuvieran diez años más, ancianos que se movían dificultosamente y niños descalzos que jugaban en los charcos y salían corriendo al oír los irritados chillidos de sus madres. La cuarta parte de las ventanas de la calle estaban rotas y tapadas con cartones. La mayoría de la gente no prestaba atención a Winston. Algunos lo miraban con cauta curiosidad. Dos monstruosas mujeres de brazos rojizos cruzados sobre los delantales, hablaban en una de las puertas. Winston oyó algunos retazos de la conversación.

–Pues, sí, fui y le dije: «Todo eso está muy bien, pero si hubieras estado en mi lugar hubieras hecho lo mismo que yo. Es muy sencillo eso de criticar –le dije–, pero tú no tienes los mismos problemas que yo».

–Claro –dijo la otra–, ahí está la cosa. Cada uno sabe lo suyo.

Estas voces estridentes se callaron de pronto. Las mujeres observaron a Winston con hostil silencio cuando pasó ante ellas. Pero no era exactamente hostilidad sino una especie de alerta momentánea como cuando nos cruzamos con un animal desconocido. El «mono» azul del Partido no se veía con frecuencia en una calle como ésta. Desde luego, era muy poco prudente que lo vieran a uno en semejantes sitios a no ser que se tuviera algo muy concreto que hacer allí. Las patrullas le detenían a uno en cuanto lo sorprendían en una calle de proles y le preguntaban: «¿Quieres enseñarme la documentación camarada? ¿Qué haces por aquí? ¿A qué hora saliste del trabajo? ¿Tienes la costumbre de tomar este camino para ir a tu casa?», y así sucesivamente. No es que hubiera una disposición especial prohibiendo regresar a casa por un camino insólito, mas era lo suficiente para hacerse notar si la Policía del Pensamiento lo descubría.

De pronto, toda la calle empezó a agitarse. Hubo gritos de aviso por todas partes. Hombres, mujeres y niños se metían veloces en sus casas como conejos. Una joven salió como una flecha por una puerta cerca de donde estaba Winston, cogió a un niño que jugaba en un charco, lo envolvió con el delantal y entró de nuevo en su casa; todo ello realizado con increíble rapidez. En el mismo instante, un hombre vestido de negro, que había salido de una callejuela lateral, corrió hacia Winston señalándole nervioso el cielo.

–¡El vapor! –gritó–. Mire, maestro. ¡Échese pronto en el suelo!

«El vapor» era el apodo que, no se sabía por qué, le habían puesto los proles a las bombas cohetes. Winston se tiró al suelo rápidamente. Los proles llevaban casi siempre razón cuando daban una alarma de esta clase. Parecían poseer una especie de instinto que les prevenía con varios segundos de anticipación de la llegada de un cohete, aunque se suponía que los cohetes volaban con más rapidez que el sonido. Winston se protegió la cabeza con los brazos. Se oyó un rugido que hizo temblar el pavimento, una lluvia de pequeños objetos le cayó sobre la espalda. Cuando se levantó, se encontró cubierto con pedazos de cristal de la ventana más próxima. Siguió andando. La bomba había destruido un grupo de casas de aquella calle doscientos metros más arriba. En el cielo flotaba una negra nube de humo y debajo otra nube, ésta de polvo, envolvía las ruinas en torno a las cuales se agolpaba ya una multitud. Había un pequeño montón de yeso en el pavimento delante de él y en medio se podía ver una brillante raya roja. Cuando se levantó y se acercó a ver qué era vio que se trataba de una mano humana cortada por la muñeca. Aparte del sangriento muñón, la mano era tan blanca que parecía un molde de yeso. Le dio una patada y la echó a la cloaca, y para evitar la multitud, torció por una calle lateral a la derecha. A los tres o cuatro minutos estaba fuera de la zona afectada por la bomba y la sórdida vida del suburbio se había reanudado como si nada hubiera ocurrido. Eran casi las veinte y los establecimientos de bebida frecuentados por los proles (les llamaban, con una palabra antiquísima, «tabernas») estaban llenas de clientes. De sus puertas oscilantes, que se abrían y cerraban sin cesar, salía un olor mezclado de orines, serrín y cerveza.

En un ángulo formado por una casa de fachada saliente estaban reunidos tres hombres. El de en medio tenía en la mano un periódico doblado que los otros dos miraban por encima de sus hombros. Antes ya de acercarse lo suficiente para ver la expresión de sus caras, pudo deducir Winston, por la inmovilidad de sus cuerpos, que estaban absortos. Lo que leían era seguramente algo de mucha importancia. Estaba a pocos pasos de ellos cuando de pronto se deshizo el grupo y dos de los hombres empezaron a discutir violentamente. Parecía que estaban a punto de pegarse.

–¿No puedes escuchar lo que te digo? Te aseguro que ningún número terminado en siete ha ganado en estos catorce meses.

–Te digo que sí.

–No, no ha salido ninguno terminado en siete. En casa los tengo apuntados todos en un papel desde hace dos años. Nunca dejo de copiar el número. Y te digo que ningún número ha terminado en siete...

–Sí; un siete ganó. Además, sé que terminaba en cuatro, cero, siete. Fue en febrero... En la segunda semana de febrero.

–Ni en febrero ni nada. Te digo que lo tengo apuntado.

–Bueno, a ver si lo dejáis –dijo el tercer hombre.

Estaban hablando de la lotería. Winston volvió la cabeza cuando ya estaba a treinta metros de distancia. Todavía seguían discutiendo apasionadamente. La lotería, que pagaba cada semana enormes premios, era el único acontecimiento público al que los proles concedían una seria atención. Probablemente, había millones de proles para quienes la lotería era la principal razón de su existencia. Era toda su delicia, su locura, su estimulante intelectual. En todo lo referente a la lotería, hasta la gente que apenas sabía leer y escribir parecía capaz de intrincados cálculos matemáticos y de asombrosas proezas memorísticas. Toda una tribu de proles se ganaba la vida vendiendo predicciones, amuletos, sistemas para dominar el azar y otras cosas que servían a los maniáticos. Winston nada tenía que ver con la organización de la lotería, dependiente del Ministerio de la Abundancia. Pero sabía perfectamente (como cualquier miembro del Partido) que los premios eran en su mayoría imaginarios. Sólo se pagaban pequeñas sumas y los ganadores de los grandes premios eran personas inexistentes. Como no había verdadera comunicación entre una y otra parte de Oceanía, esto resultaba muy fácil.

Si había esperanzas, estaba en los proles. Ésta era la idea esencial. Decirlo, sonaba a cosa razonable, pero al mirar aquellos pobres seres humanos, se convertía en un acto de fe. La calle por la que descendía Winston, le despertó la sensación de que ya antes había estado por allí y que no hacía mucho tiempo fue una calle importante. Al final de ella había una escalinata por donde se bajaba a otra calle en la que estaba un mercadillo de legumbres. Entonces recordó Winston dónde estaba: en la primera esquina, a unos cinco minutos de marcha, estaba la tienda de compraventa donde él había adquirido el libro en blanco donde ahora llevaba su Diario. Y en otra tienda no muy distante, había comprado la pluma y el frasco de tinta.

Se detuvo un momento en lo alto de la escalinata. Al otro lado de la calle había una sórdida taberna cuyas ventanas parecían cubiertas de escarcha; pero sólo era polvo. Un hombre muy viejo con bigotes blancos, encorvado, pero bastante activo, empujó la puerta oscilante y entró. Mientras observaba desde allí, se le ocurrió a Winston que aquel viejo, que por lo menos debía de tener ochenta años, habría sido ya un hombre maduro cuando ocurrió la Revolución. Él y unos cuantos como él eran los últimos eslabones que unían al mundo actual con el mundo desaparecido del capitalismo. En el Partido no había mucha gente cuyas ideas se hubieran formado antes de la Revolución. La generación más vieja había sido barrida casi por completo en las grandes purgas de los años cincuenta y sesenta y los pocos que sobrevivieron vivían aterrorizados y en una entrega intelectual absoluta. Si vivía aún alguien que pudiera contar con veracidad las condiciones de vida en la primera mitad del siglo, tenía que ser un prole. De pronto recordó Winston el trozo del libro de historia que había copiado en su Diario y le asaltó un impulso loco. Entraría en la taberna, trabaría conocimiento con aquel viejo y le interrogaría. Le diría: «Cuénteme su vida cuando era usted un muchacho, ¿se vivía entonces mejor que ahora o peor?». Precipitadamente, para no tener tiempo de asustarse, bajó la escalinata y cruzó la calle. Desde luego, era una locura. Como de costumbre, no había ninguna prohibición concreta de hablar con los proles y frecuentar sus tabernas, pero no podía pasar inadvertido ya que era rarísimo que alguien lo hiciera. Si aparecía alguna patrulla, Winston podría decir que se había sentido mal, pero no lo iban a creer. Empujó la puerta y le dio en la cara un repugnante olor a queso y a cerveza agria. Al entrar él, las voces casi se apagaron. Todos los presentes le miraban su «mono» azul. Unos individuos que jugaban al blanco con unos dardos se interrumpieron durante medio minuto. El viejo al que él había seguido estaba acodado en el bar discutiendo con el barman, un joven corpulento de nariz ganchuda y enormes antebrazos. Otros clientes, con vasos en la mano, contemplaban la escena.

–¿Vas a decirme que no puedes servirme una pinta de cerveza? –decía el viejo.

–¿Y qué demonios de nombre es ese de «pinta»? –preguntó el tabernero inclinándose sobre el mostrador con los dedos apoyados en él.

–Escuchad, presume de tabernero y no sabe lo que es una pinta. A éste hay que mandarle a la escuela.

–Nunca he oído hablar de pintas para beber. Aquí se sirve por litros, medios litros... Ahí enfrente tiene usted los vasos en ese estante para cada cantidad de líquido.

–Cuando yo era joven –insistió el viejo– no bebíamos por litros ni por medios litros.

–Cuando usted era joven nosotros vivíamos en las copas de los árboles –dijo el tabernero guiñándoles el ojo a los otros clientes.

Hubo una carcajada general y la intranquilidad causada por la llegada de Winston parecía haber desaparecido. El viejo enrojeció, se volvió para marcharse, refunfuñando, y tropezó con Winston. Winston lo cogió deferentemente por el brazo.

–¿Me permite invitarle a beber algo? –dijo.

–Usted es un caballero –dijo el otro, que parecía no haberse fijado en el «mono» azul de Winston–. ¡Una pinta, quiera usted o no quiera! –añadió agresivo dirigiéndose al tabernero.

Éste llenó dos vasos de medio litro con cerveza negra. La cerveza era la única bebida que se podía conseguir en los establecimientos de bebidas de los proles. Éstos no estaban autorizados a beber cerveza aunque en la práctica se la proporcionaban con mucha facilidad. El tiro al blanco con dardos estaba otra vez en plena actividad y los hombres que bebían en el mostrador discutían sobre billetes de lotería. Todos olvidaron durante unos momentos la presencia de Winston. Había una mesa debajo de una ventana donde el viejo y él podrían hablar sin miedo a ser oídos. Era terriblemente peligroso, pero no había telepantalla en la habitación. De esto se había asegurado Winston en cuanto entró.

–Debe usted de haber visto grandes cambios desde que era usted un muchacho –empezó a explorar Winston.

La pálida mirada azul del viejo recorrió el local como si fuera allí donde los cambios habían ocurrido.

–La cerveza era mejor –dijo por último–; y más barata. Cuando yo era un jovencito, la cerveza costaba cuatro peniques los tres cuartos. Eso era antes de la guerra, naturalmente.

–¿Qué guerra era ésa? –preguntó Winston.

—Siempre hay alguna guerra —dijo el anciano con vaguedad. Levantó el vaso y brindó—: ¡A su salud, caballero!

En su delgada garganta la nuez puntiaguda hizo un movimiento de sorprendente rapidez arriba y abajo y la cerveza desapareció. Winston se acercó al mostrador y volvió con otros dos medios litros.

—Usted es mucho mayor que yo —dijo Winston—. Cuando yo nací sería usted ya un hombre hecho y derecho. Usted puede recordar lo que pasaba en los tiempos anteriores a la Revolución; en cambio, la gente de mi edad no sabe nada de esa época. Sólo podemos leerlo en los libros, y lo que dicen los libros puede no ser verdad. Me gustaría saber su opinión sobre esto. Los libros de historia dicen que la vida anterior a la Revolución era por completo distinta de la de ahora. Había una opresión terrible, injusticias, pobreza... en fin, que no puede uno imaginar siquiera lo malo que era aquello. Aquí, en Londres, la gran masa de gente no tenía qué comer desde que nacían hasta que morían. La mitad de aquellos desgraciados no tenían zapatos que ponerse. Trabajaban doce horas al día, dejaban de estudiar a los nueve años y en cada habitación dormían diez personas. Y a la vez había algunos individuos, muy pocos, sólo unos cuantos miles en todo el mundo, los capitalistas, que eran ricos y poderosos. Eran dueños de todo. Vivían en casas enormes y suntuosas con treinta criados, sólo se movían en autos y coches de cuatro caballos, bebían champán y llevaban sombrero de copa.

El viejo se animó de pronto.

—¡Sombreros de copa! —exclamó—. Es curioso que los nombre usted. Ayer mismo pensé en ellos no sé por qué. Me acordé de cuánto tiempo hace que no se ve un sombrero de copa. Han desaparecido por completo. La última vez que llevé uno fue en el entierro de mi cuñada. Y aquello fue... pues por lo menos hace cincuenta años, aunque la fecha exacta no puedo saberla. Claro, ya comprenderá usted que lo alquilé para aquella ocasión...

—Lo de los sombreros de copa no tiene gran importancia —dijo Winston con paciencia—. Pero estos capitalistas —ellos, unos cuantos abogados y sacerdotes y los demás auxiliares que vivían de ellos– eran los dueños de la tierra. Todo lo que existía era para ellos. Ustedes, la gente corriente, los trabajadores, eran sus esclavos. Los capitalistas podían hacer con ustedes lo que quisieran. Por ejemplo, mandarlos al Canadá como ganado. Si se les antojaba, se podían acostar con las hijas de ustedes. Y cuando se enfadaban, los azotaban a ustedes con un látigo llamado el gato de nueve colas. Si se encontraban ustedes a un capitalista por la calle, tenían que quitarse la gorra. Cada capitalista salía acompañado por una pandilla de lacayos que...

–¡Lacayos! Ahí tiene usted una palabra que no he oído desde hace muchísimos años. ¡Lacayos! Eso me recuerda muchas cosas pasadas. Hará medio siglo aproximadamente, solía pasear yo a veces por Hyde Park los domingos por la tarde para escuchar a unos tipos que pronunciaban discursos: Ejército de salvación, católicos, judíos, indios... En fin, allí había de todo. Y uno de ellos..., no puedo recordar el nombre, pero era un orador de primera, no hacía más que gritar: «¡Lacayos, lacayos de la burguesía! ¡Esclavos de las clases dirigentes!». Y también le gustaba mucho llamarlos parásitos y a los otros les llamaba hienas. Sí, una palabra algo así como hiena. Claro que se refería al Partido laborista, ya se hará usted cargo.

Winston tenía la sensación de que cada uno de ellos estaba hablando por su cuenta. Debía orientar un poco la conversación:

–Lo que yo quiero saber es si le parece a usted que hoy día tenemos más libertad que en la época de usted. ¿Le tratan a usted más como un ser humano? En el pasado, los ricos, los que estaban en lo alto...

–La Cámara de los Lores –evocó el viejo.

–Bueno, la Cámara de los Lores. Le pregunto a usted si esa gente le trataba como a un inferior por el simple hecho de que ellos eran ricos y usted pobre. Por ejemplo, ¿es cierto que tenía usted que quitarse la gorra y llamarles «señor» cuando se los cruzaba usted por la calle?

El hombre reflexionó profundamente. Antes de contestar se bebió un cuarto de litro de cerveza.

–Sí –dijo por fin–. Les gustaba que uno se llevara la mano a la gorra. Era una señal de respeto. Yo no estaba conforme con eso, pero lo hacía muchas veces. No tenía más remedio.

–¿Y era habitual –tenga usted en cuenta que estoy repitiendo lo que he leído en nuestros libros de texto para las escuelas–, era habitual en aquella gente, en los capitalistas, empujarles a ustedes de la acera para tener libre el paso?

–Uno me empujó una vez –dijo el anciano–. Lo recuerdo como si fuera ayer. Era un día de regatas nocturnas y en esas noches había mucha gente grosera, y me tropecé con un tipo joven y jactancioso en la avenida Shaftesbury. Era un caballero, iba vestido de etiqueta y con sombrero de copa. Venía haciendo zigzags por la acera y tropezó conmigo. Me dijo: «¿Por qué no mira usted por dónde va?». Yo le dije: «¡A ver si se ha creído usted que ha comprado la acera!». Y va y me contesta: «Le voy a dar a usted para el pelo si se descara así conmigo». Entonces yo le solté: «Usted está borracho y, si quiero, acabo con usted en medio minuto». Sí señor, eso le dije y no sé si me creerá usted, pero fue y me dio un empujón que casi me manda debajo de las ruedas de un autobús. Pero yo por entonces era joven y me dispuse a darle su merecido; sin embargo...

Winston perdía la esperanza de que el viejo le dijera algo interesante. La memoria de aquel hombre no era más que un montón de detalles. Aunque se pasara el día interrogándole, nada sacaría en claro. Según sus «declaraciones», los libros de Historia publicados por el Partido podían seguir siendo verdad, después de todo; podían ser incluso completamente verídicos. Hizo un último intento.

–Quizás no me he explicado bien. Lo que trato de decir es esto: usted ha vivido mucho tiempo; la mitad de su vida ha transcurrido antes de la Revolución. En 1925, por ejemplo, era usted ya un hombre. ¿Podría usted decir, por lo que recuerda de entonces, que la vida era en 1925 mejor que ahora o peor? Si tuviera usted que escoger, ¿preferiría usted vivir entonces o ahora?

El anciano contempló meditabundo a los que tiraban al

blanco. Terminó su cerveza con más lentitud que la vez anterior y por último habló con un tono filosófico y tolerante como si la cerveza lo hubiera dulcificado.

–Ya sé lo que espera usted que le diga. Usted querría que le dijera que prefiero volver a ser joven. Muchos lo dicen porque en la juventud se tiene salud y fuerza. En cambio, a mis años nunca se está bien del todo. Tengo muchos achaques. He de levantarme seis y siete veces por la noche cuando me da el dolor. Por otra parte, esto de ser viejo tiene muchas ventajas. Por ejemplo, las mujeres no le preocupan a uno y eso es una gran ventaja. Yo hace treinta años que no he estado con una mujer, no sé si me creerá usted. Pero lo más grande es que no he tenido ganas.

Winston se apoyó en el alféizar de la ventana. Era inútil proseguir. Iba a pedir más cerveza cuando el viejo se levantó de pronto y se dirigió renqueando hacia el urinario apestoso que estaba al fondo del local. Winston siguió unos minutos sentado contemplando su vaso vacío y, casi sin darse cuenta, se encontró otra vez en la calle. Dentro de veinte años, a lo más –pensó–, la inmensa y sencilla pregunta «¿Era la vida antes de la Revolución mejor que ahora?» dejaría de tener sentido por completo. Pero ya ahora era imposible contestarla, puesto que los escasos supervivientes del mundo antiguo eran incapaces de comparar una época con otra. Recordaban un millón de cosas insignificantes, una pelea con un compañero de trabajo, la búsqueda de una bomba de bicicleta que habían perdido, la expresión habitual de una hermana fallecida hacía muchos años, los torbellinos de polvo que se formaron en una mañana tormentosa hace setenta años... pero todos los hechos trascendentales quedaban fuera del radio de su atención. Eran como las hormigas, que pueden ver los objetos pequeños, pero no los grandes. Y cuando la memoria fallaba y los testimonios escritos eran falsificados, las pretensiones del Partido de haber mejorado las condiciones de la vida humana tenían que ser aceptadas necesariamente porque no existía ni volvería nunca a existir un nivel de vida con el cual pudieran ser comparadas.

En aquel momento el fluir de sus pensamientos se interrumpió de repente. Se detuvo y levantó la vista. Se hallaba en una calle estrecha con unas cuantas tiendecitas oscuras salpicadas entre casas de vecinos. Exactamente encima de su cabeza pendían unas bolas de metal descoloridas que habían sido doradas. Conocía este sitio. Era la tienda donde había comprado el Diario. Sintió miedo. Ya había sido bastante arriesgado comprar el libro y se había jurado a sí mismo no aparecer nunca más por allí. Sin embargo, en cuanto permitió a sus pensamientos que corrieran en libertad, le habían traído sus pies a aquel mismo sitio. Precisamente, había iniciado su Diario para librarse de impulsos suicidas como aquél. Al mismo tiempo, notó que aunque eran las veintiuna seguía abierta la tienda. Creyendo que sería más prudente estar oculto dentro de la tienda que a la vista de todos en medio de la calle, entró. Si le preguntaban podía decir que andaba buscando hojas de afeitar.

El dueño acababa de encender una lámpara de aceite que echaba un olor molesto, pero tranquilizador. Era un hombre de unos sesenta años, de aspecto frágil, y un poco encorvado, con una nariz larga y simpática y ojos de suave mirar a pesar de las gafas de gruesos cristales. Su cabello era casi blanco, pero las cejas, muy pobladas, se conservaban negras. Sus gafas, sus movimientos acompasados y el hecho de que llevaba una vieja chaqueta de terciopelo negro le daban un cierto aire intelectual como si hubiera sido un hombre de letras o quizás un músico. De voz suave, algo apagada, tenía un acento menos marcado que la mayoría de los proles.

—Le reconocí a usted cuando estaba ahí fuera parado —le dijo inmediatamente—. Usted es el caballero que me compró aquel álbum para regalárselo, seguramente, a alguna señorita. Era de muy buen papel. «Papel crema» solían llamarle. Por lo menos hace cincuenta años que no se ha vuelto a fabricar un papel como ése —miró a Winston por encima de sus gafas—. ¿Puedo servirle en algo especial? ¿O sólo quería usted echar un vistazo?

—Pasaba por aquí —dijo Winston vagamente—. He entrado a mirar estas cosas. No deseo nada concreto.

–Me alegro –dijo el otro– porque no creo que pudiera haberle servido. –Hizo un gesto de disculpa con su fina mano derecha–. Ya ve usted; la tienda está casi vacía. Entre nosotros, le diré que el negocio de antigüedades está casi agotado. Ni hay clientes ni disponemos de género. Los muebles, los objetos de porcelana y de cristal... todo eso ha ido desapareciendo poco a poco, y los hierros artísticos y demás metales han sido fundidos casi en su totalidad. No he vuelto a ver un candelabro de bronce desde hace muchos años.

En efecto, el interior de la pequeña tienda estaba atestado de objetos, pero casi ninguno de ellos tenía el más pequeño valor. Había muchos cuadros que cubrían por completo las paredes. En el escaparate se exhibían portaplumas rotos, cinceles mellados, relojes mohosos que no pretendían funcionar y otras baratijas. Sólo en una mesita de un rincón había algunas cosas de interés: cajitas de rapé, broches de ágata, etc. Al acercarse Winston a esta mesa le sorprendió un objeto redondo y brillante que cogió para examinarlo.

Era un trozo de cristal en forma de hemisferio. Tenía una suavidad muy especial, tanto por su color como por la calidad del cristal. En su centro, aumentado por la superficie curvada, se veía un objeto extraño que recordaba a una rosa o una anémona.

–¿Qué es esto? –dijo Winston, fascinado.

–Eso es coral –dijo el hombre–. Creo que procede del Océano Índico. Solían engarzarlo dentro de una cubierta de cristal. Por lo menos hace un siglo que lo hicieron. Seguramente más, a juzgar por su aspecto.

–Es de una gran belleza –dijo Winston.

–De una gran belleza, sí, señor –repitió el otro con tono de entendido–. Pero hoy día no hay muchas personas que lo sepan reconocer –carraspeó–. Si usted quisiera comprarlo, le costaría cuatro dólares. Recuerdo el tiempo en que una cosa como ésta costaba ocho libras, y ocho libras representaban... en fin, no sé exactamente cuánto; desde luego, muchísimo dinero. Pero ¿quién se preocupa hoy por las antigüedades auténticas, por las pocas que han quedado?

Winston pagó inmediatamente los cuatro dólares y se

guardó el codiciado objeto en el bolsillo. Lo que le atraía de él no era tanto su belleza como el aire que tenía de pertenecer a una época completamente distinta de la actual. Aquel cristal no se parecía a ninguno de los que él había visto. Era de una suavidad extraordinaria, con reflejos acuosos. Era el coral doblemente atractivo por su aparente inutilidad, aunque Winston pensó que en tiempos lo habían utilizado como pisapapeles. Pesaba mucho, pero afortunadamente, no le abultaba demasiado en el bolsillo. Para un miembro del Partido era comprometedor llevar una cosa como aquélla. Todo lo antiguo, y mucho más lo que tuviera alguna belleza, resultaba vagamente sospechoso. El dueño de la tienda pareció alegrarse mucho de cobrar los cuatro dólares. Winston comprendió que se habría contentado con tres e incluso con dos.

–Arriba tengo otra habitación que quizás le interesara a usted ver –le propuso–. No hay gran cosa en ella, pero tengo dos o tres piezas... Llevaremos una luz.

Encendió otra lámpara y agachándose subió lentamente por la empinada escalera, de peldaños medio rotos. Luego entraron por un pasillo estrecho siguiendo hasta una habitación que no daba a la calle, sino a un patio y a un bosque de chimeneas. Winston notó que los muebles estaban dispuestos como si fuera a vivir alguien en el cuarto. Había una alfombra en el suelo, un cuadro o dos en las paredes, y un sillón junto a la chimenea. Un antiguo reloj de cristal, en cuya esfera figuraban las doce horas, estilo antiguo, emitía su tictac desde la repisa de la chimenea. Bajo la ventana y ocupando casi la cuarta parte de la estancia había una enorme cama con el colchón descubierto.

–Aquí vivíamos hasta que murió mi mujer –dijo el vendedor disculpándose–. Voy vendiendo los muebles poco a poco. Ésa es una preciosa cama de caoba. Lo malo son las chinches. Si hubiera manera de acabar con ellas...

Sostenía la lámpara lo más alto posible para iluminar toda la habitación y a su débil luz resultaba aquel sitio muy acogedor. A Winston se le ocurrió pensar que sería muy fácil alquilar este cuarto por unos cuantos dólares a la semana si se decidiera a correr el riesgo. Era una idea descabellada, desde luego, pero el dormitorio había despertado en él una especie de nostalgia, un recuerdo ancestral. Le parecía saber exactamente lo que se experimentaba al reposar en una habitación como aquélla, hundido en un butacón junto al fuego de la chimenea mientras se calentaba la tetera en las brasas. Allí solo, completamente seguro, sin nadie más que le vigilara a uno, sin voces que le persiguieran ni más sonido que el murmullo de la tetera y el amable tic-tac del reloj.

–¡No hay telepantalla! –se le escapó en voz baja.

–Ah –dijo el hombre–. Nunca he tenido esas cosas. Son demasiado caras. Además no veo la necesidad... Fíjese en esa mesita de aquella esquina. Aunque, naturalmente, tendría usted que poner nuevos goznes si quisiera utilizar las alas.

En otro rincón había una pequeña librería. Winston se apresuró a examinarla. No había ningún libro interesante en ella. La caza y destrucción de libros se había realizado de un modo tan completo en los barrios proles como en las casas del Partido y en todas partes. Era casi imposible que existiera en toda Oceanía un ejemplar de un libro impreso antes de 1960. El vendedor, sin dejar la lámpara, se había detenido ante un cuadrito enmarcado en palo rosa, colgado al otro lado de la chimenea, frente a la cama.

–Si le interesan a usted los grabados antiguos... –propuso delicadamente.

Winston se acercó para examinar el cuadro. Era un grabado en acero de un edificio ovalado con ventanas rectangulares y una pequeña torre en la fachada. En torno al edificio corría una verja y al fondo se veía una estatua. Winston la contempló unos momentos. Le parecía algo familiar, pero no podía recordar la estatua.

–El marco está clavado en la pared –dijo el otro–, pero podría destornillarlo si usted lo quiere.

–Conozco ese edificio –dijo Winston por fin–. Está ahora en ruinas, cerca del Palacio de Justicia.

–Exactamente. Fue bombardeado hace muchos años. En tiempos fue una iglesia. Creo que la llamaban San Clemente.

–Sonrió como disculpándose por haber dicho algo ridículo y añadió–: «Naranjas y limones, dicen las campanas de San Clemente».

–¿Cómo? –dijo Winston.

–Es de unos versos que yo sabía de pequeño. Empezaban: «Naranjas y limones, dicen las campanas de San Clemente». Ya no recuerdo cómo sigue. Pero sí me acuerdo de la terminación: «Aquí tienes una vela para alumbrarte cuando te vayas a acostar. Aquí tienes un hacha para cortarte la cabeza». Era una especie de danza. Unos tendían los brazos y otros pasaban por debajo y cuando llegaban a aquello de «He aquí el hacha para cortarte la cabeza», bajaban los brazos y le cogían a uno. La canción estaba formada por los nombres de varias iglesias, de todas las principales que había en Londres.

Winston se preguntó a qué siglo pertenecerían las iglesias. Siempre era difícil determinar la edad de un edificio de Londres. Cualquier construcción de gran tamaño e impresionante aspecto, con tal de que no se estuviera derrumbando de puro vieja, se decía automáticamente que había sido construida después de la Revolución, mientras que todo lo anterior se adscribía a un oscuro período llamado la Edad Media. Los siglos de capitalismo no habían producido nada de valor. Era imposible aprender historia a través de los monumentos y de la arquitectura. Las estatuas, inscripciones, lápidas, los nombres de las calles, todo lo que pudiera arrojar alguna luz sobre el pasado, había sido alterado sistemáticamente.

–No sabía que había sido una iglesia –dijo Winston.

–En realidad, hay todavía muchas de ellas aunque se han dedicado a otros fines –le aclaró el dueño de la tienda–. Ahora recuerdo otro verso:

Naranjas y limones, dicen las campanas de San Clemente; me debes tres peniques, dicen las campanas de San Martín.

»No puedo recordar más versos.

105

–¿Dónde estaba San Martín? –dijo Winston.

–¿San Martín? Está todavía en pie. Sí, en la Plaza de la Victoria, junto al Museo de Pinturas. Es una especie de porche triangular con columnas y grandes escalinatas.

Winston conocía bien aquel lugar. El edificio se usaba para propaganda de varias clases: exposiciones de maquetas de bombas cohete y de fortalezas volantes, grupos de figuras de cera que ilustraban las atrocidades del enemigo y cosas por el estilo.

–San Martín de los Campos, como le llamaban –aclaró el otro–, aunque no recuerdo que hubiera campos por esa parte.

Winston no compró el cuadro. Hubiera sido una posesión aún más incongruente que el pisapapeles de cristal e imposible de llevar a casa a no ser que le hubiera quitado el marco. Pero se quedó unos minutos más hablando con el dueño, cuyo nombre no era Weeks –como él había supuesto por el rótulo de la tienda–, sino Charrington. El señor Charrington era viudo, tenía sesenta y tres años y había habitado en la tienda desde hacía treinta. En todo este tiempo había pensado cambiar el nombre que figuraba en el rótulo, pero nunca había llegado a convencerse de la necesidad de hacerlo. Durante toda su conversación, la canción medio recordada le zumbaba a Winston en la cabeza. *Naranjas y limones, dicen las campanas de San Clemente; me debes tres peniques, dicen las campanas de San Martín.* Era curioso que al repetirse esos versos tuviera la sensación de estar oyendo campanas, las campanas de un Londres desaparecido o que existía en alguna parte. Winston, sin embargo, no recordaba haber oído campanas en su vida.

Salió de la tienda del señor Charrington. Se había adelantado a él desde el piso de arriba. No quería que lo acompañase hasta la puerta para que no se diera cuenta de que reconocía la calle por si había alguien. En efecto, había decidido volver a visitar la tienda cuando pasara un tiempo prudencial; por ejemplo, un mes. Después de todo, esto no era más peligroso que faltar una tarde al Centro. Lo más arriesgado había sido volver después de comprar el Diario sin saber si el dueño de la tienda era de fiar. Sin embargo...

Sí, pensó otra vez, volvería. Compraría más objetos antiguos y bellos. Compraría el grabado de San Clemente y se lo llevaría a casa sin el marco escondiéndolo debajo del «mono». Le haría recordar al señor Charrington el resto de aquel poema. Incluso el desatinado proyecto de alquilar la habitación del primer piso, le tentó de nuevo. Durante unos cinco segundos, su exaltación le hizo imprudente y salió a la calle sin asegurarse antes por el escaparate de que no pasaba nadie. Incluso empezó a tararear con música improvisada.

Naranjas y limones, dicen las campanas de San Clemente. Me debes tres peniques, dicen las...

De pronto pareció helársele el corazón y derretírsele las entrañas. Una figura en «mono» azul avanzaba hacia él a unos diez metros de distancia. Era la muchacha del Departamento de Novela, la joven del cabello negro. Anochecía, pero podía reconocerla fácilmente. Ella lo miró directamente a la cara y luego apresuró el paso y pasó junto a él como si no lo hubiera visto.

Durante unos cuantos segundos, Winston quedó paralizado. Luego torció a la derecha y anduvo sin notar que iba en dirección equivocada. De todos modos, era evidente que la joven lo espiaba. Tenía que haberlo seguido hasta allí, pues no podía creerse que por pura casualidad hubiera estado paseando en la misma tarde por la misma callejuela oscura a varios kilómetros de distancia de todos los barrios habitados por los miembros del Partido. Era una coincidencia demasiado grande. Que fuera una agente de la Policía del Pensamiento o sólo una espía aficionada que actuase por oficiosidad, poco importaba. Bastaba con que estuviera vigilándolo. Probablemente, lo había visto también en la taberna.

Le costaba gran trabajo andar. El pisapapeles de cristal que llevaba en el bolsillo le golpeaba el muslo a cada paso y estuvo tentado de arrojarlo muy lejos. Lo peor era que le dolía el vientre. Por unos instantes tuvo la seguridad de que se moriría si no encontraba en seguida un retrete público. Pero en un barrio como aquél no había tales comodidades. Afortunadamente, se le pasaron esas angustias quedándole sólo un sordo dolor.

La calle no tenía salida. Winston se detuvo, preguntándose qué haría. Mas hizo lo único que le era posible, volver a recorrerla hasta la salida. Sólo hacía tres minutos que la joven se había cruzado con él, y si corría, podría alcanzarla. Podría seguirla hasta algún sitio solitario y romperle allí el cráneo con una piedra. Le bastaría con el pisapapeles. Pero abandonó en seguida esta idea, ya que le era intolerable realizar un esfuerzo físico. No podía correr ni dar el golpe. Además, la muchacha era joven y vigorosa y se defendería bien. Se le ocurrió también acudir al Centro Comunal y estarse allí hasta que cerraran para tener una coartada de su empleo del tiempo durante la tarde. Pero aparte de que sería sólo una coartada parcial, el proyecto era imposible de realizar. Le invadió una mortal laxitud. Sólo quería llegar a casa pronto y descansar.

Eran más de las veintidós cuando regresó al piso. Apagarían las luces a las veintitrés treinta. Entró en su cocina y se tragó casi una taza de ginebra de la Victoria. Luego se dirigió a la mesita, sentóse y sacó el Diario del cajón. Pero no lo abrió en seguida. En la telepantalla una violenta voz femenina cantaba una canción patriótica a grito pelado. Observó la tapa del libro intentando inútilmente no prestar atención a la voz.

Las detenciones no eran siempre de noche. Lo mejor era matarse antes de que lo cogieran a uno. Algunos lo hacían. Muchas de las llamadas desapariciones no eran más que suicidios. Pero hacía falta un valor desesperado para matarse en un mundo donde las armas de fuego y cualquier veneno rápido y seguro eran imposibles de encontrar. Pensó con asombro en la inutilidad biológica del dolor y del miedo, en la traición del cuerpo humano, que siempre se inmoviliza en el momento exacto en que es necesario realizar algún esfuerzo especial. Podía haber eliminado a la muchacha morena sólo con haber actuado rápida y eficazmente; pero precisamente por lo extremo del peligro en que se hallaba había perdido la facultad de actuar. Le sorprendió que en los momentos de crisis no estemos luchando nunca contra un enemigo externo, sino siempre contra nuestro propio cuerpo. Incluso ahora, a pesar de la ginebra, la sorda molestia de su vientre le impedía pensar ordenadamente. Y lo mismo ocurre en todas las situaciones aparentemente heroicas o trágicas. En el campo de batalla, en la cámara de las torturas, en un barco que naufraga, se olvida siempre por qué se debate uno ya que el cuerpo acaba llenando el universo, e incluso cuando no estamos paralizados por el miedo o chillando de dolor, la vida es una lucha de cada momento contra el hambre, el frío o el insomnio, contra un estómago dolorido o un dolor de muelas.

Abrió el Diario. Era importante escribir algo. La mujer de la telepantalla había empezado una nueva canción. Su voz se le clavaba a Winston en el cerebro como pedacitos de vidrio. Procuró pensar en O'Brien, a quien dirigía su Diario, pero en vez de ello, empezó a pensar en las cosas que le sucederían cuando lo detuviera la Policía del Pensamiento. No importaba que lo matasen a uno en seguida. Esa muerte era la esperada. Pero antes de morir (nadie hablaba de estas cosas aunque nadie las ignoraba) había que pasar por la rutina de la confesión: arrastrarse por el suelo, gritar pidiendo misericordia, el chasquido de los huesos rotos, los dientes partidos y los mechones ensangrentados de pelo. ¿Para qué sufrir todo esto si el fin era el mismo? ¿Por qué no ahorrarse todo esto? Nadie escapaba a la vigilancia ni dejaba de confesar. El culpable de *crimental* estaba completamente seguro de que lo matarían antes o después. ¿Para qué, pues, todo ese horror que nada alteraba?

Por fin, consiguió evocar la imagen de O'Brien. «Nos encontraremos en el sitio donde no hay oscuridad», le había dicho O'Brien en el sueño. Winston sabía lo que esto significaba, o se figuraba saberlo. El lugar donde no hay oscuridad era el futuro imaginado, que nunca se vería; pero, por adivinación, podría uno participar en él místicamente. Con la voz de la telepantalla zumbándole en los oídos no podía pensar con ilación. Se puso un cigarrillo en la boca. La mitad del tabaco se le cayó en la lengua, un polvillo amargo que luego no se podía escupir. El rostro del Gran Hermano flotaba en su mente desplazando al de O'Brien. Lo mismo que había hecho unos días antes, se sacó una moneda del bolsillo y la contempló. El rostro le miraba pesado, tranquilo, protector. Pero ¿qué clase de sonrisa se escondía bajo el oscuro bigote? Las palabras de las consignas martilleaban el cerebro de Winston:

LA GUERRA ES LA PAZ
LA LIBERTAD ES LA ESCLAVITUD
LA IGNORANCIA ES LA FUERZA

PARTE SEGUNDA

I

A media mañana, Winston salió de su cabina para ir a los lavabos.

Una figura solitaria avanzaba hacia él desde el otro extremo del largo pasillo brillantemente iluminado. Era la muchacha morena. Habían pasado cuatro días desde la tarde en que se la había encontrado cerca de la tienda. Al acercarse, vio Winston que la joven llevaba en cabestrillo el brazo derecho. De lejos no se había fijado en ello porque las vendas tenían el mismo color que el «mono». Probablemente, se habría aplastado la mano para hacer girar uno de los grandes calidoscopios donde se fabricaban los argumentos de las novelas. Era un accidente que ocurría con frecuencia en el Departamento de Novela.

Estaban separados todavía por cuatro metros cuando la joven dio un traspié y se cayó de cara al suelo exhalando un grito de dolor. Por lo visto, había caído sobre el brazo herido. Winston se paró en seco. La muchacha logró ponerse de rodillas. Tenía la cara muy pálida y los labios, por contraste, más rojos que nunca. Clavó los ojos en Winston con una expresión desolada que más parecía de miedo que de dolor.

Una curiosa emoción conmovió a Winston. Frente a él tenía a la enemiga que procuraba su muerte. Frente a él, también, había una criatura humana que sufría y que quizás se hubiera partido el hueso de la nariz. Se acercó a ella instintivamente, para ayudarla. Winston había sentido el dolor de ella en su propio cuerpo al verla caer con el brazo vendado.

—¿Estás herida? —le dijo.

—No es nada. El brazo. Estaré bien en seguida.

Hablaba como si le saltara el corazón. Estaba temblando y palidísima.

—¿No te has roto nada?

—No, estoy bien. Me dolió un momento nada más.

Le tendió a Winston su mano libre y él la ayudó a levantarse. Le había vuelto algo de color y parecía hallarse mucho mejor.

—No ha sido nada —repitió poco después—. Lo que me dolió fue la muñeca. ¡Gracias, camarada!

Y sin más, continuó en la dirección que traía con paso tan vivo como si realmente no le hubiera sucedido nada. El incidente no había durado más de medio minuto. Era un hábito adquirido por instinto ocultar los sentimientos, y además cuando ocurrió aquello se hallaban exactamente delante de una telepantalla. Sin embargo, a Winston le había sido muy difícil no traicionarse y manifestar una sorpresa momentánea, pues en los dos o tres segundos en que ayudó a la joven a levantarse, ésta le había deslizado algo en la mano. Evidentemente, lo había hecho a propósito. Era un pequeño papel doblado. Al pasar por la puerta de los lavabos, se lo metió en el bolsillo.

Mientras estuvo en el urinario, se las arregló para desdoblarlo dentro del bolsillo. Desde luego, tenía que haber algún mensaje en ese papel. Estuvo tentado de entrar en uno de los *waters* y leerlo allí. Pero eso habría sido una locura. En ningún sitio vigilaban las telepantallas con más interés que en los retretes.

Volvió a su cabina; sentóse, arrojó el pedazo de papel entre los demás de encima de la mesa, se puso las gafas y se acercó al hablescribe. «¡Todavía cinco minutos! —se dijo a sí mismo—; ¡por lo menos cinco minutos!» Le galopaba el corazón en el pecho con aterradora velocidad. Afortunadamente, el trabajo que estaba realizando era de simple rutina —la

114

rectificación de una larga lista de números– y no necesitaba fijar la atención.

Las palabras contenidas en el papel tendrían con toda seguridad un significado político. Había dos posibilidades, calculaba Winston. Una, la más probable, era que la chica fuera un agente de la Policía del Pensamiento, como él temía. No sabía por qué empleaba la Policía del Pensamiento ese procedimiento para entregar sus mensajes, pero podía tener sus razones para ello. Lo escrito en el papel podía ser una amenaza, una orden de suicidarse, una trampa... Pero había otra posibilidad, aunque Winston trataba de convencerse de que era una locura: que este mensaje no viniera de la Policía del Pensamiento, sino de alguna organización clandestina. ¡Quizás existiera una Hermandad! ¡Quizás fuera aquella muchacha uno de sus miembros! La idea era absurda, pero se le había ocurrido en el mismo instante en que sintió el roce del papel en su mano. Hasta unos minutos después no pensó en la otra posibilidad, mucho más sensata. E incluso ahora, aunque su cabeza le decía que el mensaje significaría probablemente la muerte, no acababa de creerlo y persistía en él la disparatada esperanza. Le latía el corazón y le costaba un gran esfuerzo conseguir que no le temblara la voz mientras murmuraba las cantidades en el hablescribe.

Cuando terminó, hizo un rollo con sus papeles y los introdujo en el tubo neumático. Habían pasado ocho minutos. Se ajustó las gafas sobre la nariz, suspiró y se acercó el otro montón de hojas que había de examinar. Encima estaba el papelito doblado. Lo desdobló; en él había escritas estas palabras con letra impersonal:

Te quiero.

Winston se quedó tan estupefacto que ni siquiera tiró aquella prueba delictiva en el «agujero de la memoria». Cuando por fin, reaccionando, se dispuso a hacerlo, aunque sabía muy bien cuánto peligro había en manifestar demasiado interés por algún papel escrito, volvió a leerlo antes para convencerse de que no había soñado.

Durante el resto de la mañana, le fue muy difícil trabajar. Peor aún que fijar su mente sobre las tareas habituales, era la necesidad de ocultarle a la telepantalla su agitación interior. Sintió como si le quemara un fuego en el estómago. La comida en la atestada y ruidosa cantina le resultó un tormento. Había esperado hallarse un rato solo durante el almuerzo, pero tuvo la mala suerte de que el imbécil de Parsons se le colocara a su lado y le soltara una interminable sarta de tonterías sobre los preparativos para la Semana del Odio. Lo que más le entusiasmaba a aquel simple era un modelo en cartón de la cabeza del Gran Hermano, de dos metros de anchura, que estaban preparando en el grupo de Espías al que pertenecía la niña de Parsons. Lo más irritante era que Winston apenas podía oír lo que decía Parsons y tenía que rogarle constantemente que repitiera las estupideces que acababa de decir. Por un momento, divisó a la chica morena, que estaba en una mesa con otras dos compañeras al otro extremo de la estancia. Pareció no verle y él no volvió a mirar en aquella dirección.

La tarde fue más soportable. Después de comer recibió un delicado y difícil trabajo que le había de ocupar varias horas y acaparar su atención. Consistía en falsificar una serie de informes de producción de dos años antes con objeto de desacreditar a un prominente miembro del Partido Interior que empezaba a estar mal visto. Winston servía para estas cosas y durante más de dos horas logró apartar a la joven de su mente. Entonces le volvió el recuerdo de su cara y sintió un rabioso e intolerable deseo de estar solo. Porque necesitaba la soledad para pensar a fondo en sus nuevas circunstancias. Aquella noche era una de las elegidas por el Centro Comunal para sus reuniones. Tomó una cena temprana –otra insípida comida– en la cantina, se marchó al Centro a toda prisa, participó en las solemnes tonterías de un «grupo de polemistas», jugó dos veces al tenis de mesa, se tragó varios vasos de ginebra y soportó durante una hora la conferencia titulada «Los principios de Ingsoc en el juego de ajedrez». Su alma se retorcía de puro aburrimiento, pero por primera vez no sintió el menor impulso de evitarse una tarde en el Centro. A la vista de las palabras *Te quiero*, el deseo de seguir viviendo le dominaba y parecía tonto exponerse a correr unos riesgos que podían evitarse tan fácilmente. Hasta las veintitrés, cuando ya estaba acostado –en la oscuridad, donde estaba uno libre hasta de la telepantalla con tal de no hacer ningún ruido– no pudo dejar fluir libremente sus pensamientos.

Se trataba de un problema físico que había de ser resuelto: cómo ponerse en relación con la muchacha y preparar una cita. No creía ya posible que la joven le estuviera tendiendo una trampa. Estaba seguro de que no era así por la inconfundible agitación que ella no había podido ocultar al entregarle el papelito. Era evidente que estaba asustadísima, y con motivo sobrado. A Winston no le pasó siquiera por la cabeza la idea de rechazar a la muchacha. Sólo hacía cinco noches que se había propuesto romperle el cráneo con una piedra. Pero lo mismo daba. Ahora se la imaginaba desnuda como la había visto en su ensueño. Se la había figurado idiota como las demás, con la cabeza llena de mentiras y de odios y el vientre helado. Una angustia febril se apoderó de él al pensar que pudiera perderla, que aquel cuerpo blanco y juvenil se le escapara. Lo que más temía era que la muchacha cambiase de idea si no se ponía en relación con ella rápidamente. Pero la dificultad física de esta aproximación era enorme. Resultaba tan difícil como intentar un movimiento en el juego de ajedrez cuando ya le han dado a uno el mate. Adondequiera que fuera uno, allí estaba la telepantalla. Todos los medios posibles para comunicarse con la joven se le ocurrieron a Winston a los cinco minutos de leer la nota; pero una vez acostado y con tiempo para pensar bien, los fue analizando uno a uno como si tuviera esparcidas en una mesa una fila de herramientas para probarlas.

Desde luego, la clase de encuentro de aquella mañana no podía repetirse. Si ella hubiera trabajado en el Departamento de Registro, habría sido muy sencillo, pero Winston tenía una idea muy remota de dónde estaba el Departamento de Novela en el edificio del Ministerio y no tenía pretexto alguno para ir allí. Si hubiera sabido dónde vivía y a qué hora salía del trabajo, se las habría arreglado para hacerse el encontradizo; pero no era prudente seguirla a casa ya que esto suponía esperarla delante del Ministerio a la salida, lo cual llamaría la atención indefectiblemente. En cuanto a mandar una carta por correo, sería una locura. Ni siquiera se ocultaba que todas las cartas se abrían, por lo cual casi nadie escribía ya cartas. Para los mensajes que se necesitaba mandar, había tarjetas impresas con largas listas de frases y se escogía la más adecuada borrando las demás. En todo caso, no sólo ignoraba la dirección de la muchacha, sino incluso su nombre. Finalmente, decidió que el sitio más seguro era la cantina. Si pudiera ocupar una mesa junto a la de ella hacia la mitad del local, no demasiado cerca de la telepantalla y con el zumbido de las conversaciones alrededor, le bastaba con treinta segundos para ponerse de acuerdo con ella.

Durante una semana después, la vida fue para Winston como una pesadilla. Al día siguiente, la joven no apareció por la cantina hasta el momento en que él se marchaba cuando ya había sonado la sirena. Seguramente, la habían cambiado a otro turno. Se cruzaron sin mirarse. Al día siguiente, estuvo ella en la cantina a la hora de costumbre, pero con otras tres chicas y debajo de una telepantalla. Pasaron tres días insoportables para Winston, en que no la vio en la cantina. Tanto su espíritu como su cuerpo habían adquirido una hipersensibilidad que casi le imposibilitaba para hablar y moverse. Incluso en sueños no podía librarse por completo de aquella imagen. Durante aquellos días no abrió su Diario. El único alivio lo encontraba en el trabajo; entonces conseguía olvidarla durante diez minutos seguidos. No tenía ni la menor idea de lo que pudiera haberle ocurrido y no había que pensar en hacer una investigación. Quizás la hubieran vaporizado, quizás se hubiera suicidado o, a lo mejor, la habían trasladado al otro extremo de Oceanía.

La posibilidad a la vez mejor y peor de todas era que la joven, sencillamente, hubiera cambiado de idea y le rehuyera.

Pero al día siguiente reapareció. Ya no traía el brazo en cabestrillo; sólo una protección de yeso alrededor de la muñeca. El alivio que sintió al verla de nuevo fue tan grande que no pudo evitar mirarla directamente durante varios segundos. Al día siguiente, casi logró hablar con ella. Cuando Winston llegó a la cantina, la encontró sentada a una mesa muy alejada de la pared. Estaba completamente sola. Era temprano y había poca gente. La cola avanzó hasta que Winston se encontró casi junto al mostrador, pero se detuvo allí unos dos minutos a causa de que alguien se quejaba de no haber recibido su pastilla de sacarina. Pero la muchacha seguía sola cuando Winston tuvo ya servida su bandeja y avanzaba hacia ella. Lo hizo como por casualidad fingiendo que buscaba un sitio más allá de donde se encontraba la joven. Estaban separados todavía unos tres metros. Bastaban dos segundos para reunirse, pero entonces sonó una voz detrás de él: «¡Smith!». Winston hizo como que no oía. Entonces la voz repitió más alto: «¡Smith!». Era inútil hacerse el tonto. Se volvió. Un muchacho llamado Wilsher, a quien apenas conocía Winston, le invitaba sonriente a sentarse en un sitio vacío junto a él. No era prudente rechazar esta invitación. Después de haber sido reconocido, no podía ir a sentarse junto a una muchacha sola. Quedaría demasiado en evidencia. Haciendo de tripas corazón, le sonrió amablemente al muchacho, que le miraba con un rostro beatífico. Winston, como en una alucinación, se veía a sí mismo partiéndole la cara a aquel estúpido con un hacha. La mesa donde estaba ella se llenó a los pocos minutos.

Por lo menos, la joven tenía que haberlo visto ir hacia ella y se habría dado cuenta de su intención. Al día siguiente, tuvo buen cuidado de llegar temprano. Allí estaba ella, exactamente, en la misma mesa y otra vez sola. La persona que precedía a Winston en la cola era un hombrecillo nervioso con una cara aplastada y ojos suspicaces. Al alejarse Winston del mostrador, vio que aquel hombre se dirigía hacia la mesa de ella. Sus esperanzas se vinieron abajo. Había un sitio vacío una mesa más allá, pero algo en el aspecto de aquel tipejo le convenció a Winston de que éste no se instalaría en la mesa donde no había nadie para evitarse la molestia de verse obligado a soportar a los desconocidos que luego se quisieran sentar allí. Con verdadera angustia, lo siguió Winston. De nada le serviría sentarse con ella si alguien más los acompañaba. En aquel momento, hubo un ruido tremendo. El hombrecillo se había caído de bruces y la bandeja salió volando derramándose la sopa y el café. Se puso en pie y miró ferozmente a Winston. Evidentemente, sospechaba que éste le había puesto la zancadilla. Pero daba lo mismo porque poco después, con el corazón galopándole, se instalaba Winston junto a la muchacha.

No la miró. Colocó en la mesa el contenido de su bandeja y empezó a comer. Era importantísimo hablar en seguida antes de que alguna otra persona se uniera a ellos. Pero le invadía un miedo terrible. Había pasado una semana desde que la joven se había acercado a él. Podía haber cambiado de idea, es decir, tenía que haber cambiado de idea. Era imposible que este asunto terminara felizmente; estas cosas no suceden en la vida real, y probablemente no habría llegado a hablarle si en aquel momento no hubiera visto a Ampleforth, el poeta de orejas velludas, que andaba de un lado a otro buscando sitio. Era seguro que Ampleforth, que conocía bastante a Winston, se sentaría en su mesa en cuanto lo viera. Tenía, pues, un minuto para actuar. Tanto él como la muchacha comían rápidamente. Era una especie de guiso muy caldoso de habas. En voz muy baja, empezó Winston a hablar. No se miraban. Se llevaban a la boca la comida y entre cucharada y cucharada se decían las palabras indispensables en voz baja e inexpresiva.

–¿A qué hora sales del trabajo?

–Dieciocho treinta.

–¿Dónde podemos vernos?

–En la Plaza de la Victoria, cerca del Monumento.

–Hay muchas telepantallas allí.

–No importa, porque hay mucha circulación.

–¿Alguna señal?

–No. No te acerques hasta que no me veas entre mucha gente. Y no me mires. Sigue andando cerca de mí.

–¿A qué hora?

–A las diecinueve.

–Muy bien.

Ampleforth no vio a Winston y se sentó en otra mesa. No volvieron a hablar y, en lo humanamente posible entre dos personas sentadas una frente a otra y en la misma mesa, no se miraban. La joven acabó de comer a toda velocidad y se marchó. Winston se quedó fumando un cigarrillo.

Antes de la hora convenida estaba Winston en la Plaza de la Victoria. Dio vueltas en torno a la enorme columna en lo alto de la cual la estatua del Gran Hermano miraba hacia el sur, hacia los cielos donde había vencido a los aviones eurasiáticos (pocos años antes, los vencidos fueron los aviones de Asia Oriental), en la batalla de la Primera Franja Aérea. En la calle de enfrente había una estatua ecuestre cuyo jinete representaba, según decían, a Oliver Cromwell. Cinco minutos después de la hora que fijaron, aún no se había presentado la muchacha. Otra vez le entró a Winston un gran pánico. ¡No venía! ¡Había cambiado de idea! Se dirigió lentamente hacia el norte de la plaza y tuvo el placer de identificar la iglesia de San Martín, cuyas campanas –cuando existían– habían cantado aquello de «me debes tres peniques». Entonces vio a la chica parada al pie del monumento, leyendo o fingiendo que leía un cartel arrollado a la columna en espiral. No era prudente acercarse a ella hasta que se hubiera acumulado más gente. Había telepantallas en todo el contorno del monumento. Pero en aquel mismo momento se produjo una gran gritería y el ruido de unos vehículos pesados que venían por la izquierda. De pronto, todos cruzaron corriendo la plaza. La joven dio la vuelta ágilmente junto a los leones que formaban la base del monumento y se unió a la desbandada. Winston la siguió. Al correr, le oyó decir a alguien que un convoy de prisioneros eurasiáticos pasaba por allí cerca.

Una densa masa de gente bloqueaba el lado sur de la plaza. Winston, que normalmente era de esas personas que rehuyen todas las aglomeraciones, se esforzaba esta vez, a codazos y empujones, en abrirse paso hasta el centro de la multitud. Pronto estuvo a un paso de la joven, pero entre los dos había un corpulento prole y una mujer casi tan enorme como él, seguramente su esposa. Entre los dos parecían formar un impenetrable muro de carne. Winston se fue metiendo de lado y, con un violento empujón, logró meter entre la pareja su hombro. Por un instante creyó que se le deshacían las entrañas aplastadas entre las dos caderas forzudas. Pero, con un esfuerzo supremo, sudoroso, consiguió hallarse por fin junto a la chica. Estaban hombro con hombro y ambos miraban fijamente frente a ellos.

Una caravana de camiones, con soldados de cara pétrea armados con fusiles ametralladoras, pasaban calle abajo. En los camiones, unos hombres pequeños de tez amarilla y harapientos uniformes verdosos formaban una masa compacta tan apretados como iban. Sus tristes caras mongólicas miraban a la gente sin la menor curiosidad. De vez en cuando se oían ruidos metálicos al dar un brinco alguno de los camiones. Este ruido lo producían los grilletes que llevaban los prisioneros en los pies. Pasaron muchos camiones con la misma carga y los mismos rostros indiferentes. Winston conocía de sobra el contenido, pero sólo podía verlos intermitentemente. La muchacha apoyaba el hombro y el brazo derecho, hasta el codo, contra el costado de Winston. Sus mejillas estaban tan próximas que casi se tocaban. Ella se había puesto inmediatamente a tono con la situación lo mismo que lo había hecho en la cantina. Empezó a hablar con la misma voz inexpresiva, moviendo apenas los labios. Era un leve murmullo apagado por las voces y el estruendo del desfile.

—¿Me oyes?

—Sí.

—¿Puedes salir el domingo?

—Sí.

—Entonces escucha bien. No lo olvides. Irás a la estación de Paddington...

Con una precisión casi militar que asombró a Winston, la chica le fue describiendo la ruta que había de seguir: un viaje de media hora en tren; torcer luego a la izquierda al salir de la estación; después de dos kilómetros por carretera y, al llegar a un portillo al que le faltaba una barra, entrar por él y seguir por aquel sendero cruzando hasta una extensión de césped; de allí partía una vereda entre arbustos; por fin, un árbol derribado y cubierto de musgo. Era como si tuviese un mapa dentro de la cabeza.

–¿Te acordarás? –murmuró al terminar sus indicaciones.

–Sí.

–Tuerces a la izquierda, luego a la derecha y otra vez a la izquierda. Y al portillo le falta una barra.

–Sí. ¿A qué hora?

–Hacia las quince. A lo mejor tienes que esperar. Yo llegaré por otro camino. ¿Te acordarás bien de todo?

–Sí.

–Entonces, márchate de mi lado lo más pronto que puedas.

No necesitaba habérselo dicho. Pero, por lo pronto, no se podía mover. Los camiones no dejaban de pasar y la gente no se cansaba de expresar su entusiasmo. Aunque es verdad que solamente lo expresaban abriendo la boca en señal de estupefacción. Al principio había habido algunos abucheos y silbidos, pero procedían sólo de los miembros del Partido y pronto cesaron. La emoción dominante era sólo la curiosidad. Los extranjeros, ya fueran de Eurasia o de Asia Oriental, eran como animales raros. No había manera de verlos, sino como prisioneros; e incluso como prisioneros no era posible verlos más que unos segundos. Tampoco se sabía qué hacían con ellos aparte de los ejecutados públicamente como criminales de guerra. Los demás se esfumaban, seguramente en los campos de trabajos forzados. Los redondos rostros mongólicos habían dejado paso a los de tipo más europeo, sucios, barbudos y exhaustos. Por encima de los salientes pómulos, los ojos de algunos miraban a los de Winston con una extraña intensidad y pasaban al instante. El convoy se estaba terminando. En el último camión vio Winston a un anciano con la cara casi oculta por una masa de cabello, muy erguido y con los puños cruzados sobre el pecho. Daba la sensación de estar acostumbrado a que lo ataran. Era imprescindible que Winston y la chica se separaran ya. Pero en el último momento, mientras que la multitud los seguía apretando el uno contra el otro, ella le cogió la mano y se la estrechó.

No habría durado aquello más de diez segundos y, sin embargo, parecía que sus manos habían estado unidas durante una eternidad. Por lo menos, tuvo Winston tiempo sobrado para aprenderse de memoria todos los detalles de aquella mano de mujer. Exploró sus largos dedos, sus uñas bien formadas, la palma endurecida por el trabajo con varios callos y la suavidad de la carne junto a la muñeca. Sólo con verla la habría reconocido entre todas las manos. En ese instante se le ocurrió que no sabía de qué color tenía ella los ojos. Probablemente, castaños, pero también es verdad que mucha gente de cabello negro tienen ojos azules. Volver la cabeza y mirarla hubiera sido una imperdonable locura. Mientras había durado aquel apretón de manos invisible entre la presión de tanta gente, miraban ambos impasibles adelante y Winston, en vez de los ojos de ella, contempló los del anciano prisionero que lo miraban con tristeza por entre sus greñas de pelo.

II

Winston emprendió la marcha por el campo. El aire parecía besar la piel. Era el segundo día de mayo. Del corazón del bosque venía el arrullo de las palomas. Era un poco pronto. El viaje no le había presentado dificultades y la muchacha era tan experimentada que le infundía a Winston una gran seguridad. Confiaba en que ella sabría escoger un sitio seguro. En general, no podía decirse que se estuviera más seguro en el campo que en Londres. Desde luego, no había telepantallas, pero siempre quedaba el peligro de los micrófonos ocultos que recogían vuestra voz y la reconocían. Además, no era fácil viajar individualmente sin llamar la atención. Para distancias de menos de cien kilómetros no se exigía visar los pasaportes, pero a veces vigilaban patrullas alrededor de la estaciones de ferrocarril y examinaban los documentos de todo miembro del Partido al que encontraran y le hacían difíciles preguntas. Sin embargo, Winston tuvo la suerte de no encontrar patrullas y desde que salió de la estación se aseguró, mirando de vez en cuando cautamente hacia atrás, de que no lo seguían. El tren iba lleno de proles con aire de vacaciones, quizás porque el tiempo parecía de verano. El vagón en que viajaba Winston llevaba asientos de madera y su compartimiento estaba ocupado casi por completo con una única familia, desde la abuela, muy vieja y sin dientes, hasta un niño de un mes. Iban a pasar la tarde con unos parientes en el campo y, como le explicaron con toda libertad a Winston, para adquirir un poco de mantequilla en el mercado negro.

Por fin, llegó a la vereda que le había dicho ella y siguió por allí entre los arbustos. No tenía reloj, pero no podían ser todavía las quince. Había tantas flores silvestres, que le era imposible no pisarlas. Se arrodilló y empezó a coger algunas, en parte por echar algún tiempo fuera y también con la vaga idea de reunir un ramillete para ofrecérselo a la muchacha. Pronto formó un gran ramo y estaba oliendo su enfermizo aroma cuando se quedó helado al oír el inconfundible crujido de unos pasos tras él sobre las ramas secas. Siguió cogiendo florecillas. Era lo mejor que podía hacer. Quizás fuese la chica, pero también pudieran haberlo seguido. Mirar para atrás era mostrarse culpable. Todavía le dio tiempo de coger dos flores más. Una mano se le posó levemente sobre el hombro.

Levantó la cabeza. Era la muchacha. Ésta volvió la cabeza para prevenirle de que siguiera callado, luego apartó las ramas de los arbustos para abrir paso hacia el bosque. Era evidente que había estado allí antes, pues sus movimientos eran los de una persona que tiene la costumbre de ir siempre por el mismo sitio. Winston la siguió sin soltar su ramo de flores. Su primera sensación fue de alivio, pero mientras contemplaba el cuerpo femenino, esbelto y fuerte a la vez, que se movía ante él, y se fijaba en el ancho cinturón rojo, lo bastante apretado para hacer resaltar la curva de sus caderas, empezó a sentir su propia inferioridad. Incluso ahora le parecía muy probable que cuando ella se volviera y lo mirara, lo abandonaría. La dulzura del aire y el verdor de las hojas lo hechizaban. Ya cuando venía de la estación, el sol de mayo le había hecho sentirse sucio y gastado, una criatura de puertas adentro que llevaba pegado a la piel el polvo de Londres. Se le ocurrió pensar que hasta ahora no lo había visto ella de cara a plena luz. Llegaron al árbol derribado del que la joven había hablado. Ésta saltó por encima del tronco y, separando las grandes matas que lo rodeaban, pasó a un pequeño claro. Winston, al seguirla, vio que el pequeño espacio estaba rodeado todo por arbustos y oculto por ellos. La muchacha se detuvo y, volviéndose hacia él, le dijo:

–Ya hemos llegado.

Winston se hallaba a varios pasos de ella. Aún no se atrevía a acercársele más.

–No quise hablar en la vereda –prosiguió ella– por si acaso había algún micrófono escondido. No creo que lo haya, pero no es imposible. Siempre cabe la posibilidad de que uno de esos cerdos te reconozcan la voz. Aquí estamos bien.

Todavía le faltaba valor a Winston para acercarse a ella. Por eso, se limitó a repetir tontamente:

–¿Estamos bien aquí?

–Sí. Mira los árboles –eran unos arbolillos de ramas finísimas–. No hay nada lo bastante grande para ocultar un micro. Además, ya he estado aquí antes.

Sólo hablaban. Él se había decidido ya a acercarse más a ella. Sonriente, con cierta ironía en la expresión, la joven estaba muy derecha ante él como preguntándose por qué tardaba tanto en empezar. El ramo de flores silvestre se había caído al suelo. Winston le cogió la mano.

–¿Quieres creer –dijo– que hasta este momento no sabía de qué color tienes los ojos? –Eran castaños, bastante claros, con pestañas negras–. Ahora que me has visto a plena luz y cara a cara, ¿puedes soportar mi presencia?

–Sí, bastante bien.

–Tengo treinta y nueve años. Estoy casado y no me puedo librar de mi mujer. Tengo varices y cinco dientes postizos.

–Todo eso no me importa en absoluto –dijo la muchacha.

Un instante después, sin saber cómo, se la encontró Winston en sus brazos. Al principio, su única sensación era de incredulidad. El juvenil cuerpo se apretaba contra el suyo y la masa de cabello negro le daba en la cara y, aunque le pareciera increíble, le acercaba su boca y él la besaba. Sí, estaba besando aquella boca grande y roja. Ella le echó los brazos al cuello y empezó a llamarle «querido, amor mío, precioso...». Winston la tendió en el suelo. Ella no se resistió; podía hacer

127

con ella lo que quisiera. Pero la verdad era que no sentía ningún impulso físico, ninguna sensación aparte de la del abrazo. Le dominaban la incredulidad y el orgullo. Se alegraba de que esto ocurriera, pero no tenía deseo físico alguno. Era demasiado pronto. La juventud y la belleza de aquel cuerpo le habían asustado; estaba demasiado acostumbrado a vivir sin mujeres. Quizás fuera por alguna de estas razones o quizá por alguna otra desconocida. La joven se levantó y se sacudió del cabello una florecilla que se le había quedado prendida en él. Sentóse junto a él y le rodeó la cintura con su brazo.

—No te preocupes, querido, no hay prisa. Tenemos toda la tarde. ¿Verdad que es un escondite magnífico? Me perdí una vez en una excursión colectiva y descubrí este lugar. Si viniera alguien, lo oiríamos a cien metros.

—¿Cómo te llamas? —dijo Winston.

—Julia. Tu nombre ya lo conozco. Winston... Winston Smith.

—¿Cómo te enteraste?

—Creo que tengo más habilidad que tú para descubrir cosas, querido. Dime, ¿qué pensaste de mí antes de darte aquel papelito?

Winston no tuvo ni la menor tentación de mentirle. Era una especie de ofrenda amorosa empezar confesando lo peor.

—Te odiaba. Quería abusar de ti y luego asesinarte. Hace dos semanas pensé seriamente romperte la cabeza con una piedra. Si quieres saberlo, te diré que te creía en relación con la Policía del Pensamiento.

La muchacha se reía encantada, tomando aquello como un piropo por lo bien que se había disfrazado.

—¡La Policía del Pensamiento, qué ocurrencia! No es posible que lo creyeras.

—Bueno, quizás no fuera exactamente eso. Pero, por tu aspecto... quizás por tu juventud y por lo saludable que eres; en fin, ya comprendes, creí que probablemente...

—Pensaste que era una excelente afiliada. Pura en palabras y en hechos. Estandartes, desfiles, consignas, excursiones colectivas y todo eso. Y creíste que a las primeras de cambio te denunciaría como criminal mental y haría que te mataran.

–Sí, algo así. Ya sabes que muchas chicas son de ese modo.

–La culpa la tiene esa porquería –dijo Julia quitándose el cinturón rojo de la Liga Anti-Sex y tirándolo a una rama, donde quedó colgado. Luego, como si el tocarse la cintura le hubiera recordado algo, sacó del bolsillo de su «mono» una tableta de chocolate. La partió por la mitad y le dio a Winston uno de los pedazos. Antes de probarlo, ya sabía él por el olor que era un chocolate muy poco frecuente. Era oscuro y brillante, envuelto en papel de plata. El chocolate, corrientemente, era de un color castaño claro y se desmigajaba con gran facilidad; y en cuanto a su sabor, era algo así como el del humo de la goma quemada. Pero alguna vez había probado chocolate como el que ella le daba ahora. Su aroma le había despertado recuerdos que no podía localizar, pero que lo turbaban intensamente.

–¿Dónde encontraste esto? –dijo.

–En el mercado negro –dijo ella con indiferencia–. Yo me las arreglo bastante bien. Fui jefe de sección en los Espías. Trabajo voluntariamente tres tardes a la semana en la Liga Juvenil Anti-Sex. Me he pasado horas y horas desfilando por Londres. Siempre soy yo la que lleva uno de los estandartes. Pongo muy buena cara y nunca intento librarme de una *lata*. Mi lema es «grita siempre con los demás». Es el único modo de estar seguros.

El primer trocito de chocolate se le había derretido a Winston en la lengua. Su sabor era delicioso. Pero le seguía rondando aquel recuerdo que no podía fijar, algo así como un objeto visto por el rabillo del ojo. Hizo por librarse de él quedándole la sensación de que se trataba de algo que él había hecho en tiempos y que hubiera preferido no haber hecho.

–Eres muy joven –dijo–. Debes de ser unos diez o quince años más joven que yo. ¿Qué has podido ver en un hombre como yo que te haya atraído?

–Algo en tu cara. Me decidí a arriesgarme. Conozco en seguida a la gente de la acera de enfrente. En cuanto te vi supe que estabas contra *ellos*.

Ellos, por lo visto, quería decir el Partido, y sobre todo el Partido Interior, sobre el cual hablaba Julia con un odio manifiesto que intranquilizaba a Winston, aunque sabía que aquel sitio en que se hallaban era uno de los poquísimos lugares donde nada tenían que temer. Le asombraba la rudeza con que hablaba Julia. Se suponía que los miembros del Partido no decían palabrotas, y el propio Winston apenas las decía como no fuera entre dientes. Sin embargo, Julia no podía nombrar al Partido, especialmente al Partido Interior, sin usar palabras de esas que solían aparecer escritas con tiza en los callejones solitarios. A él no le disgustaba eso, puesto que era un síntoma de la rebelión de la joven contra el Partido y sus métodos. Y semejante actitud resultaba natural y saludable, como el estornudo de un caballo que huele mala avena. Habían salido del claro y paseaban por entre los arbustos. Iban cogidos de la cintura siempre que tenían sitio suficiente para pasar los dos juntos. Notó que la cintura de Julia resultaba mucho más suave ahora que se había quitado el cinturón. Seguían hablando en voz muy baja. Fuera del claro, dijo Julia, era mejor ir con prudencia. Llegaron hasta la linde del bosquecillo. Ella lo detuvo.

–No salgas a campo abierto. Podría haber alguien que nos viera. Estaremos mejor detrás de las ramas.

Y permanecieron a la sombra de los arbustos. La luz del sol, filtrándose por las innumerables hojas, les seguía caldeando el rostro. Winston observó el campo que los rodeaba y experimentó, poco a poco, la curiosa sensación de reconocer aquel lugar. Era tierra de pastos, con un sendero que la cruzaba y alguna pequeña elevación de cuando en cuando. En la valla, medio rota, que se veía al otro lado, se divisaban las ramas de unos olmos que se balanceaban con la brisa, y sus hojas se movían en densas masas como cabelleras femeninas. Seguramente por allí cerca, pero fuera de su vista, habría un arroyuelo.

–¿No hay por aquí cerca un arroyo? –murmuró.

–Sí lo hay. Está al borde del terreno colindante con éste. Hay peces, muy grandes por cierto. Se puede verlos en las charcas que se forman bajo los sauces.

–Es el País Dorado... casi –murmuró.

–¿El País Dorado?

–No tiene importancia. Es un paisaje que he visto algunas veces en sueños.

–¡Mira! –susurró Julia.

Un pájaro se había movido en una rama a unos cinco metros de ellos y casi al nivel de sus caras. Quizás no los hubiera visto. Estaba en el sol y ellos a la sombra. Extendió las alas, volvió a colocárselas cuidadosamente en su sitio, inclinó la cabecita un momento, como si saludara respetuosamente al sol y empezó a cantar torrencialmente. En el silencio de la tarde, sobrecogía el volumen de aquel sonido. Winston y Julia se abrazaron fascinados. La música del ave continuó, minuto tras minuto, con asombrosas variaciones y sin repetirse nunca, casi como si estuviera demostrando a propósito su virtuosismo. A veces se detenía unos segundos, extendía y recogía sus alas, luego hinchaba su pecho moteado y empezaba de nuevo su concierto. Winston lo contemplaba con un vago respeto. ¿Para quién, para qué cantaba aquel pájaro? No tenía pareja ni rival que lo contemplaran. ¿Qué le impulsaba a estarse allí, al borde del bosque solitario, regalándole su música al vacío? Se preguntó si no habría algún micrófono escondido allí cerca. Julia y él habían hablado sólo en murmullo, y ningún aparato podría registrar lo que ellos habían dicho, pero sí el canto del pájaro. Quizás al otro extremo del instrumento algún hombrecillo mecanizado estuviera escuchando con toda atención; sí, escuchando *aquello*. Gradualmente la música del ave fue despertando en él sus pensamientos. Era como un líquido que saliera de él y se mezclara con la luz del sol, que se filtraba por entre las hojas. Dejó de pensar y se limitó a sentir. La cintura de la muchacha bajo su brazo era suave y cálida. Le dio la vuelta hasta quedar abrazados cara a cara. El cuerpo de Julia parecía fundirse con el suyo. Donde quiera que tocaran sus manos, cedía todo como si fuera agua. Sus bocas se unieron con besos muy distintos de los duros besos que se habían dado antes. Cuando volvieron a apartar sus rostros, suspiraron ambos profundamente. El pájaro se asustó y salió volando con un aleteo alarmado.

Rápidamente, sin poder evitar el crujido de las ramas bajo sus pies, regresaron al claro. Cuando estuvieron ya en su refugio, se volvió Julia hacia él y lo miró fijamente. Los dos respiraban pesadamente, pero la sonrisa había desaparecido en las comisuras de sus labios. Estaban de pie y ella lo miró por un instante y luego tanteó la cremallera de su mono con las manos. ¡Sí! ¡Fue casi como en un sueño! Casi tan velozmente como él se lo había imaginado, ella se arrancó la ropa y cuando la tiró a un lado fue con el mismo magnífico gesto con el cual toda una civilización parecía anihilarse. Su blanco cuerpo brillaba al sol. Por un momento él no miró su cuerpo. Sus ojos habían buscado ancoraje en el pecoso rostro con su débil y franca sonrisa. Se arrodilló ante ella y tomó sus manos entre las suyas.

–¿Has hecho esto antes?

–Claro. Cientos de veces. Bueno, muchas veces.

–¿Con miembros del Partido?

–Sí, siempre con miembros del Partido.

–¿Con miembros del Partido del Interior?

–No, con esos cerdos no. Pero muchos lo harían si pudieran. No son tan sagrados como pretenden.

Su corazón dio un salto. Lo había hecho muchas veces. Todo lo que oliera a corrupción le llenaba de una esperanza salvaje. Quién sabe, tal vez el Partido estaba podrido bajo la superficie, su culto de fuerza y autocontrol no era más que una trampa tapando la iniquidad. Si hubiera podido contagiarlos a todos con la lepra o la sífilis, ¡con qué alegría lo hubiera hecho! Cualquier cosa con tal de podrir, de debilitar, de minar.

La atrajo hacia sí, de modo que quedaron de rodillas frente a frente.

–Oye, cuantos más hombres hayas tenido más te quiero yo. ¿Lo comprendes?

–Sí, perfectamente.

–Odio la pureza, odio la bondad. No quiero que exista ninguna virtud en ninguna parte. Quiero que todo el mundo esté corrompido hasta los huesos.

–Pues bien, debo irte bien, cariño. Estoy corrompida hasta los huesos.

–¿Te gusta hacer esto? No quiero decir simplemente yo, me refiero a la cosa en sí.

–Lo adoro.

Esto era sobre todas las cosas lo que quería oír. No simplemente el amor por una persona sino el instinto animal, el simple indiferenciado deseo. Ésta era la fuerza que destruiría al Partido. La empujó contra la hierba entre las campanillas azules. Esta vez no hubo dificultad. El movimiento de sus pechos fue bajando hasta la velocidad normal y con un movimiento de desamparo se fueron separando. El sol parecía haber intensificado su calor. Los dos estaban adormilados. Él alcanzó su desechado mono y la cubrió parcialmente.

Al poco tiempo se durmieron profundamente. Al cabo de media hora se despertó Winston. Se incorporó y contempló a Julia, que seguía durmiendo tranquilamente con su cara pecosa en la palma de la mano. Aparte de la boca, sus facciones no eran hermosas. Si se miraba con atención, se descubrían unas pequeñas arrugas en torno a los ojos. El cabello negro y corto era extraordinariamente abundante y suave. Pensó entonces que todavía ignoraba el apellido y el domicilio de ella.

Este cuerpo joven y vigoroso, desamparado ahora en el sueño, despertó en él un compasivo y protector sentimiento. Pero la ternura que había sentido mientras escuchaba el canto del pájaro había desaparecido ya. Le apartó el mono a un lado y estudió su cadera. En los viejos tiempos, pensó, un hombre miraba el cuerpo de una muchacha y veía que era deseable y aquí se acababa la historia. Pero ahora no se podía sentir amor puro o deseo puro. Ninguna emoción era pura porque todo estaba mezclado con el miedo y el odio. Su abrazo había sido una batalla, el clímax una victoria. Era un golpe contra el Partido. Era un acto político.

III

Podemos volver a este sitio –propuso Julia–. En general, puede emplearse dos veces el mismo escondite con tal de que se deje pasar uno o dos meses.

En cuanto se despertó, la conducta de Julia había cambiado. Tenía ya un aire prevenido y frío. Se vistió, se puso el cinturón rojo y empezó a planear el viaje de regreso. A Winston le parecía natural que ella se encargara de esto. Evidentemente poseía una habilidad para todo lo práctico que Winston carecía y también parecía tener un conocimiento completo del campo que rodeaba a Londres. Lo había aprendido a fuerza de tomar parte en excursiones colectivas. La ruta que le señaló era por completo distinta de la que él había seguido al venir, y le conducía a otra estación. «Nunca hay que regresar por el mismo camino de ida», sentenció ella, como si expresara un importante principio general. Ella partiría antes y Winston esperaría media hora para emprender la marcha a su vez.

Había nombrado Julia un sitio donde podían encontrarse, después de trabajar, cuatro días más tarde. Era una calle en uno de los barrios más pobres donde había un mercado con mucha gente y ruido. Estaría por allí, entre los puestos, como si buscara cordones para los zapatos o hilo de coser. Si le parecía que no había peligro se llevaría el pañuelo a la nariz cuando se acercara Winston. En caso contrario, sacaría el pañuelo. Él pasaría a su lado sin mirarla. Pero con un poco de suerte, en medio de aquel gentío podrían hablar tranquilos durante un cuarto de hora y ponerse de acuerdo para otra cita.

—Ahora tengo que irme —dijo la muchacha en cuanto vio que él se había enterado bien de sus instrucciones—. Debo estar de vuelta a las diecinueve treinta. Tengo que dedicarme dos horas a la Liga Anti-Sex repartiendo folletos o algo por el estilo. ¿Verdad que es un asco? Sacúdeme con las manos. ¿Estás seguro de que no tengo briznas en el cabello? ¡Bueno, adiós, amor mío; adiós!

Se arrojó en sus brazos, lo besó casi violentamente y poco después desaparecía por el bosque sin hacer apenas ruido. Incluso ahora seguía sin saber cómo se llamaba de apellido ni dónde vivía. Sin embargo, era igual, pues resultaba inconcebible que pudieran citarse en lugar cerrado ni escribirse.

Nunca volvieron al bosquecillo. Durante el mes de mayo sólo tuvieron una ocasión de estar juntos de aquella manera. Fue en otro escondite que conocía Julia, el campanario de una ruinosa iglesia en una zona casi desierta donde una bomba atómica había caído treinta años antes. Era un buen escondite una vez que se llegaba allí, pero era muy peligroso el viaje. Aparte de eso, se vieron por las calles en un sitio diferente cada tarde y nunca más de media hora cada vez. En la calle era posible hablarse de cierta manera. Mezclados con la multitud, juntos, pero dando la impresión de que era el movimiento de la masa lo que les hacía estar tan cerca y teniendo buen cuidado de no mirarse nunca, podían sostener una curiosa e intermitente conversación que se encendía y apagaba como los rayos de luz de un faro. En cuanto se aproximaba un uniforme del Partido o caían cerca de una telepantalla, se callaban inmediatamente. Y reanudaban la conversación minutos después, empezando a la mitad de una frase que habían dejado sin terminar, y luego volvían a cortar en seco cuando les llegaba el momento de separarse. Y al día siguiente seguían hablando sin más preliminares. Julia parecía estar muy acostumbrada a esta clase de conversación, que ella llamaba «hablar por folletones». Tenía además una sorprendente habilidad para hablar sin mover los labios. Una sola vez en todo un mes de encuentros nocturnos consiguieron darse un beso. Pasaban en silencio por una calle (Julia nunca hablaba cuando estaban lejos de las calles principales) y en ese momento oyeron un ruido ensordecedor, la tierra tembló y se oscureció la atmósfera. Winston se encontró tendido al lado de Julia, magullado y con un terrible pánico. Una bomba cohete había estallado muy cerca. De pronto se dio cuenta de que tenía junto a la suya la cara de Julia. Estaba palidísima, hasta los labios los tenía blancos. No era palidez, sino una blancura de sal. Winston creyó que estaba muerta. La abrazó en el suelo y se sorprendió de estar besando un rostro vivo y cálido. Es que se le había llenado la cara del yeso pulverizado por la explosión. Tenía la cara completamente blanca.

Algunas tardes, a última hora, llegaban al sitio convenido y tenían que a andar a cierta distancia uno del otro sin dar la menor señal de reconocerse porque había aparecido una patrulla por una esquina o volaba sobre ellos un autogiro. Aunque hubiera sido menos peligroso verse, siempre habrían tenido la dificultad del tiempo. Winston trabajaba sesenta horas a la semana y Julia todavía más. Los días libres de ambos variaban según las necesidades del trabajo y no solían coincidir. Desde luego, Julia tenía muy pocas veces una tarde libre por completo. Pasaba muchísimo tiempo asistiendo a conferencias y manifestaciones, distribuyendo propaganda para la Liga Juvenil Anti-Sex, preparando banderas y estandartes para la Semana del Odio, recogiendo dinero para la Campaña del Ahorro y en actividades semejantes. Aseguraba que merecía la pena darse ese trabajo suplementario; era un camuflaje. Si se observaban las pequeñas reglas se podían infringir las grandes. Julia indujo a Winston a que dedicara otra de sus tardes como voluntario en la fabricación de municiones como solían hacer los más entusiastas miembros del Partido. De manera que una tarde cada semana se pasaba Winston cuatro horas de aburrimiento insoportable atornillando dos pedacitos de metal que probablemente formaban parte de una bomba. Este trabajo en serie lo realizaban en un taller donde los martillazos se mezclaban espantosamente con la música de la telepantalla. El taller estaba lleno de corrientes de aire y muy mal iluminado.

Cuando se reunieron en las ruinas del campanario llenaron todos los huecos de sus conversaciones anteriores. Era una tarde achicharrante. El aire del pequeño espacio sobre las campanas era ardiente e irrespirable y olía de un modo insoportable a palomar. Allí permanecieron varias horas sentados en el polvoriento suelo, levantándose de cuando en cuando uno de ellos para asomarse cautelosamente y asegurarse de que no se acercaba nadie.

Julia tenía veintiséis años. Vivía en una especie de hotel con otras treinta muchachas («¡Siempre el hedor de las mujeres! ¡Cómo las odio!», comentó); y trabajaba, como él había adivinado, en las máquinas que fabricaban novelas en el departamento dedicado a ello. Le distraía su trabajo, que consistía principalmente en manejar un motor eléctrico poderoso, pero lleno de resabios. No era una mujer muy lista –según su propio juicio–, pero manejaba hábilmente las máquinas. Sabía todo el procedimiento para fabricar una novela, desde las directrices generales del Comité Inventor hasta los toques finales que daba la Brigada de Repaso. Pero no le interesaba el producto terminado. No le interesaba leer. Consideraba los libros como una mercancía, algo así como la mermelada o los cordones para los zapatos.

Julia no recordaba nada anterior a los años sesenta y tantos y la única persona que había conocido que le hablase de los tiempos anteriores a la Revolución era un abuelo que había desaparecido cuando ella tenía ocho años. En la escuela había sido capitana del equipo de hockey y había ganado durante dos años seguidos el trofeo de gimnasia. Fue jefe de sección en los Espías y secretaria de una rama de la Liga de la Juventud antes de afiliarse a la Liga Juvenil Anti-Sex. Siempre había sido considerada como persona de absoluta confianza. Incluso (y esto era señal infalible de buena reputación) la habían elegido para trabajar en Pornosec, la subsección del Departamento de Novela encargada de fabricar

137

pornografía barata para los proles. Allí había trabajado un año entero ayudando a la producción de libritos que se enviaban en paquetes sellados y que llevaban títulos como *Historias deliciosas*, o *Una noche en un colegio de chicas*, que compraban furtivamente los jóvenes proletarios, con lo cual se les daba la impresión de que adquirían una mercancía ilegal.

–¿Cómo son esos libros? –le preguntó Winston por curiosidad.

–Pues una porquería. Son de lo más aburrido. Hay sólo seis argumentos. Yo trabajaba únicamente en los calidoscopios. Nunca llegué a formar parte de la Brigada de Repaso. No tengo disposiciones para la literatura. Sí, querido, ni siquiera sirvo para eso.

Winston se enteró con asombro de que en la Pornosec, excepto el jefe, no había más que chicas. Dominaba la teoría de que los hombres, por ser menos capaces que las mujeres de dominar su instinto sexual, se hallaban en mayor peligro de ser corrompidos por las suciedades que pasaban por sus manos.

–Ni siquiera permiten trabajar allí a las mujeres casadas –añadió–. Se supone que las chicas solteras son siempre muy puras. Aquí tienes por lo pronto una que no lo es.

Julia había tenido su primer asunto amoroso a los dieciséis años con un miembro del Partido de sesenta años, que después se suicidó para evitar que lo detuvieran. «Fue una gran cosa –dijo Julia–, porque, si no, mi nombre se habría descubierto al confesar él.» Desde entonces se habían sucedido varios otros. Para ella la vida era muy sencilla. Una lo quería pasar bien; *ellos* –es decir, el Partido– trataban de evitarlo por todos los medios; y una procuraba burlar las prohibiciones de la mejor manera posible. A Julia le parecía muy natural que *ellos* le quisieran evitar el placer y que ella por su parte quisiera librarse de que la detuvieran. Odiaba al Partido y lo decía con las más terribles palabrotas, pero no era capaz de hacer una crítica seria de lo que el Partido representaba. No atacaba más que la parte de la doctrina del Partido que rozaba con su vida. Winston notó que Julia no usaba nunca palabras de neolengua excepto las que habían pasado al habla corriente. Nunca había oído hablar de la Hermandad y se negó a creer en su existencia. Creía estúpido pensar en una sublevación contra el Partido. Cualquier intento en este sentido tenía que fracasar. Lo inteligente le parecía burlar las normas y seguir viviendo a pesar de ello. Se preguntaba cuántas habría como ella en la generación más joven, mujeres educadas en el mundo de la revolución, que no habían oído hablar de nada más, aceptando al Partido como algo de imposible modificación –algo así como el cielo– y que sin rebelarse contra la autoridad estatal la eludían lo mismo que un conejo puede escapar de un perro.

Entre Winston y Julia no se planteó la posibilidad de casarse. Había demasiadas dificultades para ello. No merecía la pena perder tiempo pensando en esto. Ningún comité de Oceanía autorizaría este casamiento, incluso si Winston hubiera podido librarse de su esposa Katharine.

–¿Cómo era tu mujer?

–Era..., ¿conoces la palabra *piensabien*, es decir, ortodoxa por naturaleza, incapaz de un mal pensamiento?

–No, no conozco esa palabra, pero sí la clase de persona a que te refieres.

Winston empezó a contarle la historia de su vida conyugal, pero Julia parecía saber ya todo lo esencial de este asunto. Con Julia no le importaba hablar de esas cosas. Katharine había dejado de ser para él un penoso recuerdo, convirtiéndose en un recuerdo molesto.

–Lo habría soportado si no hubiera sido por una cosa –añadió. Y le contó la pequeña ceremonia frígida que Katharine le había obligado a celebrar la misma noche cada semana–. Le repugnaba, pero por nada del mundo lo habría dejado de hacer. No te puedes figurar cómo le llamaba a aquello.

–«Nuestro deber para con el Partido» –dijo Julia inmediatamente.

–¿Cómo lo sabías?

–Querido, también yo he estado en la escuela. A las mayores de dieciséis años les dan conferencias sobre temas sexuales una vez al mes. Y luego, en el Movimiento Juvenil, no dejan de grabarle a una esas estupideces en la cabeza. En muchísimos casos da resultado. Claro que nunca se tiene la seguridad porque la gente es tan hipócrita...

Y Julia se extendió sobre este asunto. Ella lo refería todo a su propia sexualidad. A diferencia de Winston, entendía perfectamente lo que el Partido se proponía con su puritanismo sexual. Lo más importante era que la represión sexual conducía a la histeria, lo cual era deseable ya que se podía transformar en una fiebre guerrera y en adoración del líder. Ella lo explicaba así: «Cuando haces el amor gastas energías y después te sientes feliz y no te importa nada. No pueden soportarlo que te sientas así. Quieren que estés a punto de estallar de energía todo el tiempo. Todas estas marchas arriba y abajo vitoreando y agitando banderas no es más que sexo agriado. Si eres feliz dentro de ti mismo, ¿por qué te ibas a excitar por el Gran Hermano y el Plan Trienal y los Dos Minutos de Odio y todo el resto de su porquería?».

Esto era cierto, pensó él. Había una conexión directa entre la castidad y la ortodoxia política. ¿Cómo iban a mantenerse vivos el miedo, y el odio y la insensata incredulidad que el Partido necesitaba si no se embotellaba algún instinto poderoso para usarlo después como combustible? El instinto sexual era peligroso para el Partido y éste lo había utilizado en provecho propio. Habían hecho algo parecido con el instinto familiar. La familia no podía ser abolida; es más, se animaba a la gente a que amase a sus hijos casi al estilo antiguo. Pero, por otra parte, los hijos eran enfrentados sistemáticamente contra sus padres y se les enseñaba a espiarlos y a denunciar sus desviaciones. La familia se había convertido en una ampliación de la Policía del Pensamiento. Era un recurso por medio del cual todos se hallaban rodeados noche y día por delatores que les conocían íntimamente.

De pronto se puso a pensar otra vez en Katharine. Ésta lo habría denunciado a la P. del P. con toda seguridad si no hubiera sido demasiado tonta para descubrir lo herético de sus opiniones. Pero lo que se la hacía recordar en este momento era el agobiante calor de la tarde, que le hacía sudar. Empezó a contarle a Julia algo que había ocurrido, o mejor dicho, que había dejado de ocurrir en otra tarde tan calurosa como aquélla, once años antes. Katharine y Winston se habían extraviado durante una de aquellas excursiones colectivas que organizaba el Partido. Iban retrasados y por equivocación doblaron por un camino que los condujo rápidamente a un lugar solitario. Estaban al borde de un precipicio. Nadie había allí para preguntarle. En cuanto se dieron cuenta de que se habían perdido, Katharine empezó a ponerse nerviosa. Hallarse alejada de la ruidosa multitud de excursionistas, aunque sólo fuese durante un momento, le producía un fuerte sentido de culpabilidad. Quería volver inmediatamente por el camino que habían tomado por error y empezar a buscar en la dirección contraria. Pero en aquel momento Winston descubrió unas plantas que le llamaron la atención. Nunca había visto nada parecido y llamó a Katharine para que las viera.

–¡Mira, Katharine; mira esas flores! Allí, al fondo; ¿ves que son de dos colores diferentes?

Ella había empezado ya a alejarse, pero se acercó un momento, a cada instante más intranquila. Incluso se inclinó sobre el precipicio para ver donde señalaba Winston. Él estaba un poco más atrás y le puso la mano en la cintura para sostenerla. No había nadie en toda la extensión que se abarcaba con la vista, no se movía ni una hoja y ningún pájaro daba señales de presencia. Entonces pensó Winston que estaban completamente solos y que en un sitio como aquél había muy pocas probabilidades de que tuvieran escondido un micrófono, e incluso si lo había, sólo podría captar sonidos. Era la hora más cálida y soñolienta de la tarde. El sol deslumbraba y el sudor perlaba la cara de Winston. Entonces se le ocurrió que...

–¿Por qué no le diste un buen empujón? –dijo Julia–. Yo lo habría hecho.

–Sí, querida; yo también lo habría hecho si hubiera sido la misma persona que ahora soy. Bueno, no estoy seguro...

–¿Lamentas ahora haber desperdiciado la ocasión?

–Sí. En realidad me arrepiento de ello.

Estaban sentados muy juntos en el suelo. Él la apretó

más contra sí. La cabeza de ella descansaba en el hombro de él y el agradable olor de su cabello dominaba el desagradable hedor a palomar. Pensó Winston que Julia era muy joven, que esperaba todavía bastante de la vida y por tanto no podía comprender que empujar a una persona molesta por un precipicio no resuelve nada.

–Habría sido lo mismo –dijo.

–Entonces, ¿por qué dices que sientes no haberlo hecho?

–Sólo porque prefiero lo positivo a lo negativo. Pero en este juego que estamos jugando no podemos ganar. Unas clases de fracaso son quizás mejores que otras, eso es todo.

Notó que los hombros de ella se movían disconformes. Julia siempre lo contradecía cuando él opinaba en este sentido. No estaba dispuesta a aceptar como ley natural que el individuo está siempre vencido. En cierto modo comprendía que también ella estaba condenada de antemano y que más pronto o más tarde la Policía del Pensamiento la detendría y la mataría; pero por otra parte de su cerebro creía firmemente que cabía la posibilidad de construirse un mundo secreto donde vivir a gusto. Sólo se necesitaba suerte, astucia y audacia. No comprendía que la felicidad era un mito, que la única victoria posible estaba en un lejano futuro mucho después de la muerte, y que desde el momento en que mentalmente le declaraba una persona la guerra al Partido, le convenía considerarse como un cadáver ambulante.

–Los muertos somos nosotros –dijo Winston.

–Todavía no hemos muerto –replicó Julia prosaicamente.

–Físicamente, todavía no. Pero es cuestión de seis meses, un año o quizás cinco. Le temo a la muerte. Tú eres joven y por eso mismo quizás le temas a la muerte más que yo. Naturalmente, haremos todo lo posible por evitarla lo más que podamos. Pero la diferencia es insignificante. Mientras que los seres humanos sigan siendo humanos, la muerte y la vida vienen a ser lo mismo.

–Oh, tonterías. ¿Qué preferirías: dormir conmigo o con un esqueleto? ¿No disfrutas de estar vivo? ¿No te gusta sentir: esto soy yo, ésta es mi mano, esto mi pierna, soy real, sólida, estoy viva?... ¿No te gusta?

Ella se dio la vuelta y apretó su pecho contra él. Podía sentir sus senos, maduros pero firmes, a través de su mono. Su cuerpo parecía traspasar su juventud y vigor hacia él.

–Sí, me gusta –dijo Winston.

–No hablemos más de la muerte. Y ahora escucha, querido; tenemos que fijar la próxima cita. Si te parece bien, podemos volver a aquel sitio del bosque. Ya hace mucho tiempo que fuimos. Basta con que vayas por un camino distinto. Lo tengo todo preparado. Tomas el tren... Pero lo mejor será que te lo dibuje aquí.

Y tan práctica como siempre amasó primero un cuadrito de polvo y con una ramita de un nido de palomas empezó a dibujar un mapa sobre el suelo.

IV

Winston examinó la pequeña habitación en la tienda del señor Charrington. Junto a la ventana, la enorme cama estaba preparada con viejas mantas y una colcha raquítica. El antiguo reloj, en cuya esfera se marcaban las doce horas, seguía con su tic-tac sobre la repisa de la chimenea. En un rincón, sobre la mesita, el pisapapeles de cristal que había comprado en su visita anterior brillaba suavemente en la semioscuridad.

En el hogar de la chimenea había una desvencijada estufa de petróleo, una sartén y dos copas, todo ello proporcionado por el señor Charrington. Winston puso un poco de agua a hervir. Había traído un sobre lleno de café de la Victoria y algunas pastillas de sacarina. Las manecillas del reloj marcaban las siete y veinte; pero en realidad eran las diecinueve veinte.

Julia llegaría a las diecinueve treinta.

El corazón le decía a Winston que todo esto era una locura; sí, una locura consciente y suicida. De todos los crímenes que un miembro del Partido podía cometer, éste era el de más imposible ocultación. La idea había flotado en su cabeza en forma de una visión del pisapapeles de cristal reflejado en la brillante superficie de la mesita. Como él lo había previsto, el señor Charrington no opuso ninguna dificultad para alquilarle la habitación. Se alegraba, por lo visto, de los dólares que aquello le proporcionaría. Tampoco parecía ofenderse, ni inclinado a hacer preguntas indiscretas al quedar bien claro que Winston deseaba la habitación para un asunto amoroso. Al contrario, se mantenía siempre a una discreta distancia y con un aire tan delicado que daba la impresión de haberse hecho invisible en parte. Decía que la intimidad era una cosa de valor inapreciable. Que todo el mundo necesitaba un sitio donde poder estar solo de vez en cuando. Y una vez que lo hubiera logrado, era de elemental cortesía, en cualquier otra persona que conociera este refugio, no contárselo a nadie. Y para subrayar en la práctica su teoría, casi desaparecía, añadiendo que la casa tenía dos entradas, una de las cuales daba al patio trasero que tenía una salida a un callejón.

Alguien cantaba bajo la ventana. Winston se asomó por detrás de los visillos. El sol de junio estaba aún muy alto y en el patio central una monstruosa mujer sólida como una columna normanda, con antebrazos de un color moreno rojizo, y un delantal atado a la cintura, iba y venía continuamente desde el barreño donde tenía la ropa lavada hasta el fregadero, colgando cada vez unos pañitos cuadrados que Winston reconoció como pañales. Cuando la boca de la mujer no estaba impedida por pinzas para tender, cantaba con poderosa voz de contralto:

> *Era sólo una ilusión sin esperanza*
> *que pasó como un día de abril;*
> *pero aquella mirada, aquella palabra*
> *y los ensueños que despertaron*
> *me robaron el corazón.*

Esta canción obsesionaba a Londres desde hacía muchas semanas. Era una de las producciones de una subsección del Departamento de Música con destino a los proles. La letra de estas canciones se componía sin intervención humana en absoluto, valiéndose de un instrumento llamado «versificador». Pero la mujer la cantaba con tan buen oído que el horrible sonsonete se había convertido en unos sonidos casi agradables. Winston oía la voz de la mujer, el ruido de sus zapatos sobre el empedrado del patio, los gritos de los niños en la calle, y a cierta distancia, muy débilmente, el zumbido del tráfico, y sin embargo su habitación parecía impresionantemente silenciosa gracias a la ausencia de telepantalla.

«¡Qué locura! ¡Qué locura!», pensó Winston. Era inconcebible que Julia y él pudieran frecuentar este sitio más de unas semanas sin que los cazaran. Pero la tentación de disponer de un escondite verdaderamente suyo bajo techo y en un sitio bastante cercano al lugar de trabajo, había sido demasiado fuerte para él. Durante algún tiempo después de su visita al campanario les había sido por completo imposible arreglar ninguna cita. Las horas de trabajo habían aumentado implacablemente en preparación de la Semana del Odio. Faltaba todavía más de un mes, pero los enormes y complejos preparativos cargaban de trabajo a todos los miembros del Partido. Por fin, ambos pudieron tener la misma tarde libre. Estaban ya de acuerdo en volver a verse en el claro del bosque. La tarde anterior se cruzaron en la calle. Como de costumbre, Winston no miró directamente a Julia y ambos se sumaron a una masa de gente que empujaba en determinada dirección. Winston se fue acercando a ella. Mirándola con el rabillo del ojo notó en seguida que estaba más pálida que de costumbre.

–Lo de mañana es imposible –murmuró Julia en cuanto creyó prudente poder hablar.

–¿Qué?

–Que mañana no podré ir.

La primera reacción de Winston fue de violenta irritación. Durante el mes que la había conocido la naturaleza de su deseo por ella había cambiado. Al principio había habido muy poca sensualidad real. Su primer encuentro amoroso había sido un acto de voluntad. Pero después de la segunda vez había sido distinto. El olor de su pelo, el sabor de su boca, el tacto de su piel parecían habérsele metido dentro o estar en el aire que lo rodeaba. Se había convertido en una necesidad física, algo que no solamente quería sino sobre lo que a la vez tenía derecho. Cuando ella dijo que no podía venir, había sentido como si lo estafaran. Pero en aquel momento la multitud los aplastó el uno contra el otro y sus manos se unieron y ella le acarició los dedos de un modo que no despertaba su deseo, sino su afecto. Una honda ternura, que no había sentido hasta entonces por ella, se apoderó súbitamente de él. Le hubiera gustado en aquel momento llevar ya diez años casado con Julia. Deseaba intensamente poderse pasear con ella por las calles, pero no como ahora lo hacía, sino abiertamente, sin miedo alguno, hablando trivialidades y comprando los pequeños objetos necesarios para la casa. Deseaba sobre todo vivir con ella en un sitio tranquilo sin sentirse obligado a acostarse cada vez que conseguían reunirse. No fue en aquella ocasión precisamente, sino al día siguiente, cuando se le ocurrió la idea de alquilar la habitación del señor Charrington. Cuando se lo propuso a Julia, ésta aceptó inmediatamente. Ambos sabían que era una locura. Era como si avanzaran a propósito hacia sus tumbas. Mientras la esperaba sentado al borde de la cama volvió a pensar en los sótanos del Ministerio del Amor. Era notable cómo entraba y salía en la conciencia de todos aquel predestinado horror. Allí estaba, clavado en el futuro, precediendo a la muerte con tanta inevitabilidad como el 99 precede al 100. No se podía evitar, pero quizás se pudiera aplazar. Y sin embargo, de cuando en cuando, por un consciente acto de voluntad se decidía uno a acortar el intervalo, a precipitar la llegada de la tragedia.

En este momento sintió Winston unos pasos rápidos en la escalera. Julia irrumpió en la habitación. Llevaba una bolsa de lona oscura y basta como la que solía llevar al Ministerio. Winston le tendió los brazos, pero ella apartóse nerviosa, en parte porque le estorbaba la bolsa llena de herramientas.

–Un momento –dijo–. Deja que te enseñe lo que traigo. ¿Trajiste ese asqueroso café de la Victoria? Ya me lo figuré. Puedes tirarlo porque no lo necesitaremos. Mira.

Se arrodilló, tiró al suelo la bolsa abierta y de ella salieron varias herramientas, entre ellas un destornillador, pero debajo venían varios paquetes de papel. El primero que cogió Winston le produjo una sensación familiar y a la vez extraña. Estaba lleno de algo arenoso, pesado, que cedía donde quiera que se le tocaba.

–No será azúcar, ¿verdad? –dijo, asombrado.

–Azúcar de verdad. No sacarina, sino verdadero azúcar. Y aquí tienes un magnífico pan blanco, no esas porquerías que nos dan, y un bote de mermelada. Y aquí tienes un bote de leche condensada. Pero fíjate en esto; estoy orgullosísima de haberlo conseguido. Tuve que envolverlo con tela de saco para que no se conociera, porque...

Pero no necesitaba explicarle por qué lo había envuelto con tanto cuidado. El aroma que despedía aquello llenaba la habitación, un olor exquisito que parecía emanado de su primera infancia, el olor que sólo se percibía ya de vez en cuando al pasar por un corredor y antes de que le cerraran a uno la puerta violentamente, ese olor que se difundía misteriosamente por una calle llena de gente y que desaparecía al instante.

–Es café –murmuró Winston–; café de verdad.

–Es café del Partido Interior. ¡Un kilo! –dijo Julia.

–¿Cómo te las arreglaste para conseguir todo esto?

–Son provisiones del Partido Interior. Esos cerdos no se privan de nada. Pero, claro está, los camareros, las criadas y la gente que los rodea cogen cosas de vez en cuando. Y... mira: también te traigo un paquetito de té.

Winston se había sentado junto a ella en el suelo. Abrió un pico del paquete y lo olió.

–Es té auténtico.

–Últimamente ha habido mucho té. Han conquistado la India o algo así –dijo Julia vagamente–. Pero escucha, querido: quiero que te vuelvas de espalda unos minutos. Siéntate en el lado de allá de la cama. No te acerques demasiado a la ventana. Y no te vuelvas hasta que te lo diga.

Winston la obedeció y se puso a mirar abstraído por los visillos de muselina. Abajo en el patio la mujer de los rojos antebrazos seguía yendo y viniendo entre el lavadero y el tendedero. Se quitó dos pinzas más de la boca y cantó con mucho sentimiento:

Dicen que el tiempo lo cura todo,
dicen que siempre se olvida,
pero las sonrisas y lágrimas
a lo largo de los años
me retuercen el corazón.

Por lo visto se sabía la canción de memoria. Su voz subía a la habitación en el cálido aire estival, bastante armoniosa y cargada de una especie de feliz melancolía. Se tenía la sensación de que esa mujer habría sido perfectamente feliz si la tarde de junio no hubiera terminado nunca y la ropa lavada para tender no se hubiera agotado; le habría gustado estarse allí mil años tendiendo pañales y cantando tonterías. Le parecía muy curioso a Winston no haber oído nunca a un miembro del Partido cantando espontáneamente y en soledad. Habría parecido una herejía política, una excentricidad peligrosa, algo así como hablar consigo mismo. Quizás la gente sólo cantara cuando estuviera a punto de morirse de hambre.

–Ya puedes volverte –dijo Julia.

Se dio la vuelta y por un segundo casi no la reconoció. Había esperado verla desnuda. Pero no lo estaba. La transformación había sido mucho mayor. Se había pintado la cara. Debía de haber comprado el maquillaje en alguna tienda de los barrios proletarios. Tenía los labios de un rojo intenso, las mejillas rosadas y la nariz con polvos. Incluso se había dado un toquecito debajo de los ojos para hacer resaltar su brillantez. No se había pintado muy bien, pero Winston entendía poco de esto. Nunca había visto ni se había atrevido a imaginar a una mujer del Partido con cosméticos en la cara. Era sorprendente el cambio tan favorable que había experimentado el rostro de Julia. Con unos cuantos toques de color en los sitios adecuados, no sólo estaba mucho más bonita, sino, lo que era más importante, infinitamente más femenina. Su cabello corto y su «mono» juvenil de chico realzaban aún más este efecto. Al abrazarla sintió Winston un perfume a violetas sintéticas. Recordó entonces la semioscuridad de una cocina en un sótano y la boca negra cavernosa de una mujer. Era el mismísimo perfume que aquélla había usado, pero a Winston no le importaba esto por lo pronto.

–¡También perfume! –dijo.

–Sí, querido; también me he puesto perfume. ¿Y sabes lo que voy a hacer ahora? Voy a buscarme en donde sea un verdadero vestido de mujer y me lo pondré en vez de estos asquerosos pantalones. ¡Llevaré medias de seda y zapatos de tacón alto! Estoy dispuesta a ser en esta habitación una mujer y no una camarada del Partido.

Se sacaron las ropas y se subieron a la gran cama de caoba. Era la primera vez que él se desnudaba por completo en su presencia. Hasta ahora había tenido demasiada vergüenza de su pálido y delgado cuerpo, con las varices saliéndole en las pantorrillas y el trozo descolorido justo encima de su tobillo. No había sábanas pero la manta sobre la que estaban echados estaba gastada y era suave, y el tamaño y lo blando de la cama los tenía asombrados.

–Seguro que está llena de chinches, pero ¿qué importa? –dijo Julia.

No se veían camas dobles en aquellos tiempos, excepto en las casas de los proles. Winston había dormido en una ocasionalmente en su niñez. Julia no recordaba haber dormido nunca en una.

Durmieron después un ratito. Cuando Winston se despertó, el reloj marcaba cerca de las nueve de la noche. No se movieron, porque Julia dormía con la cabeza apoyada en el hueco de su brazo. Casi toda su pintura había pasado a la cara de Winston o a la almohada, pero todavía le quedaba un poco de colorete en las mejillas. Un rayo de sol poniente caía sobre el pie de la cama y daba sobre la chimenea donde el agua hervía a borbotones. Ya no cantaba la mujer en el patio, pero seguían oyéndose los gritos de los niños en la calle. Julia se despertó, frotándose los ojos, y se incorporó apoyándose en un codo para mirar a la estufa de petróleo.

–La mitad del agua se ha evaporado –dijo–. Voy a levantarme y a preparar más agua en un momento. Tenemos una hora. ¿Cuándo cortan las luces en tu casa?

–A las veintitrés treinta.

–Donde yo vivo apagan a las veintitrés en punto. Pero hay que entrar antes porque... ¡Fuera de aquí, asquerosa!

Julia empezó a retorcerse en la cama, logró coger un zapato del suelo y lo tiró a un rincón, igual que Winston la había visto arrojar su diccionario a la cara de Goldstein aquella mañana durante los Dos Minutos de Odio.

–¿Qué era eso? –le preguntó Winston, sorprendido.

–Una rata. La vi asomarse por ahí. Se metió por un boquete que hay en aquella pared. De todos modos le he dado un buen susto.

–¡Ratas! –murmuró Winston–. ¿Hay ratas en esta habitación?

–Todo está lleno de ratas –dijo ella en tono indiferente mientras volvía a tumbarse–. Las tenemos hasta en la cocina de nuestro hotel. Hay partes de Londres en que se encuentran por todos lados. ¿Sabes que atacan a los niños? Sí; en algunas calles de los proles las mujeres no se atreven a dejar a sus hijos solos ni dos minutos. Las más peligrosas son las grandes y oscuras. Y lo más horrible es que siempre...

–¡No sigas, por favor! –dijo Winston, cerrando los ojos con fuerza.

–¡Querido, te has puesto palidísimo! ¿Qué te pasa? ¿Te dan asco?

–¡Una rata! ¡Lo más horrible del mundo!

Ella lo tranquilizó con el calor de su cuerpo. Winston no abrió los ojos durante un buen rato. Le había parecido volver a hallarse de lleno en una pesadilla que se le presentaba con frecuencia. Siempre era poco más o menos igual. Se hallaba frente a un muro tenebroso y del otro lado de este muro había algo capaz de enloquecer al más valiente. Algo infinitamente espantoso. En el sueño sentíase siempre decepcionado porque sabía perfectamente lo que ocurría detrás del muro de tinieblas. Con un esfuerzo mortal, como si se arrancara un trozo de su cerebro, conseguía siempre despertarse sin llegar a descubrir de qué se trataba concretamente, pero él *sabía* que era algo relacionado con lo que Julia había estado diciendo y sobre todo con lo que iba a decirle cuando la interrumpió.

—Lo siento —dijo—; no es nada. Lo que ocurre es que no puedo soportar las ratas.

—No te preocupes, querido. Aquí no entrarán porque voy a tapar ese agujero con tela de saco antes de que nos vayamos. Y la próxima vez que vengamos traeré un poco de yeso y lo taparemos definitivamente.

Ya había olvidado Winston aquellos instantes de pánico. Un poco avergonzado de sí mismo sentóse a la cabecera de la cama. Julia se levantó, se puso el «mono» e hizo el café. El aroma resultaba tan delicioso y fuerte que tuvieron que cerrar la ventana para no alarmar a la vecindad. Pero mejor aún que el sabor del café era la calidad que le daba el azúcar, una finura sedosa que Winston casi había olvidado después de tantos años de sacarina. Con una mano en un bolsillo y un pedazo de pan con mermelada en la otra se paseaba Julia por la habitación mirando con indiferencia la estantería de libros, pensando en la mejor manera de arreglar la mesa, dejándose caer en el viejo sillón para ver si era cómodo y examinando el absurdo reloj de las doce horas con aire divertido y tolerante. Cogió el pisapapeles de cristal y se lo llevó a la cama, donde se sentó para examinarlo con tranquilidad. Winston se lo quitó de las manos, fascinado, como siempre, por el aspecto suave, resbaloso, de agua de lluvia que tenía aquel cristal.

—¿Qué crees tú que será esto? —dijo Julia.

—No creo que sea nada particular... Es decir, no creo que haya servido nunca para nada concreto. Eso es lo que me gusta precisamente de este objeto. Es un pedacito de historia que se han olvidado de cambiar; un mensaje que nos llega de hace un siglo y que nos diría muchas cosas si supiéramos leerlo.

—¿Y aquel cuadro —señaló Julia— también tendrá cien años?

—Más, seguramente doscientos. Es imposible saberlo con seguridad. En realidad hoy no se sabe la edad de nada.

Julia se acercó a la pared de enfrente para examinar con detenimiento el grabado. Dijo:

—¿Qué sitio es éste? Estoy segura de haber estado aquí alguna vez.

–Es una iglesia o, por lo menos, solía serlo. Se llamaba San Clemente. –La incompleta canción que el señor Charrington le había enseñado volvió a sonar en la cabeza de Winston, que murmuró con nostalgia: *Naranjas y limones, dicen las campanas de San Clemente.*

Y se quedó estupefacto al oír a Julia continuar:

–*Me debes tres peniques, dicen las campanas de San Martín. ¿Cuándo me pagarás?, dicen las campanas de Old Bailey...*

–No puedo recordar cómo sigue. Pero sé que termina así: *Aquí tienes una vela para alumbrarte cuando te acuestes. Aquí tienes un hacha para cortarte la cabeza.*

Era como las dos mitades de una contraseña. Pero tenía que haber otro verso después de «las campanas de Old Bailey». Quizás el señor Charrington acabaría acordándose de este final.

–¿Quién te lo enseñó? –dijo Winston.

–Mi abuelo. Solía cantármelo cuando yo era niña. Lo vaporizaron teniendo yo unos ocho años... No estoy segura, pero lo cierto es que desapareció. Lo que no sé, y me lo he preguntado muchas veces, es qué sería un limón –añadió–. He visto naranjas. Es una especie de fruta redonda y amarillenta con una cáscara muy fina.

–Yo recuerdo los limones –dijo Winston–. Eran muy frecuentes en los años cincuenta y tantos. Eran unas frutas tan agrias que rechinaban los dientes sólo de olerlas.

–Estoy segura de que detrás de ese cuadro hay chinches –dijo Julia–. Lo descolgaré cualquier día para limpiarlo bien. Creo que ya es hora de que nos vayamos. ¡Qué fastidio, ahora tengo que quitarme esta pintura! Empezaré por mí y luego te limpiaré a ti la cara.

Winston permaneció unos minutos más en la cama. Oscurecía en la habitación. Volvióse hacia la ventana y fijó la vista en el pisapapeles de cristal. Lo que le interesaba inagotablemente no era el pedacito de coral, sino el interior del cristal mismo. Tenía tanta profundidad, y sin embargo era transparente, como hecho con aire. Como si la superficie cristalina hubiera sido la cubierta del cielo que encerrase un diminuto mundo con toda su atmósfera.

Tenía Winston la sensación de que podría penetrar en ese mundo cerrado, que ya estaba dentro de él con la cama de caoba y la mesa rota y el reloj y el grabado e incluso con el mismo pisapapeles. Sí, el pisapapeles era la habitación en que se hallaba Winston, y el coral era la vida de Julia y la suya clavadas eternamente en el corazón del cristal.

V

Syme había desaparecido. Una mañana no acudió al trabajo: unos cuantos indiferentes comentaron su ausencia, pero al día siguiente nadie habló de él. Al tercer día entró Winston en el vestíbulo del Departamento de Registro para mirar el tablón de anuncios. Uno de éstos era una lista impresa con los miembros del Comité de Ajedrez, al que Syme había pertenecido. La lista era idéntica a la de antes –nada había sido tachado en ella–, pero contenía un nombre menos. Bastaba con eso. Syme había dejado de existir. Es más, nunca había existido.

Hacía un calor horrible. En el laberíntico Ministerio las habitaciones sin ventanas y con buena refrigeración mantenían una temperatura normal, pero en la calle el pavimento echaba humo y el ambiente del metro a las horas de aglomeración era espantoso. Seguían en pleno hervor los preparativos para la Semana del Odio y los funcionarios de todos los Ministerios dedicaban a esta tarea horas extraordinarias. Había que organizar los desfiles, manifestaciones, conferencias, exposiciones de figuras de cera, programas cinematográficos y de telepantalla, erigir tribunas, construir efigies, inventar consignas, escribir canciones, extender rumores, falsificar fotografías... La sección de Julia en el Departamento de Novela había interrumpido su tarea habitual y confeccionaba una serie de panfletos de atrocidades. Winston, aparte de su trabajo corriente, pasaba mucho tiempo cada día revisando colecciones del *Times* y alterando o embelleciendo noticias que iban a ser citadas en los discursos. Hasta última hora de la noche, cuando las multitudes de los incultos proles paseaban por las calles, la ciudad presentaba un aspecto febril. Las bombas cohete caían con más frecuencia que nunca y a veces se percibían allá muy lejos enormes explosiones que nadie podía explicar y sobre las cuales se esparcían insensatos rumores.

La nueva canción que había de ser el tema de la Semana del Odio (se llamaba la Canción del Odio) había sido ya compuesta y era repetida incansablemente por las telepantallas. Tenía un ritmo salvaje, de ladridos y no podía llamarse con exactitud música. Más bien era como el redoble de un tambor. Centenares de voces rugían con aquellos sones que se mezclaban con el *chas-chas* de sus renqueantes pies. Era aterrador. Los proles se habían aficionado a la canción, y por las calles, a media noche, competía con la que seguía siendo popular: «Era una ilusión sin esperanza». Los niños de Parsons la tocaban a todas horas, de un modo alucinante, en su peine cubierto de papel higiénico. Winston tenía las tardes más ocupadas que nunca. Brigadas de voluntarios organizadas por Parsons preparaban la calle para la Semana del Odio cosiendo banderas y estandartes, pintando carteles, clavando palos en los tejados para que sirvieran de astas y tendiendo peligrosamente alambres a través de la calle para colgar pancartas. Parsons se jactaba de que las casas de la Victoria era el único grupo que desplegaría cuatrocientos metros de propaganda. Se hallaba en su elemento y era más feliz que una alondra. El calor y el trabajo manual le habían dado pretexto para ponerse otra vez los *shorts* y la camisa abierta. Estaba en todas partes a la vez, empujaba, tiraba, aserraba, daba tremendos martillazos, improvisaba, aconsejaba a todos y expulsaba pródigamente una inagotable cantidad de sudor.

En todo Londres había aparecido de pronto un nuevo cartel que se repetía infinitamente. No tenía palabras. Se limitaba a representar, en una altura de tres o cuatro metros, la monstruosa figura de un soldado eurasiático que parecía avanzar hacia el que lo miraba, una cara mongólica inexpresiva, unas botas enormes y, apoyado en la cadera, un fusil ametralladora a punto de disparar. Desde cualquier parte que mirase uno el cartel, la boca del arma, ampliada por la perspectiva, por el escorzo, parecía apuntarle a uno sin remisión. No había quedado ni un solo hueco en la ciudad sin aprovechar para colocar aquel monstruo. Y lo curioso era que había más retratos de este enemigo simbólico que del propio Gran Hermano. Los proles, que normalmente se mostraban apáticos respecto a la guerra, recibían así un trallazo para que entraran en uno de sus periódicos frenesíes de patriotismo. Como para armonizar con el estado de ánimo general, las bombas cohetes habían matado a más gente que de costumbre. Una cayó en un local de cine de Stepney, enterrando en las ruinas a varios centenares de víctimas. Todos los habitantes del barrio asistieron a un imponente entierro que duró muchas horas y que en realidad constituyó un mitin patriótico. Otra bomba cayó en un solar inmenso que utilizaban los niños para jugar y varias docenas de éstos fueron despedazados. Hubo muchas más manifestaciones indignadas, Goldstein fue quemado en efigie, centenares de carteles representando al soldado eurasiático fueron rasgados y arrojados a las llamas y muchas tiendas fueron asaltadas. Luego se esparció el rumor de que unos espías dirigían los cohetes mortíferos por medio de la radio y un anciano matrimonio acusado de extranjería pereció abrasado cuando las turbas incendiaron su casa.

En la habitación encima de la tienda del señor Charrington, cuando podían ir allí, Julia y Winston se quedaban echados uno junto al otro en la desnuda cama bajo la ventana abierta, desnudos para estar más frescos. La rata no volvió, pero las chinches se multiplicaban odiosamente con ese calor. No importaba. Sucia o limpia, la habitación era un paraíso Al llegar echaban pimienta comprada en el mercado negro sobre todos los objetos, se sacaban la ropa y hacían el amor con los cuerpos sudorosos, luego se dormían y al despertar se encontraban con que las chinches se estaban formando para el contraataque. Cuatro, cinco, seis, hasta siete veces se encontraron allí durante el mes de junio. Winston había dejado de beber ginebra a todas horas. Le parecía que ya no lo necesitaba. Había engordado. Sus varices ya no le molestaban; en realidad casi habían desaparecido y por las mañanas ya no tosía al despertarse. La vida había dejado de serle intolerable, no sentía la necesidad de hacerle muecas a la telepantalla ni el sufrimiento de no poder gritar palabrotas cada vez que oía un discurso. Ahora que casi tenían un hogar, no les parecía mortificante reunirse tan pocas veces y sólo un par de horas cada vez. Lo importante es que existiese aquella habitación; saber que estaba allí era casi lo mismo que hallarse en ella. Aquel dormitorio era un mundo completo, una bolsa del pasado donde animales de especies extinguidas podían circular. También el señor Charrington, pensó Winston, pertenecía a una especie extinguida. Solía hablar con él un rato antes de subir. El viejo salía poco, por lo visto, y apenas tenía clientes. Llevaba una existencia fantasmal entre la minúscula tienda y la cocina, todavía más pequeña, donde él mismo se guisaba y donde tenía, entre otras cosas raras, un gramófono increíblemente viejo con una enorme bocina. Parecía alegrarse de poder charlar. Entre sus inútiles mercancías, con su larga nariz y gruesos lentes, encorvado bajo su chaqueta de terciopelo, tenía más aire de coleccionista que de mercader. De vez en cuando, con un entusiasmo muy moderado, cogía alguno de los objetos que tenía a la venta, sin preguntarle nunca a Winston si lo quería comprar, sino enseñándoselo sólo para que lo admirase. Hablar con él era como escuchar el tintineo de una desvencijada cajita de música. Algunas veces, se sacaba de los desvanes de su memoria algunos polvorientos retazos de canciones olvidadas. Había una sobre veinticuatro pájaros negros y otra sobre una vaca con un cuerno torcido y otra que relataba la muerte del pobre gallo *Robin*. «He pensado que podría gustarle a usted», decía con una risita tímida cuando repetía algunos versos sueltos de aquellas canciones. Pero nunca recordaba ninguna canción completa.

Julia y Winston sabían perfectamente –en verdad, ni un solo momento dejaban de tenerlo presente– que aquello no podía durar. A veces la sensación de que la muerte se cernía sobre ellos les resultaba tan sólida como el lecho donde estaban echados y se abrazaban con una desesperada sensualidad, como un alma condenada aferrándose a su último rato de placer cuando faltan cinco minutos para que suene el reloj. Pero también había veces en que no sólo se sentían seguros, sino que tenían una sensación de permanencia. Creían entonces que nada podría ocurrirles mientras estuvieran en su habitación. Llegar hasta allí era difícil y peligroso, pero el refugio era invulnerable. Igualmente, Winston, mirando el corazón del pisapapeles, había sentido como si fuera posible penetrar en aquel mundo de cristal y que una vez dentro el tiempo se podría detener. Con frecuencia se entregaban ambos a ensueños de fuga. Se imaginaban que tendrían una suerte magnífica por tiempo indefinido y que podrían continuar llevando aquella vida clandestina durante toda su vida natural. O bien Katharine moriría, lo cual les permitiría a Winston y Julia, mediante sutiles maniobras, llegar a casarse. O se suicidarían juntos. O desaparecerían, disfrazándose de tal modo que nadie los reconocería, aprendiendo a hablar con acento proletario, logrando trabajo en una fábrica y viviendo siempre, sin ser descubiertos, en una callejuela como aquélla. Los dos sabían que todo esto eran tonterías. En realidad no había escapatoria. E incluso el único plan posible, el suicidio, no estaban dispuestos a llevarlo a efecto. Dejar pasar los días y las semanas, devanando un presente sin futuro, era lo instintivo, lo mismo que nuestros pulmones ejecutan el movimiento respiratorio siguiente mientras tienen aire disponible.

Además, a veces hablaban de rebelarse contra el Partido de un modo activo, pero no tenían idea de cómo dar el primer paso. Incluso si la fabulosa Hermandad existía, quedaba la dificultad de entrar en ella. Winston le contó a Julia la extraña intimidad que había, o parecía haber, entre él y O'Brien, y del impulso que sentía a veces de salirle al encuentro a O'Brien y decirle que era enemigo del Partido y pedirle ayuda. Era muy curioso que a Julia no le pareciera una locura semejante proyecto. Estaba acostumbrada a juzgar a la gente por su cara y le parecía natural que Winston confiase en O'Brien basándose solamente en un destello de sus ojos. Además, Julia daba por cierto que todos, o casi todos, odiaban secretamente al Partido e infringirían sus normas si creían poderlo hacer con impunidad. Pero se negaba a admitir que existiera ni pudiera existir jamás una oposición amplia y organizada. Los cuentos sobre Goldstein y su ejército subterráneo, decía, eran sólo un montón de estupideces que el Partido se había inventado para sus propios fines y en los que todos fingían creer. Innumerables veces, en manifestaciones espontáneas y asambleas del Partido, había gritado Julia con todas sus fuerzas pidiendo la ejecución de personas cuyos nombres nunca había oído y en cuyos supuestos crímenes no creía ni mucho menos. Cuando tenían efecto los procesos públicos, Julia acudía entre las jóvenes de la Liga Juvenil que rodeaban el edificio de los tribunales noche y día y gritaba con ellas: «¡Muerte a los traidores!». Durante los Dos Minutos de Odio siempre insultaba a Goldstein con más energía que los demás. Sin embargo, no tenía la menor idea de quién era Goldstein ni de las doctrinas que pudiera representar. Había crecido dentro de la Revolución y era demasiado joven para recordar las batallas ideológicas de los años cincuenta y sesenta y tantos. No podía imaginar un movimiento político independiente; y en todo caso el Partido era invencible. Siempre existiría. Y nunca iba a cambiar ni en lo más mínimo. Lo más que podía hacerse era rebelarse secretamente o, en ciertos casos, por actos aislados de violencia como matar a alguien o poner una bomba en cualquier sitio.

En cierto modo, Julia era menos susceptible que Winston a la propaganda del Partido. Una vez se refirió él a la guerra contra Eurasia y se quedó asombrado cuando ella, sin concederle importancia a la cosa, dio por cierto que no había tal guerra. Casi con toda seguridad, las bombas cohete que caían diariamente sobre Londres eran lanzadas por el mismo Gobierno de Oceanía sólo para que la gente estuviera siempre asustada. A Winston nunca se le había ocurrido esto. También despertó en él Julia una especie de envidia al confesarle que durante los dos Minutos de Odio lo peor para ella era contenerse y no romper a reír a carcajadas. Pero Julia nunca discutía las enseñanzas del Partido a no ser que afectaran a su propia vida. Estaba dispuesta a aceptar la mitología oficial, porque no le parecía importante la diferencia entre verdad y falsedad. Creía por ejemplo –porque lo había aprendido en la escuela– que el Partido había inventado los aeroplanos. (En cuanto a Winston, recordaba que en su época escolar, en los años cincuenta y tantos, el Partido no pretendía haber inventado, en el campo de la aviación, más que el autogiro; una docena de años después, cuando Julia iba a la escuela, se trataba ya del aeroplano en general; al cabo de otra generación, asegurarían haber descubierto la máquina de vapor.) Y cuando Winston le dijo que los aeroplanos existían ya antes de nacer él y mucho antes de la Revolución, esto le pareció a la joven carecer de todo interés. ¿Qué importaba, después de todo, quién hubiese inventado los aeroplanos? Mucho más le llamó la atención a Winston que Julia no recordaba que Oceanía había estado en guerra, hacía cuatro años, con Asia Oriental y en paz con Eurasia. Desde luego, para ella la guerra era una filfa, pero por lo visto no se había dado cuenta de que el nombre del enemigo había cambiado. «Yo creía que siempre habíamos estado en guerra con Eurasia», dijo en tono vago. Esto le impresionó mucho a Winston. El invento de los aeroplanos era muy anterior a cuando ella nació, pero el cambiazo en la guerra sólo había sucedido cuatro años antes, cuando ya Julia era una muchacha mayor. Estuvo discutiendo con ella sobre esto durante un cuarto de hora. Al final, logró hacerle recordar confusamente que hubo una época en que el enemigo había sido Asia Oriental y no Eurasia. Pero ella seguía sin comprender que esto tuviera importancia. «¿Qué más da? –dijo con impaciencia–. Siempre ha sido una puñetera guerra tras otra y de sobras sabemos que las noticias de guerra son todas una pura mentira».

A veces le hablaba Winston del Departamento de Registro y de las descaradas falsificaciones que él perpetraba allí por encargo del Partido. Todo esto no la escandalizaba. Él le contó la historia de Jones, Aaronson y Rutherford, así como el trascendental papelito que había tenido en su mano casualmente. Nada de esto la impresionaba. Incluso le costaba trabajo comprender el sentido de lo que Winston decía.

—¿Es que eran amigos tuyos? –le preguntó.

—No, no los conocía personalmente. Eran miembros del Partido Interior. Además, eran mucho mayores que yo. Conocieron la época anterior a la Revolución. Yo sólo los conocía de vista.

—Entonces ¿por qué te preocupas? Todos los días matan gente; es lo corriente.

Intentó hacerse comprender:

—Ése era un caso excepcional. No se trataba sólo de que mataran a alguien. ¿No te das cuenta de que el pasado, incluso el de ayer mismo, ha sido suprimido? Si sobrevive, es únicamente en unos cuantos objetos sólidos, y sin etiquetas que los distingan, como este pedazo de cristal. Y ya apenas conocemos nada de la Revolución y mucho menos de los años anteriores a ella. Todos los documentos han sido destruidos o falsificados, todos los libros han sido otra vez escritos, los cuadros vueltos a pintar, las estatuas, las calles y los edificios tienen nuevos nombres y todas las fechas han sido alteradas. Ese proceso continúa día tras día y minuto tras minuto. La Historia se ha parado en seco. No existe más que un interminable presente en el cual el Partido lleva siempre razón. Naturalmente, yo sé que el pasado está falsificado, pero nunca podría probarlo aunque se trate de falsificaciones realizadas por mí. Una vez que he cometido el hecho, no quedan pruebas. La única evidencia se halla en mi propia mente y no puedo asegurar con certeza que exista otro ser humano con la misma convicción que yo. Solamente en ese ejemplo que te he citado llegué a tener en mis manos una prueba irrefutable de la falsificación del pasado después de haber ocurrido; años después.

—Y total, ¿qué interés puede tener eso? ¿De qué te sirve saberlo?

—De nada, porque inmediatamente destruí la prueba. Pero si hoy volviera a tener una ocasión semejante guardaría el papel.

162

–¡Pues yo no! –dijo Julia–. Estoy dispuesta a arriesgarme, pero sólo por algo que merezca la pena, no por unos trozos de papel viejo. ¿Qué habrías hecho con esa fotografía si la hubieras guardado?

–Quizás nada de particular. Pero al fin y al cabo, se trataba de una prueba y habría sembrado algunas dudas aquí y allá, suponiendo que me hubiese atrevido a enseñársela a alguien. No creo que podamos cambiar el curso de los acontecimientos mientras vivamos. Pero es posible que se creen algunos centros de resistencia, grupos de descontentos que vayan aumentando e incluso dejando testimonios tras ellos de modo que la generación siguiente pueda recoger la antorcha y continuar nuestra obra.

–No me interesa la próxima generación, cariño. Me interesa nosotros.

–No eres una rebelde más que de cintura para abajo –dijo él.

Ella encontró esto muy divertido y le echó los brazos al cuello, complacida.

Julia no se interesaba en absoluto por las ramificaciones de la doctrina del partido. Cuando Winston hablaba de los principios de Ingsoc, el doblepensar, la mutabilidad del pasado y la degeneración de la realidad objetiva y se ponía a emplear palabras de neolengua, la joven se aburría espantosamente, además de hacerse un lío, y se disculpaba diciendo que nunca se había fijado en esas cosas. Si se sabía que todo ello era un absoluto camelo, ¿para qué preocuparse? Lo único que a ella le interesaba era saber cuándo tenía que vitorear y cuándo le correspondía abuchear. Si Winston persistía en hablar de tales temas, Julia se quedaba dormida del modo más desconcertante. Era una de esas personas que pueden dormirse en cualquier momento y en las posturas más increíbles. Hablándole, comprendía Winston qué fácil era presentar toda la apariencia de la ortodoxia sin tener idea de qué significaba realmente lo ortodoxo. En cierto modo la visión del mundo inventada por el Partido se imponía con excelente éxito a la gente incapaz de comprenderla. Hacía aceptar las violaciones más flagrantes de la realidad porque nadie comprendía del todo la enormidad de lo que se les exigía ni se interesaba lo suficiente por los acontecimientos públicos para darse cuenta de lo que ocurría. Por falta de comprensión, todos eran políticamente sanos y fieles. Sencillamente, se lo tragaban todo y lo que se tragaban no les sentaba mal porque no les dejaba residuos lo mismo que un grano de trigo puede pasar, sin ser digerido y sin hacerle daño, por el cuerpecito de un pájaro.

VI

Por fin, había ocurrido. Había llegado el esperado mensaje. Le parecía a Winston que toda su vida había estado esperando que esto sucediera.

Iba por el largo pasillo del Ministerio y casi había llegado al sitio donde Julia le deslizó aquel día en la mano su declaración. La persona, quien quiera que fuese, tosió ligeramente sin duda como preludio para hablar. Winston se detuvo en seco y volvió la cara. Era O'Brien.

Por fin, se hallaban cara a cara y el único impulso que sentía Winston era emprender la huida. El corazón le latía a toda velocidad.

No habría podido hablar en ese momento. Sin embargo, O'Brien, poniéndole amistosamente una mano en el hombro, siguió andando junto a él. Empezó a hablar con su característica cortesía, seria y suave, que le diferenciaba de la mayor parte de los miembros del Partido Interior.

–He estado esperando una oportunidad de hablar contigo –le dijo–; estuve leyendo uno de tus artículos en neolengua publicados en el *Times*. Tengo entendido que te interesa, desde un punto de vista erudito, la neolengua.

Winston había recobrado ánimos, aunque sólo en parte.

–No muy erudito –dijo–. Soy sólo un aficionado. No es mi especialidad. Nunca he tenido que ocuparme de la estructura interna del idioma.

–Pero lo escribes con mucha elegancia –dijo O'Brien–. Y

ésta no es sólo una opinión mía. Estuve hablando recientemente con un amigo tuyo que es un especialista en cuestiones idiomáticas. He olvidado su nombre ahora mismo; que lo tenía en la punta de la lengua.

Winston sintió un escalofrío. O'Brien no podía referirse más que a Syme. Pero Syme no sólo estaba muerto, sino que había sido abolido. Era una *nopersona*. Cualquier referencia identificable a aquel vaporizado habría resultado mortalmente peligrosa. De manera que la alusión que acababa de hacer O'Brien debía de significar una señal secreta. Al compartir con él este pequeño acto de crimental, se habían convertido los dos en cómplices. Continuaron recorriendo lentamente el corredor hasta que O'Brien se detuvo. Con la tranquilizadora amabilidad que él infundía siempre a sus gestos, aseguró bien sus gafas sobre la nariz y prosiguió:

–Lo que quise decir fue que noté en tu artículo que habías empleado dos palabras ya anticuadas. En realidad, hace muy poco tiempo que se han quedado anticuadas. ¿Has visto la décima edición del Diccionario de Neolengua?

–No –dijo Winston–. No creía que estuviese ya publicado. Nosotros seguimos usando la novena edición en el Departamento de Registro.

–Bueno, la décima edición tardará varios meses en aparecer, pero ya han circulado algunos ejemplares en pruebas. Yo tengo uno. Quizás te interese verlo, ¿no?

–Muchísimo –dijo Winston, comprendiendo inmediatamente la intención del otro.

–Algunas de las modificaciones introducidas son muy ingeniosas. Creo que te sorprenderá la reducción del número de verbos. Vamos a ver. ¿Será mejor que te mande un mensajero con el diccionario? Pero temo no acordarme; siempre me pasa igual. Quizás puedas recogerlo en mi piso a una hora que te convenga. Espera. Voy a darte mi dirección.

Se hallaban frente a una telepantalla. Como distraído, O'Brien se buscó maquinalmente en los bolsillos y por fin sacó una pequeña agenda forrada en cuero y un lápiz tinta morado. Colocándose respecto a la telepantalla de manera que el observador pudiera leer bien lo que escribía, apuntó la dirección. Arrancó la hoja y se la dio a Winston.

–Suelo estar en casa por las tardes –dijo–. Si no, mi criado te dará el diccionario.

Ya se había marchado dejando a Winston con el papel en la mano. Esta vez no había necesidad de ocultar nada. Sin embargo, grabó en la memoria las palabras escritas, y horas después tiró el papel en el «agujero de la memoria» junto con otros.

No habían hablado más de dos minutos. Aquel breve episodio sólo podía tener un significado. Era una manera de que Winston pudiera saber la dirección de O'Brien. Aquel recurso era necesario porque a no ser directamente, nadie podía saber dónde vivía otra persona. No había guías de direcciones. «Si quieres verme, ya sabes dónde estoy», era en resumen lo que O'Brien le había estado diciendo. Quizás se encontrara en el diccionario algún mensaje. De todos modos lo cierto era que la conspiración con que él soñaba existía efectivamente y que había entrado ya en contacto con ella.

Winston sabía que más pronto o más tarde obedecería la indicación de O'Brien. Quizás al día siguiente, quizás al cabo de mucho tiempo, no estaba seguro. Lo que sucedía era sólo la puesta en marcha de un proceso que había empezado a incubarse varios años antes. El primer paso consistió en un pensamiento involuntario y secreto; el segundo fue el acto de abrir el Diario. Aquello había pasado de los pensamientos a las palabras, y ahora, de las palabras a la acción. El último paso tendría lugar en el Ministerio del Amor. Pero Winston ya lo había aceptado. El final de aquel asunto estaba implícito en su comienzo. De todos modos, asustaba un poco; o, con más exactitud, era un pregusto de la muerte, como estar ya menos vivo. Incluso mientras hablaba O'Brien y penetraba en él el sentido de sus palabras, le había recorrido un escalofrío. Fue como si avanzara hacia la humedad de una tumba y la impresión no disminuía por el hecho de que él hubiera sabido siempre que la tumba estaba allí esperándole.

VII

Winston se despertó muy emocionado. Le dijo a Julia:
«He soñado que...», y se detuvo porque no podía explicarlo. Era excesivamente complicado. No sólo se trataba del sueño, sino de unos recuerdos relacionados con él que habían surgido en su mente segundos después de despertarse.

Siguió tendido, con los ojos cerrados y envuelto aún en la atmósfera del sueño. Era un amplio y luminoso ensueño en el que su vida entera parecía extenderse ante él como un paisaje en una tarde de verano después de la lluvia. Todo había ocurrido dentro del pisapapeles de cristal, pero la superficie de éste era la cúpula del cielo y dentro de la cúpula todo estaba inundado por una luz clara y suave gracias a la cual podían verse interminables distancias. El ensueño había partido de un gesto hecho por su madre con el brazo y vuelto a hacer, treinta años más tarde, por la mujer judía del noticiario cinematográfico cuando trataba de proteger a su niño de las balas antes de que los autogiros los destrozaran a ambos.

–¿Sabes? –dijo Winston–; hasta ahora mismo he creído que había asesinado a mi madre.

–¿Por qué la asesinaste? –le preguntó Julia medio dormida.

–No, no la asesiné. Físicamente, no.

En el ensueño había recordado su última visión de la madre y, pocos instantes después de despertar, le había vuelto el racimo de pequeños acontecimientos que rodearon aquel hecho. Sin duda, había estado reprimiendo deliberadamente aquel recuerdo durante muchos años. No estaba seguro de la fecha, pero debió de ser hacia los diez años o, a lo más, doce.

Su padre había desaparecido poco antes. No podía recordar cuánto tiempo antes, pero sí las revueltas circunstancias de aquella época, el pánico periódico causado por las incursiones aéreas y las carreras para refugiarse en las estaciones del Metro, los montones de escombros, las consignas que aparecían por las esquinas en llamativos carteles, las pandillas de jóvenes con camisas del mismo color, las enormes colas en las panaderías, el intermitente crepitar de las ametralladoras a lo lejos... y, sobre todo, el hecho de que nunca había bastante comida. Recordaba las largas tardes pasadas con otros chicos rebuscando en las latas de la basura y en los montones de desperdicios, encontrando a veces hojas de verdura, mondaduras de patata e incluso, con mucha suerte, mendrugos de pan, duros como piedra, que los niños sacaban cuidadosamente de entre la ceniza; y también, la paciente espera de los camiones que llevaban pienso para el ganado y que a veces dejaban caer, al saltar en un bache, bellotas o avena.

Cuando su padre desapareció, su madre no se mostró sorprendida ni demasiado apenada, pero se operó en ella un súbito cambio. Parecía haber perdido por completo los ánimos. Era evidente –incluso para un niño como Winston– que la mujer esperaba algo que ella sabía con toda seguridad que ocurriría. Hacía todo lo necesario –guisaba, lavaba la ropa y la remendaba, arreglaba las camas, barría el suelo, limpiaba el polvo–, todo ello muy despacio y evitándose todos los movimientos inútiles. Su majestuoso cuerpo tenía una tendencia natural a la inmovilidad. Se quedaba las horas muertas casi inmóvil en la cama, con su niñita en los brazos, una criatura muy silenciosa de dos o tres años con un rostro tal delgado que parecía simiesco. De vez en cuando, la madre cogía en brazos a Winston y le estrechaba contra ella, sin decir nada. A pesar de su escasa edad y de su natural egoísmo, Winston sabía que todo esto se relacionaba con lo que había de ocurrir: aquel acontecimiento implícito en todo y del que nadie hablaba.

Recordaba la habitación donde vivían, una estancia oscura y siempre cerrada casi totalmente ocupada por la cama. Había un hornillo de gas y un estante donde ponía los alimentos. Recordaba el cuerpo estatuario de su madre inclinado sobre el hornillo de gas moviendo algo en la sartén. Sobre todo recordaba su continua hambre y las sórdidas y feroces batallas a las horas de comer. Winston le preguntaba a su madre, con reproche una y otra vez, por qué no había más comida. Gritaba y la fastidiaba, descompuesto en su afán de lograr una parte mayor. Daba por descontado que él, el varón, debía tener la ración mayor. Pero por mucho que la pobre mujer le diera, él pedía invariablemente más. En cada comida la madre le suplicaba que no fuera tan egoísta y recordase que su hermanita estaba enferma y necesitaba alimentarse; pero era inútil. Winston cogía pedazos de comida del plato de su hermanita y trataba de apoderarse de la fuente. Sabía que con su conducta condenaba al hambre a su madre y a su hermana, pero no podía evitarlo. Incluso creía tener derecho a ello. El hambre que le torturaba parecía justificarlo. Entre comidas, si su madre no tenía mucho cuidado, se apoderaba de la escasa cantidad de alimento guardado en la alacena.

Un día dieron una ración de chocolate. Hacía mucho tiempo —meses enteros— que no daban chocolate. Winston recordaba con toda claridad aquel cuadrito oscuro y preciadísimo. Era una tableta de dos onzas (por entonces se hablaba todavía de onzas) que les correspondía para los tres. Parecía lógico que la tableta fuera dividida en tres partes iguales. De pronto —en el ensueño—, como si estuviera escuchando a otra persona, Winston se oyó gritar exigiendo que le dieran todo el chocolate. Su madre le dijo que no fuese ansioso. Discutieron mucho; hubo llantos, lloros, reprimendas, regateos... su hermanita agarrándose a la madre con las dos manos —exactamente como una monita— miraba a Winston con ojos muy abiertos y llenos de tristeza. Al final, la madre le dio al niño las tres cuartas partes de la tableta y a la hermanita la otra cuarta parte. La pequeña la cogió y se puso a mirarla con indiferencia, sin saber quizás lo que era. Winston se la quedó mirando un momento. Luego, con un súbito movimiento, le arrancó a la nena el trocito de chocolate y salió huyendo.

–¡Winston! ¡Winston! –le gritó su madre–. Ven aquí, devuélvele a tu hermana el chocolate.

El niño se detuvo pero no regresó a su sitio. Su madre lo miraba preocupadísima. Incluso en ese momento, pensaba en aquello, en lo que había de suceder de un momento a otro y que Winston ignoraba. La hermanita, consciente de que le habían robado algo, rompió a llorar. Su madre la abrazó con fuerza. Algo había en aquel gesto que le hizo comprender a Winston que su hermana se moría. Salió corriendo escaleras abajo con el chocolate derretiéndosele entre los dedos.

Nunca volvió a ver a su madre. Después de comerse el chocolate, se sintió algo avergonzado y corrió por las calles mucho tiempo hasta que el hambre le hizo volver. Pero su madre ya no estaba allí. En aquella época, estas desapariciones eran normales. Todo seguía igual en la habitación. Sólo faltaban la madre y la hermanita. Ni siquiera se había llevado el abrigo. Ni siquiera ahora estaba seguro Winston de que su madre hubiera muerto. Era muy posible que la hubieran mandado a un campo de trabajos forzados. En cuanto a su hermana, quizás se la hubieran llevado –como hicieron con el mismo Winston– a una de las colonias de niños huérfanos (les llamaban Centros de Reclamación) que fueron una de las consecuencias de la guerra civil; o quizás la hubieran enviado con la madre al campo de trabajos forzados o sencillamente la habrían dejado morir en cualquier rincón.

El ensueño seguía vivo en su mente, sobre todo el gesto protector de la madre, que parecía contener un profundo significado. Entonces recordó otro ensueño que había tenido dos meses antes, cuando se le había aparecido hundiéndose sin cesar en aquel barco, pero sin dejar de mirarlo a él a través del agua que se oscurecía por momentos.

Le contó a Julia la historia de la desaparición de su madre. Sin abrir los ojos, la joven dio una vuelta en la cama y se colocó en una posición más cómoda.

–Ya me figuro que serías un cerdito en aquel tiempo –dijo indiferente–. Todos los niños son unos cerdos.

–Sí, pero el sentido de esa historia...

Winston comprendió, por la respiración de Julia, que estaba a punto de volverse a dormir. Le habría gustado seguirle contando cosas de su madre. No suponía, basándose en lo que podía recordar de ella, que hubiera sido una mujer extraordinaria, ni siquiera inteligente. Sin embargo, estaba seguro de que su madre poseía una especie de nobleza, de pureza, sólo por el hecho de regirse por normas privadas. Los sentimientos de ella eran realmente suyos y no los que el Estado le mandaba tener. No se le habría ocurrido pensar que una acción ineficaz, sin consecuencias prácticas, careciera por ello de sentido. Cuando se amaba a alguien, se le amaba por él mismo, y si no había nada más que darle, siempre se le podía dar amor. Cuando él se había apoderado de todo el chocolate, su madre abrazó a la niña con inmensa ternura. Aquel acto no cambiaba nada, no servía para producir más chocolate, no podía evitar la muerte de la niña ni la de ella, pero a la madre le parecía natural realizarlo. La mujer refugiada en aquel barco (en el noticiario) también había protegido al niño con sus brazos, con lo cual podía salvarlo de las balas con la misma eficacia que si lo hubiera cubierto con un papel. Lo terrible era que el Partido había persuadido a la gente de que los simples impulsos y sentimientos de nada servían. Cuando se estaba bajo las garras del Partido, nada importaba lo que se sintiera o se dejara de sentir, lo que se hiciera o se dejara de hacer. Cuanto le sucedía a uno se desvanecía y ni usted ni sus acciones volvían a figurar para nada. Le apartaban a usted, con toda limpieza, del curso de la historia. Sin embargo, hacía sólo dos generaciones, se dejaban gobernar por sentimientos privados que nadie ponía en duda. Lo que importaba eran las relaciones humanas, y un gesto completamente inútil, un abrazo, una lágrima, una palabra cariñosa dirigida a un moribundo, poseían un valor en sí. De pronto pensó Winston que los proles seguían con sus sentimientos y emociones. No eran leales a un Partido, a un país ni a un ideal, sino que se guardaban mutua lealtad unos a otros. Por primera vez en su vida, Winston no despreció a los proles ni los creyó sólo una fuerza inerte. Algún día muy remoto recobrarían sus fuerzas y se lanzarían a la regeneración del mundo. Los proles continuaban siendo humanos. No se habían endurecido por dentro. Se habían atenido a las emociones primitivas que él, Winston, tenía que aprender de nuevo por un esfuerzo consciente. Y al pensar esto, recordó que unas semanas antes había visto sobre el pavimento una mano arrancada en un bombardeo y que la había apartado con el pie tirándola a la alcantarilla como si fuera un inservible troncho de lechuga.

–Los proles son seres humanos –dijo en voz alta–. Nosotros, en cambio, no somos humanos.

–¿Por qué? –dijo Julia, que había vuelto a despertarse.

Winston reflexionó un momento.

–¿No se te ha ocurrido pensar –dijo– que lo mejor que haríamos sería marcharnos de aquí antes de que sea demasiado tarde y no volver a vernos jamás?

–Sí, querido, se me ha ocurrido varias veces, pero no estoy dispuesta a hacerlo.

–Hemos tenido suerte –dijo Winston–; pero esto no puede durar mucho tiempo. Somos jóvenes. Tú pareces normal e inocente. Si te alejas de la gente como yo, puedes vivir todavía cincuenta años más.

–No. Ya he pensado en todo eso. Lo que tú hagas, eso haré yo. Y no te desanimes tanto. Yo sé arreglármelas para seguir viviendo.

–Quizás podamos seguir juntos otros seis meses, un año... no se sabe. Pero al final es seguro que tendremos que separarnos. ¿Te das cuenta de lo solos que nos encontraremos? Cuando nos hayan cogido, no habrá nada, lo que se dice nada, que podamos hacer el uno por el otro. Si confieso, te fusilarán, y si me niego a confesar, te fusilarán también. Nada de lo que yo pueda hacer o decir, o dejar de decir y hacer, serviría para aplazar tu muerte ni cinco minutos. Ninguno de nosotros dos sabrá siquiera si el otro vive o ha muerto. Sería inútil intentar nada. Lo único importante es que no nos traicionemos, aunque por ello no iban a variar las cosas.

–Si quieren que confesemos –replicó Julia– lo haremos. Todos confiesan siempre. Es imposible evitarlo. Te torturan.

–No me refiero a la confesión. Confesar no es traicionar. No importa lo que digas o hagas, sino los sentimientos. Si pueden obligarme a dejarte de amar... ésa sería la verdadera traición.

Julia reflexionó sobre ello.

–A eso no pueden obligarte –dijo al cabo de un rato–. Es lo único que no pueden hacer. Pueden forzarte a decir cualquier cosa, pero no hay manera de que te lo hagan creer. Dentro de ti no pueden entrar nunca.

–Eso es verdad –dijo Winston con un poco más de esperanza–. No pueden penetrar en nuestra alma. Si podemos sentir que merece la pena seguir siendo humanos, aunque esto no tenga ningún resultado positivo, los habremos derrotado.

Y pensó en la telepantalla, que nunca dormía, que nunca se distraía ni dejaba de oír. Podían espiarle a uno día y noche, pero no perdiendo la cabeza era posible burlarlos. Con toda su habilidad, nunca habían logrado encontrar el procedimiento de saber lo que pensaba otro ser humano. Quizás esto fuera menos cierto cuando le tenían a uno en sus manos. No se sabía lo que pasaba dentro del Ministerio del Amor, pero era fácil figurárselo: torturas, drogas, delicados instrumentos que registraban las reacciones nerviosas, agotamiento progresivo por la falta de sueño, por la soledad y los interrogatorios implacables y persistentes. Los hechos no podían ser ocultados, se los exprimían a uno con la tortura o les seguían la pista con los interrogatorios. Pero si la finalidad que uno se proponía no era salvar la vida sino haber sido humanos hasta el final, ¿qué importaba todo aquello? Los sentimientos no podían cambiarlos; es más, ni uno mismo podría suprimirlos. Sin duda, podrían saber hasta el más pequeño detalle de todo lo que uno hubiera hecho, dicho o pensado; pero el fondo del corazón, cuyo contenido era un misterio incluso para su dueño, se mantendría siempre inexpugnable.

VIII

Lo habían hecho, por fin lo habían hecho.

La habitación donde estaban era alargada y de suave iluminación. La telepantalla había sido amortiguada hasta producir sólo un leve murmullo. La riqueza de la alfombra azul oscuro daba la impresión de andar sobre el terciopelo. En un extremo de la habitación estaba sentado O'Brien ante una mesa, bajo una lámpara de pantalla verde, con un montón de papeles a cada lado. No se molestó en levantar la cabeza cuando el criado hizo pasar a Julia y Winston.

El corazón de Winston latía tan fuerte que dudaba de poder hablar. Lo habían hecho; por fin lo habían hecho... Esto era lo único que Winston podía pensar. Había sido un acto de inmensa audacia entrar en este despacho, y una locura inconcebible venir juntos; aunque realmente habían llegado por caminos diferentes y sólo se reunieron a la puerta de O'Brien. Pero sólo el hecho de traspasar aquel umbral requería un gran esfuerzo nervioso. En muy raras ocasiones se podía penetrar en las residencias del Partido Interior, ni siquiera en el barrio donde tenían sus domicilios. La atmósfera del inmenso bloque de casas, la riqueza de amplitud de todo lo que allí había, los olores –tan poco familiares– a buena comida y a excelente tabaco, los ascensores silenciosos e increíblemente rápidos, los criados con chaqueta blanca apresurándose de un lado a otro... todo ello era intimidante. Aunque tenía un buen pretexto para ir allí, temblaba a cada paso por miedo a que surgiera de algún rincón un guardia uniformado de negro, le pidiera sus documentos y le mandara salir. Sin embargo, el criado de O'Brien los había hecho entrar a los dos sin demora. Era un hombre sencillo, de pelo negro y chaqueta blanca con un rostro inexpresivo y achinado. El corredor por el que los había conducido, estaba muy bien alfombrado y las paredes cubiertas con papel crema de absoluta limpieza. Winston no recordaba haber visto ningún pasillo cuyas paredes no estuvieran manchadas por el contacto de cuerpos humanos.

O'Brien tenía un pedazo de papel entre los dedos y parecía estarlo estudiando atentamente. Su pesado rostro inclinado tenía un aspecto formidable e inteligente a la vez. Se estuvo unos veinte segundos inmóvil. Luego se acercó el hablescribe y dictó un mensaje en la híbrida jerga de los ministerios.

«Ref 1 coma 5 coma 7 aprobado excelente. Sugerencia contenida doc 6 doblemás ridículo rozando crimental destruir. No conviene construir antes conseguir completa información maquinaria puntofinal mensaje.»

Se levantó de la silla y se acercó a ellos cruzando parte de la silenciosa alfombra. Algo del ambiente oficial parecía haberse desprendido de él al terminar con las palabras de neolengua, pero su expresión era más severa que de costumbre, como si no le agradara ser interrumpido. El terror que ya sentía Winston se vio aumentado por el azoramiento corriente que se experimenta al serle molesto a alguien. Creía haber cometido una estúpida equivocación. Pues ¿qué prueba tenía él de que O'Brien fuera un conspirador político? Sólo un destello de sus ojos y una observación equívoca. Aparte de eso, todo eran figuraciones suyas fundadas en un ensueño. Ni siquiera podía fingir que habían venido solamente a recoger el diccionario porque en tal caso no podría explicar la presencia de Julia. Al pasar O'Brien frente a la telepantalla, pareció acordarse de algo. Se detuvo, volvióse y giró una llave que había en la pared. Se oyó un chasquido. La voz se había callado de golpe.

Julia lanzó una pequeña exclamación, un apagado grito de sorpresa. En medio de su pánico, a Winston le causó aquello una impresión tan fuerte que no pudo evitar estas palabras:

–¿Puedes cerrarlo?

–Sí –dijo O'Brien–; podemos cerrarlos. Tenemos ese privilegio.

Estaba sentado frente a ellos. Su maciza figura los dominaba y la expresión de su cara continuaba indescifrable. Esperaba a que Winston hablase; pero ¿sobre qué? Incluso ahora podía concebirse perfectamente que no fuese más que un hombre ocupado preguntándose con irritación por qué lo habían interrumpido. Nadie hablaba. Después de cerrar la telepantalla, la habitación parecía mortalmente silenciosa. Los segundos transcurrían enormes. Winston dificultosamente conseguía mantener su mirada fija en los ojos de O'Brien. Luego, de pronto, el sombrío rostro se iluminó con el inicio de una sonrisa. Con su gesto característico, O'Brien se aseguró las gafas sobre la nariz.

–¿Lo digo yo o lo dices tú? –preguntó O'Brien.

–Lo diré yo –respondió Winston al instante–. ¿Está eso completamente cerrado?

–Sí; no funciona ningún aparato en esta habitación. Estamos solos.

–Pues vinimos aquí porque...

Se interrumpió dándose cuenta por primera vez de la vaguedad de sus propósitos. No sabía exactamente qué clase de ayuda esperaba de O'Brien. Prosiguió, consciente de que sus palabras sonaban vacilantes y presuntuosas:

–Creemos que existe un movimiento clandestino, una especie de organización secreta que actúa contra el Partido y que tú estás metido en esto. Queremos formar parte de esta organización y trabajar en lo que podamos. Somos enemigos del Partido. No creemos en los principios de Ingsoc. Somos criminales del pensamiento. Además, somos adúlteros. Te digo todo esto porque deseamos ponernos a tu merced. Si quieres que nos acusemos de cualquier otra cosa, estamos dispuestos a hacerlo.

Winston dejó de hablar al darse cuenta de que la puerta se había abierto. Miró por encima de su hombro. Era el criado de cara amarillenta, que había entrado sin llamar. Traía una bandeja con una botella y vasos.

—Martín es uno de los nuestros —dijo O'Brien impasible—. Pon aquí las bebidas, Martín. Sí, en la mesa redonda. ¿Tenemos bastantes sillas? Sentémonos para hablar cómodamente. Siéntate tú también, Martín. Ahora puedes dejar de ser criado durante diez minutos.

El hombrecillo se sentó a sus anchas, pero sin abandonar el aire servil. Parecía un lacayo al que le han concedido el privilegio de sentarse con sus amos. Winston lo miraba con el rabillo del ojo. Le admiraba que aquel hombre se pasara la vida representando un papel y que le pareciera peligroso prescindir de su fingida personalidad aunque fuera por unos momentos. O'Brien tomó la botella por el cuello y llenó los vasos de un líquido rojo oscuro. A Winston le recordó algo que desde hacía muchos años no bebía, un anuncio luminoso que representaba una botella que se movía sola y llenaba un vaso incontables veces. Visto desde arriba, el líquido parecía casi negro, pero la botella, de buen cristal, tenía un color rubí. Su sabor era agridulce. Vio que Julia cogía su vaso y lo olía con gran curiosidad.

—Se llama vino —dijo O'Brien con una débil sonrisa—. Seguramente, ustedes lo habrán oído citar en los libros. Creo que a los miembros del Partido Exterior no les llega. —Su cara volvió a ensombrecerse y levantó el vaso—: Creo que debemos empezar brindando por nuestro jefe: por Emmanuel Goldstein.

Winston cogió su vaso titubeando. Había leído referencias del vino y había soñado con él. Como el pisapapeles de cristal o las canciones del señor Charrington, pertenecía al romántico y desaparecido pasado, la época en que él se recreaba en sus secretas meditaciones. No sabía por qué, siempre había creído que el vino tenía un sabor intensamente dulce, como de mermelada y un efecto intoxicante inmediato. Pero al beberlo ahora por primera vez, le decepcionó. La verdad era que después de tantos años de beber ginebra aquello le parecía insípido. Volvió a dejar el vaso vacío sobre la mesa.

–Entonces, ¿existe de verdad ese Goldstein? –preguntó.

–Sí, esa persona no es ninguna fantasía, y vive. Dónde, no lo sé.

–Y la conspiración..., la organización, ¿es auténtica?, ¿no es sólo un invento de la Policía del Pensamiento?

–No, es una realidad. La llamamos la Hermandad. Nunca se sabe de la Hermandad, sino que existe y que uno pertenece a ella. En seguida volveré a hablarte de eso. –Miró el reloj de pulsera–. Ni siquiera los miembros del Partido Interior deben mantener cerrada la telepantalla más de media hora. No debíais haber venido aquí juntos; tendréis que marcharos por separado. Tú, camarada –le dijo a Julia–, te marcharás primero. Disponemos de unos veinte minutos. Comprenderéis que debo empezar por haceros algunas preguntas. En términos generales, ¿qué estáis dispuestos a hacer?

–Todo aquello de que seamos capaces –dijo Winston.

O'Brien había ladeado un poco su silla hacia Winston de manera que casi le volvía la espalda a Julia, dando por cierto que Winston podía hablar a la vez por sí y por ella. Empezó pestañeando un momento y luego inició sus preguntas con voz baja e inexpresiva, como si se tratara de una rutina, una especie de catecismo, la mayoría de cuyas respuestas le fueran ya conocidas.

–¿Estáis dispuestos a dar vuestras vidas?

–Sí.

–¿Estáis dispuestos a cometer asesinatos?

–Sí.

–¿A cometer actos de sabotaje que pueden causar la muerte de centenares de personas inocentes?

–Sí.

–¿A vender a vuestro país a las potencias extranjeras?

–Sí.

–¿Estáis dispuestos a hacer trampas, a falsificar, a hacer

chantaje, a corromper a los niños, a distribuir drogas, a fomentar la prostitución, a extender enfermedades venéreas... a hacer todo lo que pueda causar desmoralización y debilitar el poder del Partido?

–Sí.

–Si, por ejemplo, sirviera de algún modo a nuestros intereses arrojar ácido sulfúrico a la cara de un niño, ¿estaríais dispuestos a hacerlo?

–Sí.

–¿Estáis dispuestos a perder vuestra identidad y a vivir el resto de vuestras vidas como camareros, cargadores de puerto, etc.?

–Sí.

–¿Estáis dispuestos a suicidaros si os lo ordenamos y en el momento en que lo ordenásemos?

–Sí.

–¿Estáis dispuestos, los dos, a separaros y no volveros a ver nunca?

–No –interrumpió Julia.

A Winston le pareció que había pasado muchísimo tiempo antes de contestar. Durante algunos momentos creyó haber perdido el habla. Se le movía la lengua sin emitir sonidos, formando las primeras sílabas de una palabra y luego de otra. Hasta que lo dijo, no sabía qué palabra iba a decir:

–No –dijo por fin.

–Hacéis bien en decírmelo –repuso O'Brien–. Es necesario que lo conozcamos todo.

Se volvió hacia Julia y añadió con una voz algo más animada:

–¿Te das cuenta de que, aunque él sobreviviera, sería una persona diferente? Podríamos vernos obligados a darle una nueva identidad. Le cambiaríamos la cara, los movimientos, la forma de sus manos, el color del pelo... hasta la voz, y tú también podrías convertirte en una persona distinta. Nuestros cirujanos transforman a las personas de manera que es imposible reconocerlas. A veces, es necesario. En ciertos casos, amputamos algún miembro.

Winston no pudo evitar otra mirada de soslayo a la cara mongólica de Martín. No se le notaban cicatrices. Julia estaba algo más pálida y le resaltaban las pecas, pero miró a O'Brien con valentía. Murmuró algo que parecía conformidad.

–Bueno. Entonces ya está todo arreglado –dijo O'Brien.

Sobre la mesa había una caja de plata con cigarrillos. Con aire distraído, O'Brien la fue acercando a los otros. Tomó él un cigarrillo, se levantó y empezó a pasear por la habitación como si de este modo pudiera pensar mejor. Eran cigarrillos muy buenos; no se les caía el tabaco y el papel era sedoso. O'Brien volvió a mirar su reloj de pulsera.

–Vuelve a tu servicio, Martín –dijo–. Volveré a poner en marcha la telepantalla dentro de un cuarto de hora. Fíjate bien en las caras de estos camaradas antes de salir. Es posible que los vuelvas a ver. Yo quizás no.

Exactamente como habían hecho al entrar, los ojos oscuros del hombrecillo recorrieron rápidos los rostros de Julia y Winston. No había en su actitud la menor afabilidad. Estaba registrando unas facciones, grabándoselas, pero no sentía el menor interés por ellos o parecía no sentirlo. Se le ocurrió a Winston que quizás un rostro transformado no fuera capaz de variar de expresión. Sin hablar ni una palabra ni hacer el menor gesto de despedida, salió Martín, cerrando silenciosamente la puerta tras él. O'Brien seguía paseando por la estancia con una mano en el bolsillo de su «mono» negro y en la otra el cigarrillo.

–Ya comprenderéis –dijo– que tendréis que luchar a oscuras. Siempre a oscuras. Recibiréis órdenes y las obedeceréis sin saber por qué. Más adelante os mandaré un libro que os aclarará la verdadera naturaleza de la sociedad en que vivimos y la estrategia que hemos de emplear para destruirla. Cuando hayáis leído el libro, seréis plenamente miembros de la Hermandad. Pero entre los fines generales por los que luchamos y las tareas inmediatas de cada momento habrá un vacío para vosotros sobre el que nada sabréis. Os digo que la Hermandad existe, pero no puedo deciros si la constituyen un centenar de miembros o diez millones. Por vosotros mismos no llegaréis a saber nunca si hay una docena de afiliados. Tendréis sólo tres o cuatro personas en contacto con vosotros que se renovarán de vez en cuando a medida que vayan desapareciendo. Como yo he sido el primero en entrar en contacto con vosotros, seguiremos manteniendo la comunicación. Cuando recibáis órdenes, procederán de mí. Si creemos necesario comunicaros algo, lo haremos por medio de Martín. Cuando, finalmente, os cojan, confesaréis. Esto es inevitable. Pero tendréis muy poco que confesar aparte de vuestra propia actuación. No podréis traicionar más que a unas cuantas personas sin importancia. Quizás ni siquiera os sea posible delatarme. Por entonces, quizás yo haya muerto o seré ya una persona diferente con una cara distinta.

Siguió paseando sobre la suave alfombra. A pesar de su corpulencia, tenía una notable gracia de movimientos. Gracia que aparecía incluso en el gesto de meterse la mano en el bolsillo o de manejar el cigarrillo. Más que de fuerza daba una impresión de confianza y de comprensión irónica. Aunque hablara en serio, nada tenía de la rigidez del fanático. Cuando hablaba de asesinatos, suicidio, enfermedades venéreas, miembros amputados o caras cambiadas, lo hacía en tono de broma. «Esto es inevitable –parecía decir su voz–; esto es lo que hemos de hacer queramos o no. Pero ya no tendremos que hacerlo cuando la vida vuelva a ser digna de ser vivida». Una oleada de admiración, casi de adoración, iba de Winston a O'Brien. Casi había olvidado la sombría figura de Goldstein. Contemplando las vigorosas espaldas de O'Brien y su rostro enérgicamente tallado, tan feo y a la vez tan civilizado, era imposible creer en la derrota, en que él fuera vencido. No se concebía una estratagema, un peligro a que él no pudiera hacer frente. Hasta Julia parecía impresionada. Había dejado quemarse solo su cigarrillo y escuchaba con intensa atención. O'Brien prosiguió:

–Habréis oído rumores sobre la existencia de la Hermandad. Supongo que la habréis imaginado a vuestra manera. Seguramente creeréis que se trata de un mundo subterráneo de conspiradores que se reúnen en sótanos, que escriben mensajes sobre los muros y se reconocen unos a otros por señales secretas, palabras misteriosas o movimientos especiales de las manos. Nada de eso. Los miembros de la Hermandad no tienen modo alguno de reconocerse entre ellos y es imposible que ninguno de los miembros llegue a individualizar sino a muy contados de sus afiliados. El propio Goldstein, si cayera en manos de la Policía del Pensamiento, no podría dar una lista completa de los afiliados ni información alguna que les sirviera para hacer el servicio. En realidad, no hay tal lista. La Hermandad no puede ser barrida porque no es una organización en el sentido corriente de la palabra. Nada mantiene su cohesión a no ser la idea de que es indestructible. No tendréis nada en qué apoyaros aparte de esa idea. No encontraréis camaradería ni estímulo. Cuando finalmente seáis detenidos por la Policía, nadie os ayudará. Nunca ayudamos a nuestros afiliados. Todo lo más, cuando es absolutamente necesario que alguien calle, introducimos clandestinamente una hoja de afeitar en la celda del compañero detenido. Es la única ayuda que a veces prestamos. Debéis acostumbraros a la idea de vivir sin esperanza. Trabajaréis algún tiempo, os detendrán, confesaréis y luego os matarán. Esos serán los únicos resultados que podréis ver. No hay posibilidad de que se produzca ningún cambio perceptible durante vuestras vidas. Nosotros somos los muertos. Nuestra única vida verdadera está en el futuro. Tomaremos parte en él como puñados de polvo y astillas de hueso. Pero no se sabe si este futuro está más o menos lejos. Quizás tarde mil años. Por ahora lo único posible es ir extendiendo el área de la cordura poco a poco. No podemos actuar colectivamente. Sólo podemos difundir nuestro conocimiento de individuo en individuo, de generación en generación. Ante la Policía del Pensamiento no hay otro medio.

Se detuvo y miró por tercera vez su reloj.

–Ya es casi la hora de que te vayas, camarada –le dijo a Julia–. Espera. La botella está todavía por la mitad.

Llenó los vasos y levantó el suyo.

–¿Por qué brindaremos esta vez? –dijo, sin perder su tono irónico–. ¿Por el despiste de la Policía del Pensamiento? ¿Por la muerte del Gran Hermano? ¿Por la humanidad? ¿Por el futuro?

–Por el pasado –dijo Winston.

–Sí, el pasado es más importante –concedió O'Brien seriamente.

Vaciaron los vasos y un momento después se levantó Julia para marcharse. O'Brien cogió una cajita que estaba sobre un pequeño armario y le dio a la joven una tableta delgada y blanca para que se la colocara en la lengua. Era muy importante no salir oliendo a vino; los encargados del ascensor eran muy observadores. En cuanto Julia cerró la puerta, O'Brien pareció olvidarse de su existencia. Dio unos cuantos pasos más y se paró.

–Hay que arreglar todavía unos cuantos detalles –dijo–. Supongo que tendrás algún escondite.

Winston le explicó lo de la habitación sobre la tienda del señor Charrington.

–Por ahora, basta con eso. Más tarde te buscaremos otra cosa. Hay que cambiar de escondite con frecuencia. Mientras tanto, te enviaré una copia del *libro*. –Winston observó que hasta O'Brien parecía pronunciar esa palabra en cursiva–. Ya supondrás que me refiero al libro de Goldstein. Te lo mandaré lo más pronto posible. Quizás tarde algunos días en lograr el ejemplar. Comprenderás que circulan muy pocos. La Policía del Pensamiento los descubre y destruye casi con la misma rapidez que los imprimimos nosotros. Pero da lo mismo. Ese libro es indestructible. Si el último ejemplar desapareciera, podríamos reproducirlo de memoria. ¿Sueles llevar una cartera a la oficina? –añadió.

–Sí. Casi siempre.

–¿Cómo es?

–Negra, muy usada. Con dos correas.

–Negra, dos correas, muy usada... Bien. Algún día de éstos, no puedo darte una fecha exacta, uno de los mensajes que te lleguen en tu trabajo de la mañana contendrá una errata y tendrás que pedir que te lo repitan. Al día siguiente irás al trabajo sin la cartera. A cierta hora del día, en la calle, se te acercará un hombre y te tocará en el brazo, diciéndote:

«Creo que se te ha caído esta cartera.» La que te dé contendrá un ejemplar del libro de Goldstein. Tienes que devolverlo a los catorce días o antes por el mismo procedimiento.

Estuvieron callados un momento.

–Falta un par de minutos para que tengas que irte –dijo O'Brien–. Quizás volvamos a encontrarnos, aunque es muy poco probable, y entonces nos veremos en...

Winston lo miró fijamente.

–¿... En el sitio donde no hay oscuridad? –dijo vacilando.

O'Brien asintió con la cabeza, sin dar señales de extrañeza:

–En el sitio donde no hay oscuridad –repitió como si hubiera recogido la alusión–. Y mientras tanto, ¿hay algo que quieras decirme antes de salir de aquí? ¿Alguna pregunta?

Winston pensó unos instantes. No creía tener nada más que preguntar. En vez de cosas relacionadas con O'Brien o la Hermandad, le acudía a la mente una imagen superpuesta de la oscura habitación donde su madre había pasado los últimos días y el dormitorio en casa del señor Charrington, el pisapapeles de cristal y el grabado con su marco de palo rosa. Entonces dijo:

–¿Oíste alguna vez una vieja canción que empieza: *Naranjas y limones, dicen las campanas de San Clemente*?

O'Brien, muy serio, continuó la canción:

Me debes tres peniques, dicen las campanas de San Martín.
¿Cuándo me pagarás?, dicen las campanas de Old Bailey.
Cuando me haga rico, dicen las campanas de Shoreditch.

–¡¡Sabías el último verso!! –dijo Winston.

–Sí, lo sé, y ahora creo que es hora de que te vayas. Pero, espera, toma antes una de estas tabletas.

O'Brien, después de darle la tableta, le estrechó la mano con tanta fuerza que los huesos de Winston casi crujieron. Winston se volvió al llegar a la puerta, pero ya O'Brien empezaba a eliminarlo de sus pensamientos. Esperaba con la mano puesta en la llave que controlaba la telepantalla. Más allá veía Winston la mesa despacho con su lámpara de pantalla verde, el hablescribe y las bandejas de alambre cargadas de papeles. El incidente había terminado. Dentro de treinta segundos –pensó Winston– reanudaría O'Brien su interrumpido e importante trabajo al servicio del Partido.

IX

Winston se encontraba cansadísimo, tan cansado que le parecía estarse convirtiendo en gelatina. Pensó que su cuerpo no sólo tenía la flojedad de la gelatina, sino su transparencia. Era como si al levantar la mano fuera a ver la luz a través de ella. Trabajaba tanto que sólo le quedaba una frágil estructura de nervios, huesos y piel. Todas las sensaciones le parecían ampliadas. Su «mono» le estaba ancho, el suelo le hacía cosquillas en los pies y hasta el simple movimiento de abrir y cerrar la mano constituía para él un esfuerzo que le hacía sonar los huesos.

Había trabajado más de noventa horas en cinco días, lo mismo que todos los funcionarios del Ministerio. Ahora había terminado todo y nada tenía que hacer hasta el día siguiente por la mañana. Podía pasar seis horas en su refugio y otras nueve en su cama. Bajo el tibio sol de la tarde se dirigió despacio en dirección a la tienda del señor Charrington, sin perder de vista las patrullas, pero convencido, irracionalmente, de que aquella tarde no se cernía sobre él ningún peligro. La pesada cartera que llevaba le golpeaba la rodilla a cada paso. Dentro llevaba *el libro*, que tenía ya desde seis días antes pero que aún no había abierto. Ni siquiera lo había mirado.

En el sexto día de la Semana del Odio, después de los desfiles, discursos, gritos, cánticos, banderas, películas, figuras de cera, estruendo de trompetas y tambores, arrastrar de pies cansados, rechinar de tanques, zumbido de las escuadrillas aéreas, salvas de cañonazos..., después de seis días de todo esto, cuando el gran orgasmo político llegaba a su punto culminante y el odio general contra Eurasia era ya un delirio tan exacerbado que si la multitud hubiera podido apoderarse de los dos mil prisioneros de guerra eurasiáticos que habían sido ahorcados públicamente el último día de los festejos, los habría despedazado..., en ese momento precisamente se había anunciado que Oceanía no estaba en guerra con Eurasia. Oceanía luchaba ahora contra Asia Oriental. Eurasia era aliada.

Desde luego, no se reconoció que se hubiera producido ningún engaño. Sencillamente, se hizo saber del modo más repentino y en todas partes al mismo tiempo que el enemigo no era Eurasia, sino Asia Oriental. Winston tomaba parte en una manifestación que se celebraba en una de las plazas centrales de Londres en el momento del cambiazo. Era de noche y todo estaba cegadoramente iluminado con focos. En la plaza había varios millares de personas, incluyendo mil niños de las escuelas con el uniforme de los Espías. En una plataforma forrada de trapos rojos, un orador del Partido Interior, un hombre delgaducho y bajito con unos brazos desproporcionadamente largos y un cráneo grande y calvo con unos cuantos mechones sueltos atravesados sobre él, arengaba a la multitud. La pequeña figura, retorcida de odio, se agarraba al micrófono con una mano mientras que con la otra, enorme, al final de un brazo huesudo, daba zarpazos amenazadores por encima de su cabeza. Su voz, que los altavoces hacían metálica, soltaba una interminable sarta de atrocidades, matanzas en masa, deportaciones, saqueos, violaciones, torturas de prisioneros, bombardeos de poblaciones civiles, agresiones injustas, propaganda mentirosa y tratados incumplidos. Era casi imposible escucharle sin convencerse primero y luego volverse loco. A cada momento, la furia de la multitud hervía inconteniblemente y la voz del orador era ahogada por una salvaje y bestial gritería que brotaba incontrolablemente de millares de gargantas. Los chillidos más salvajes eran los de los niños de las escuelas. El discurso duraba ya unos veinte minutos cuando un mensajero subió apresuradamente a la plataforma y le entregó a aquel hombre un papelito. Él lo desenrolló y lo leyó sin dejar de hablar. Nada se alteró en su voz ni en su gesto, ni siquiera en el contenido de lo que decía. Pero, de pronto, los nombres eran diferentes. Sin necesidad de comunicárselo por palabras, una oleada de comprensión agitó a la multitud. ¡Oceanía estaba en guerra con Asia Oriental! Pero, inmediatamente, se produjo una tremenda conmoción. Las banderas, los carteles que decoraban la plaza estaban todos equivocados. Aquéllos no eran los rostros del enemigo. ¡Sabotaje! ¡Los agentes de Goldstein eran los culpables! Hubo una fenomenal algarabía mientras todos se dedicaban a arrancar carteles y a romper banderas, pisoteando luego los trozos de papel y cartón roto. Los Espías realizaron prodigios de actividad subiéndose a los tejados para cortar las bandas de tela pintada que cruzaban la calle. Pero a los dos o tres minutos se había terminado todo. El orador, que no había soltado el micrófono, seguía vociferando y dando zarpazos al aire. Al minuto siguiente, la masa volvía a gritar su odio exactamente como antes. Sólo que el objetivo había cambiado.

Lo que más le impresionó a Winston fue que el orador dio el cambiazo exactamente a la mitad de una frase, no sólo sin detenerse, sino sin cambiar siquiera la construcción de la frase. Pero en aquellos momentos tenía Winston otras cosas de qué preocuparse. Fue entonces, en medio de la gran algarabía, cuando se le acercó un desconocido y, dándole un golpecito en un hombro, le dijo: «Perdone, creo que se le ha caído a usted esta cartera». Winston tomó la cartera sin hablar, como abstraído. Sabía que iban a pasar varios días sin que pudiera abrirla. En cuanto terminó la manifestación, se fue directamente al Ministerio de la Verdad, aunque eran ya las veintitrés. Lo mismo hizo todo el personal del Ministerio. En verdad, las órdenes que repetían continuamente las telepantallas ordenándoles reintegrarse a sus puestos apenas eran necesarias. Todos sabían lo que les tocaba hacer en tales casos.

Oceanía estaba en guerra con Asia Oriental; Oceanía había estado siempre en guerra con Asia oriental. Una gran parte de la literatura política de aquellos cinco años quedaba anticuada, absolutamente inservible. Documentos e informes de todas clases, periódicos, libros, folletos de propaganda, películas, bandas sonoras, fotografías... todo ello tenía que ser rectificado a la velocidad del rayo. Aunque nunca se daban órdenes en estos casos, se sabía que los jefes de departamento deseaban que dentro de una semana no quedara en toda Oceanía ni una sola referencia a la guerra con Eurasia ni a la alianza con Asia Oriental. El trabajo que esto suponía era aplastante. Sobre todo porque las operaciones necesarias para realizarlo no se llamaban por sus nombres verdaderos. En el Departamento de Registro todos trabajaban dieciocho horas de las veinticuatro con dos turnos de tres horas cada uno para dormir. Bajaron colchones y los pusieron por los pasillos. Las comidas se componían de sandwiches y café de la Victoria traído en carritos por los camareros de la cantina. Cada vez que Winston interrumpía el trabajo para uno de sus dos descansos diarios, procuraba dejarlo todo terminado y que en su mesa no quedaran papeles. Pero cuando volvía al cabo de tres horas, con el cuerpo dolorido y los ojos hinchados, se encontraba con que otra lluvia de cilindros de papel le había cubierto la mesa como una nevada, casi enterrando el hablescribe y esparciéndose por el suelo, de modo que su primer trabajo consistía en ordenar todo aquello para tener sitio donde moverse. Lo peor de todo era que no se trataba de un trabajo mecánico. A veces bastaba con sustituir un nombre por otro, pero los informes detallados de acontecimientos exigían mucho cuidado e imaginación.

Incluso los conocimientos geográficos necesarios para trasladar la guerra de una parte del mundo a otra eran considerables.

Al tercer día le dolían los ojos insoportablemente y tenía que limpiarse las gafas cada cinco minutos. Era como luchar contra alguna tarea física aplastante, algo que uno tenía derecho a negarse a realizar y que sin embargo se hacía por una impaciencia neurótica de verlo terminado. Es curioso que no le preocupara el hecho de que todas las palabras que iba murmurando en el hablescribe, así como cada línea escrita con su lápiz-pluma, era una mentira deliberada. Lo único que le angustiaba era el temor de que la falsificación no fuera perfecta, y esto mismo les ocurría a todos sus compañeros. En la mañana del sexto día el aluvión de cilindros de papel fue disminuyendo. Pasó media hora sin que saliera ninguno por el tubo; luego salió otro rollo y después nada absolutamente. Por todas partes ocurría igual. Un hondo y secreto suspiro recorrió el Ministerio. Se acababa de realizar una hazaña que nadie podría mencionar nunca. Era imposible ya que ningún ser humano pudiera probar documentalmente que la guerra con Eurasia había sucedido. Inesperadamente, se anunció que todos los trabajadores del Ministerio estaban libres hasta el día siguiente por la mañana. Era mediodía. Winston, que llevaba todavía la cartera con el *libro*, la cual había permanecido entre sus pies mientras trabajaba y debajo de su cuerpo mientras dormía, se fue a casa, se afeitó y casi se quedó dormido en el baño, aunque el agua estaba casi fría.

Luego, con una sensación voluptuosa, subió las escaleras de la tienda del señor Charrington. Por supuesto, estaba cansadísimo, pero se le había pasado el sueño. Abrió la ventana, encendió la pequeña y sucia estufa y puso a calentar un cazo con agua. Julia llegaría en seguida. Mientras la esperaba, tenía el *libro*. Sentóse en la desvencijada butaca y desprendió las correas de la cartera.

Era un pesado volumen negro, encuadernado por algún aficionado y en cuya cubierta no había nombre ni título alguno. La impresión también era algo irregular. Las páginas estaban muy gastadas por los bordes y el libro se abría con mucha facilidad, como si hubiera pasado por muchas manos. La inscripción de la portada decía:

TEORÍA Y PRÁCTICA DEL COLECTIVISMO
OLIGÁRQUICO
por
Emmanuel Goldstein

Winston empezó a leer:

CAPÍTULO PRIMERO

La ignorancia es la fuerza

Durante todo el tiempo de que se tiene noticia –probablemente desde fines del período neolítico– ha habido en el mundo tres clases de personas: los Altos, los Medianos y los Bajos. Se han subdividido de muchos modos, han llevado muy diversos nombres y su número relativo, así como la actitud que han guardado unos hacia otros, ha variado de época en época; pero la estructura esencial de la sociedad nunca ha cambiado. Incluso después de enormes conmociones y de cambios que parecían irrevocables, la misma estructura ha vuelto a imponerse, igual que un giroscopio vuelve siempre a la posición de equilibrio por mucho que lo empujemos en un sentido o en otro.

Los objetivos de estos tres grupos son por completo inconciliables.

Winston interrumpió la lectura, sobre todo para poder disfrutar bien del hecho asombroso de hallarse leyendo tranquilo y seguro. Estaba solo, sin telepantalla, sin nadie que escuchara por la cerradura, sin sentir el impulso nervioso de mirar por encima del hombro o de cubrir la página con la mano. Un airecillo suave le acariciaba la mejilla. De lejos venían los gritos de los niños que jugaban. En la habitación misma no había más sonido que el débil tictac del reloj, un ruido como de insecto. Se arrellanó más cómodamente en la butaca y puso los pies en los hierros de la chimenea. Aquello era una bendición, era la eternidad. De pronto, como suele hacerse cuando sabemos que un libro será leído y releído por nosotros, sintió el deseo de «calarlo» primero. Así, lo abrió por un sitio distinto y se encontró en el capítulo III. Siguió leyendo:

Capítulo iii

La guerra es la paz

La desintegración del mundo en tres grandes superestados fue un acontecimiento que pudo haber sido previsto –y que en realidad lo fue– antes de mediar el siglo xx. Al ser absorbida Europa por Rusia y el Imperio Británico por los Estados Unidos, habían nacido ya en esencia dos de los tres poderes ahora existentes, Eurasia y Oceanía. El tercero, Asia Oriental, sólo surgió como unidad aparte después de otra década de confusa lucha. Las fronteras entre los tres superestados son arbitrarias en algunas zonas y en otras fluctúan según los altibajos de la guerra, pero en general se atienen a líneas geográficas. Eurasia comprende toda la parte norte de la masa terrestre europea y asiática, desde Portugal hasta el Estrecho de Bering. Oceanía comprende las Américas, las islas del Atlántico, incluyendo a las Islas Británicas, Australasia y África meridional. Asia Oriental, potencia más pequeña que las otras y con una frontera occidental menos definida, abarca China y los países que se hallan al sur de ella, las islas del Japón y una amplia y fluctuante porción de Manchuria, Mongolia y el Tibet.

Estos tres superestados, en una combinación o en otra, están en guerra permanente y llevan así veinticinco años. Sin embargo, ya no es la guerra aquella lucha desesperada y aniquiladora que era en las primeras décadas del siglo xx. Es una lucha por objetivos limitados entre combatientes incapaces de destruirse unos a otros, sin una causa material para luchar y que no se hallan divididos por diferencias ideológicas claras. Esto no quiere decir que la conducta en la guerra ni la actitud hacia ella sean menos sangrientas ni más caballerosas. Por el contrario, el histerismo bélico es continuo y universal, y las violaciones, los saqueos, la matanza de niños, la esclavización de poblaciones enteras y represalias contra los prisioneros hasta el punto de quemarlos y enterrarlos vivos, se consideran normales, y cuando esto no lo comete el enemigo sino el bando propio, se estima meritorio. Pero en un sentido físico, la guerra afecta a muy pocas personas, la mayoría especialistas muy bien preparados, y causa pocas bajas relativamente. Cuando hay lucha, tiene lugar en confusas fronteras que el hombre medio apenas puede situar en un mapa o en torno a las fortalezas flotantes que guardan los lugares estratégicos en el mar. En los centros de civilización la guerra no significa más que una continua escasez de víveres y alguna que otra bomba cohete que puede causar unas veintenas de víctimas. En realidad, la guerra ha cambiado de carácter. Con más exactitud, puede decirse que ha variado el orden de importancia de las razones que determinaban una guerra. Se han convertido en dominantes y son reconocidos conscientemente motivos que ya estaban latentes en las grandes guerras de la primera mitad del siglo XX.

Para comprender la naturaleza de la guerra actual –pues, a pesar del reagrupamiento que ocurre cada pocos años, siempre es la misma guerra– hay que darse cuenta en primer lugar de que esa guerra no puede ser decisiva. Ninguno de los tres superestados podría ser conquistado definitivamente ni siquiera por los otros dos en combinación. Sus fuerzas están demasiado bien equilibradas. Y sus defensas son demasiado poderosas. Eurasia está protegida por sus grandes espacios terrestres, Oceanía por la anchura del Atlántico y del Pacífico, Asia Oriental por la fecundidad y laboriosidad de sus habitantes. Además, ya no hay nada por qué luchar. Con las economías autárquicas, la lucha por los mercados, que era una de las causas principales de las guerras anteriores, ha dejado de tener sentido, y la competencia por las materias primas ya no es una cuestión de vida o muerte. Cada uno de los tres super-estados es tan inmenso que puede obtener casi todas las materias que necesita dentro de sus propias fronteras. Si acaso, se propone la guerra el dominio del trabajo. Entre las fronteras de los superestados, y sin pertenecer de un modo permanente a ninguno de ellos, se extiende un cuadrilátero, con sus ángulos en Tánger, Brazzaville, Darwin y Hong-Kong, que contiene casi una quinta parte de la población de la Tierra. Las tres potencias luchan constantemente por la posesión de estas regiones densamente pobladas, así como por las zonas polares. En la práctica, ningún poder controla totalmente esa área disputada. Porciones de ella están cambiando a cada momento de manos, y lo que en realidad determina los súbitos y múltiples cambios de alianzas es la posibilidad de apoderarse de uno u otro pedazo de tierra mediante una inesperada traición.

Todos esos territorios disputados contienen valiosos minerales y algunos de ellos producen ciertas cosas, como la goma, que en los climas fríos es preciso sintetizar por métodos relativamente caros. Pero, sobre todo, proporcionan una inagotable reserva de mano de obra muy barata. La potencia que controle el África Ecuatorial, los países del Oriente Medio, la India Meridional o el Archipiélago Indonesio, dispone también de centenares de millones de trabajadores mal pagados y muy resistentes. Los habitantes de esas regiones, reducidos más o menos abiertamente a la condición de esclavos, pasan continuamente de un conquistador a otro y son empleados como carbón o aceite en la carrera de armamento, armas que sirven para capturar más territorios y ganar así más mano de obra, con lo cual se pueden tener más armas que servirán para conquistar más territorios, y así indefinidamente. Es interesante observar que la lucha nunca sobrepasa los límites de las zonas disputadas. Las fronteras de Eurasia avanzan y retroceden entre la cuenca del Congo y la orilla septentrional del Mediterráneo; las islas del Océano Índico y del Pacífico son conquistadas y reconquistadas constantemente por Oceanía y por Asia Oriental; en Mongolia, la línea divisoria entre Eurasia y Asia Oriental nunca es estable; en torno al Polo Norte, las tres potencias reclaman inmensos territorios en su mayor parte inhabitados e inexplorados; pero el equilibrio de poder no se altera apenas con todo ello y el territorio que constituye el suelo patrio de cada uno de los tres superestados nunca pierde su independencia. Además, la mano de obra de los pueblos explotados alrededor del Ecuador no es verdaderamente necesaria para la economía mundial. Nada atañe a la riqueza del mundo, ya que todo lo que produce se dedica a fines de guerra, y el objeto de prepararse para una guerra no es más que ponerse en situación de emprender otra guerra. Las poblaciones esclavizadas permiten, con su trabajo, que se acelere el ritmo de la guerra. Pero si no existiera ese refuerzo de trabajo, la estructura de la sociedad y el proceso por el cual ésta se mantiene no variarían en lo esencial.

La finalidad principal de la guerra moderna (de acuerdo con los principios del doblepensar) la reconocen y, a la vez, no la reconocen, los cerebros dirigentes del Partido Interior. Consiste en usar los productos de las máquinas sin elevar por eso el nivel general de la vida. Hasta fines del siglo XIX había sido un problema latente de la sociedad industrial qué había de hacerse con el sobrante de los artículos de consumo. Ahora, aunque son pocos los seres humanos que pueden comer lo suficiente, este problema no es urgente y nunca podría tener caracteres graves aunque no se emplearan procedimientos artificiales para destruir esos productos. El mundo de hoy, si lo comparamos con el anterior a 1914, está desnudo, hambriento y lleno de desolación; y aún más si lo comparamos con el futuro que las gentes de aquella época esperaba. A principios del siglo XX la visión de una sociedad futura increíblemente rica, ordenada, eficaz y con tiempo para todo –un reluciente mundo antiséptico de cristal, acero y cemento, un mundo de nívea blancura– era el ideal de casi todas las personas cultas. La ciencia y la tecnología se desarrollaban a una velocidad prodigiosa y parecía natural que este desarrollo no se interrumpiera jamás. Sin embargo, no continuó el perfeccionamiento, en parte por el empobrecimiento causado por una larga serie de guerras y revoluciones, y en parte porque el progreso científico y técnico se basaba en un hábito empírico de pensamiento que no podía existir en una sociedad estrictamente reglamentada. En conjunto, el mundo es hoy más primitivo que hace cincuenta años. Algunas zonas secundarias han progresado y se han realizado algunos perfeccionamientos, ligados siempre a la guerra y al espionaje policíaco, pero los experimentos científicos y los inventos no han seguido su curso y los destrozos causados por la guerra atómica de los años cincuenta y tantos nunca llegaron a ser reparados. No obstante, perduran los peligros del maquinismo. Cuando aparecieron las grandes máquinas, se pensó, lógicamente, que cada vez haría menos falta la servidumbre del trabajo y que esto contribuiría en gran medida a suprimir las desigualdades en la condición humana. Si las máquinas eran empleadas deliberadamente con esa finalidad, entonces el hambre, la suciedad, el analfabetismo, las enfermedades y el cansancio serían necesariamente eliminados al cabo de unas cuantas generaciones. Y, en realidad, sin ser empleada con esa finalidad, sino sólo por un proceso automático –produciendo riqueza que no había más remedio que distribuir–, elevó efectivamente la máquina el nivel de vida de la gente que vivía a mediados de siglo. Esta gente vivía muchísimo mejor que la de fines del siglo XIX.

Pero también resultó claro que un aumento de bienestar tan extraordinario amenazaba con la destrucción –era ya, en sí mismo, la destrucción– de una sociedad jerárquica. En un mundo en que todos trabajaran pocas horas, tuvieran bastante que comer, vivieran en casas cómodas e higiénicas, con cuarto de baño, calefacción y refrigeración, y poseyera cada uno un auto o quizás un aeroplano, habría desaparecido la forma más obvia e hiriente de desigualdad. Si la riqueza llegaba a generalizarse, no serviría para distinguir a nadie. Sin duda, era posible imaginarse una sociedad en que la *riqueza*, en el sentido de posesiones y lujos personales, fuera equitativamente distribuida mientras que el *poder* siguiera en manos de una minoría, de una pequeña casta privilegiada. Pero, en la práctica, semejante sociedad no podría conservarse estable, porque si todos disfrutasen por igual del lujo y del ocio, la gran masa de seres humanos, a quienes la pobreza suele imbecilizar, aprenderían muchas cosas y empezarían a pensar por sí mismos; y si empezaran a reflexionar, se darían cuenta más pronto o más tarde que la minoría privilegiada no tenía derecho alguno a imponerse a los demás y acabarían barriéndoles. A la larga, una sociedad jerárquica sólo sería posible basándose en la pobreza y en la ignorancia. Regresar al pasado agrícola –como querían algunos pensadores de principios de este siglo– no era una solución práctica, puesto que estaría en contra de la tendencia a la mecanización, que se había hecho casi instintiva en el mundo entero, y, además, cualquier país que permaneciera atrasado industrialmente sería inútil en un sentido militar y caería antes o después bajo el dominio de un enemigo bien armado.

Tampoco era una buena solución mantener la pobreza de las masas restringiendo la producción. Esto se practicó en gran medida entre 1920 y 1940. Muchos países dejaron que su economía se anquilosara. No se renovaba el material indispensable para la buena marcha de las industrias, quedaban sin cultivar las tierras, y grandes masas de población, sin tener en qué trabajar, vivían de la caridad del Estado. Pero también esto implicaba una debilidad militar, y como las privaciones que infligía eran innecesarias, despertaba inevitablemente una gran oposición. El problema era mantener en marcha las ruedas de la industria sin aumentar la riqueza real del mundo. Los bienes habían de ser producidos, pero no distribuidos. Y, en la práctica, la única manera de lograr esto era la guerra continua.

El acto esencial de la guerra es la destrucción, no forzosamente de vidas humanas, sino de los productos del trabajo. La guerra es una manera de pulverizar o de hundir en el fondo del mar los materiales que en la paz constante podrían emplearse para que las masas gozaran de excesiva comodidad y, con ello, se hicieran a la larga demasiado inteligentes. Aunque las armas no se destruyeran, su fabricación no deja de ser un método conveniente de gastar trabajo sin producir nada que pueda ser consumido. En una fortaleza flotante, por ejemplo, se emplea el trabajo que hubieran dado varios centenares de barcos de carga. Cuando se queda anticuada, y sin haber producido ningún beneficio material para nadie, se construye una nueva fortaleza flotante mediante un enorme acopio de mano de obra. En principio, el esfuerzo de guerra se planea para consumir todo lo que sobre después de haber cubierto unas mínimas necesidades de la población. Este mínimo se calcula siempre en mucho menos de lo necesario, de manera que hay una escasez crónica de casi todos los artículos necesarios para la vida, lo cual se considera como una ventaja. Constituye una táctica deliberada mantener incluso a los grupos favorecidos al borde de la escasez, porque un estado general de escasez aumenta la importancia de los pequeños privilegios y hace que la distinción entre un grupo y otro resulte más evidente. En comparación con el nivel de vida de principios del siglo xx, incluso los miembros del Partido Interior llevan una vida austera y laboriosa. Sin embargo, los pocos lujos que disfrutan – un buen piso, mejores telas, buena calidad del alimento, bebidas y tabaco, dos o tres criados, un auto o un autogiro privado– los colocan en un mundo diferente del de los miembros del Partido Exterior, y estos últimos poseen una ventaja similar en comparación con las masas sumergidas, a las que llamamos «los proles». La atmósfera social es la de una ciudad sitiada, donde la posesión de un trozo de carne de caballo establece la diferencia entre la riqueza y la pobreza. Y, al mismo tiempo, la idea de que se está en guerra, y por tanto en peligro, hace que la entrega de todo el poder a una reducida casta parezca la condición natural e inevitable para sobrevivir.

Se verá que la guerra no sólo realiza la necesaria distinción, sino que la efectúa de un modo aceptable psicológicamente. En principio, sería muy sencillo derrochar el trabajo sobrante construyendo templos y pirámides, abriendo zanjas y volviéndolas a llenar o incluso produciendo inmensas cantidades de bienes y prendiéndoles fuego. Pero esto sólo daría la base económica y no la emotiva para una sociedad jerarquizada. Lo que interesa no es la moral de las masas, cuya actitud no importa mientras se hallen absorbidas por su trabajo, sino la moral del Partido mismo. Se espera que hasta el más humilde de los miembros del Partido sea competente, laborioso e incluso inteligente –siempre dentro de límites reducidos, claro está–, pero siempre es preciso que sea un fanático ignorante y crédulo en el que prevalezca el miedo, el odio, la adulación y una continua sensación orgiástica de triunfo. En otras palabras, es necesario que ese hombre posea la mentalidad típica de la guerra. No importa que haya o no haya guerra y, ya que no es posible una victoria decisiva, tampoco importa si la guerra va bien o mal. Lo único preciso es que exista un estado de guerra. La desintegración de la inteligencia especial que el Partido necesita de sus miembros, y que se logra mucho mejor en una atmósfera de guerra, es ya casi universal, pero se nota con más relieve a medida que subimos en la escala jerárquica. Precisamente es en el Partido Interior donde la histeria bélica y el odio al enemigo son más intensos. Para ejercer bien sus funciones administrativas, se ve obligado con frecuencia el miembro del Partido Interior a saber que esta o aquella noticia de guerra es falsa y puede saber muchas veces que una pretendida guerra o no existe o se está realizando con fines completamente distintos a los declarados. Pero ese conocimiento queda neutralizado fácilmente mediante la técnica del doblepensar. De modo que ningún miembro del Partido Interior vacila ni un solo instante en su creencia mística de que la guerra es una realidad y que terminará victoriosamente con el dominio indiscutible de Oceanía sobre el mundo entero.

Todos los miembros del Partido Interior creen en esta futura victoria total como en un artículo de fe. Se conseguirá, o bien paulatinamente mediante la adquisición de más territorios sobre los que se basará una aplastante preponderancia, o bien por el descubrimiento de algún arma secreta. Continúa sin cesar la búsqueda de nuevas armas, y ésta es una de las poquísimas actividades en que todavía pueden encontrar salida la inventiva y las investigaciones científicas. En la Oceanía de hoy la ciencia —en su antiguo sentido— ha dejado casi de existir. En neolengua no hay palabra para ciencia. El método empírico de pensamiento, en el cual se basaron todos los adelantos científicos del pasado, es opuesto a los principios fundamentales de Ingsoc. E incluso el progreso técnico sólo existe cuando sus productos pueden ser empleados para disminuir la libertad humana.

Las dos finalidades del Partido son conquistar toda la superficie de la Tierra y extinguir de una vez para siempre la posibilidad de toda libertad del pensamiento. Hay, por tanto, dos grandes problemas que ha de resolver el Partido. Uno es el de descubrir, contra la voluntad del interesado, lo que está pensando determinado ser humano, y el otro es cómo suprimir, en pocos segundos y sin previo aviso, a varios centenares de millones de personas. Éste es el principal objetivo de las investigaciones científicas. El hombre de ciencia actual es una mezcla de psicólogo y policía que estudia con extraordinaria minuciosidad el significado de las expresiones faciales, gestos y tonos de voz, los efectos de las drogas que obligan a decir la verdad, la terapéutica del *shock*, del hipnotismo y de la tortura física; y si es un químico, un físico o un biólogo, sólo se preocupará por aquellas ramas que dentro de su especialidad sirvan para matar. En los grandes laboratorios del Ministerio de la Paz, en las estaciones experimentales ocultas en las selvas brasileñas, en el desierto australiano o en las islas perdidas del Antártico, trabajan incansablemente los equipos técnicos. Unos se dedican sólo a planear la logística de las guerras futuras; otros, a idear bombas cohete cada vez mayores, explosivos cada vez más poderosos y corazas cada vez más impenetrables; otros buscan gases más mortíferos o venenos que puedan ser producidos en cantidades tan inmensas que destruyan la vegetación de todo un continente, o cultivan gérmenes inmunizados contra todos los posibles antibióticos; otros se esfuerzan por producir un vehículo que se abra paso por la tierra como un submarino bajo el agua, o un aeroplano tan independiente de su base como un barco en el mar; otros exploran posibilidades aún más remotas, como la de concentrar los rayos del sol mediante gigantescas lentes suspendidas en el espacio a miles de kilómetros, o producir terremotos artificiales utilizando el calor del centro de la Tierra.

Pero ninguno de estos proyectos se aproxima nunca a su realización, y ninguno de los tres superestados adelanta a los otros dos de un modo definitivo. Lo más notable es que las tres potencias tienen ya, con la bomba atómica, un arma mucho más poderosa que cualquiera de las que ahora tratan de convertir en realidad. Aunque el Partido, según su costumbre, quiere atribuirse el invento, las bombas atómicas aparecieron por primera vez a principios de los años cuarenta y tantos de este siglo y fueron usadas en gran escala unos diez años después. En aquella época cayeron unos centenares de bombas en los centros industriales, principalmente de la Rusia Europea, Europa Occidental y Norteamérica. El objeto perseguido era convencer a los gobernantes de todos los países que unas cuantas bombas más terminarían con la sociedad organizada y por tanto con su poder. A partir de entonces, y aunque no se llegó a ningún acuerdo formal, no se arrojaron más bombas atómicas. Las potencias actuales siguen produciendo bombas atómicas y almacenándolas en espera de la oportunidad decisiva que todos creen llegará algún día. Mientras tanto, el arte de la guerra ha permanecido estacionado durante treinta o cuarenta años. Los autogiros se usan más que antes, los aviones de bombardeo han sido sustituidos en gran parte por los proyectiles autoimpulsados y el frágil tipo de barco de guerra fue reemplazado por las fortalezas flotantes, casi imposibles de hundir. Pero, aparte de ello, apenas ha habido adelantos bélicos. Se siguen usando el tanque, el submarino, el torpedo, la ametralladora e incluso el rifle y la granada de mano. Y, a pesar de las interminables matanzas comunicadas por la Prensa y las telepantallas, las desesperadas batallas de las guerras anteriores –en las cuales morían en pocas semanas centenares de miles e incluso millones de hombres– no han vuelto a repetirse.

Ninguno de los tres superestados intenta nunca una maniobra que suponga el riesgo de una seria derrota. Cuando se lleva a cabo una operación de grandes proporciones, suele tratarse de un ataque por sorpresa contra un aliado. La estrategia que siguen los tres superestados –o que pretenden seguir– es la misma. Su plan es adquirir, mediante una combinación, un anillo de bases que rodee completamente a uno de los estados rivales para firmar luego un pacto de amistad con ese rival y seguir en relaciones pacíficas con él durante el tiempo que sea preciso para que se confíen. En este tiempo, se almacenan bombas atómicas en los sitios estratégicos. Esas bombas, cargadas en los cohetes, serán disparadas algún día simultáneamente, con efectos tan devastadores que no habrá posibilidad de respuesta. Entonces se firmará un pacto de amistad con la otra potencia, en preparación de un nuevo ataque. No es preciso advertir que este plan es un ensueño de imposible realización. Nunca hay verdadera lucha a no ser en las zonas disputadas en el Ecuador y en los Polos: no hay invasiones del territorio enemigo. Lo cual explica que en algunos sitios sean arbitrarias las fronteras entre los superestados. Por ejemplo, Eurasia podría conquistar fácilmente las Islas Británicas, que forman parte, geográficamente, de Europa, y también sería posible para Oceanía avanzar sus fronteras hasta el Rin e incluso hasta el Vístula. Pero esto violaría el principio –seguido por todos los bandos, aunque nunca formulado– de la integridad cultural. Así, si Oceanía conquistara las áreas que antes se conocían con los nombres de Francia y Alemania, sería necesario exterminar a todos sus habitantes –tarea de gran dificultad física– o asimilarse una población de un centenar de millones de personas que, en lo técnico, están a la misma altura que los oceánicos. El problema es el mismo para todos los superestados, siendo absolutamente imprescindible que su estructura no entre en contacto con extranjeros, excepto en reducidas proporciones con prisioneros de guerra y esclavos de color. Incluso el aliado oficial del momento es considerado con mucha suspicacia. El ciudadano medio de Oceanía nunca ve a un ciudadano de Eurasia ni de Asia Oriental –aparte de los prisioneros– y se le prohíbe que aprenda lenguas extranjeras. Si se le permitiera entrar en relación con extranjeros, descubriría que son criaturas iguales a él en lo esencial y que casi todo lo que se le ha dicho sobre ellos es una sarta de mentiras. Se rompería así el mundo cerrado en que vive y quizás desaparecieran el miedo, el odio y la rigidez fanática en que se basa su moral. Se admite, por tanto, en los tres Estados que por mucho que cambien de manos Persia, Egipto, Java o Ceilán, las fronteras principales nunca podrán ser cruzadas más que por las bombas.

Bajo todo esto hallamos un hecho al que nunca se alude, pero admitido tácitamente y sobre el que se basa toda conducta oficial, a saber: que las condiciones de vida de los tres superestados son casi las mismas. En Oceanía prevalece la ideología llamada Ingsoc, en Eurasia el neobolchevismo y en Asia Oriental lo que se conoce por un nombre chino que suele traducirse por «adoración de la muerte», pero que quizás quedaría mejor expresado como «desaparición del yo». Al ciudadano de Oceanía no se le permite saber nada de las otras dos ideologías, pero se le enseña a condenarlas como bárbaros insultos contra la moralidad y el sentido común. La verdad es que apenas pueden distinguirse las tres ideologías, y los sistemas sociales que ellas soportan son los mismos. En los tres existe la misma estructura piramidal, idéntica adoración a un jefe semidivino, la misma economía orientada hacia una guerra continua. De ahí que no sólo no puedan conquistarse mutuamente los tres superestados, sino que no tendrían ventaja alguna si lo consiguieran. Por el contrario, se ayudan mutuamente manteniéndose en pugna. Y los grupos dirigentes de las tres Potencias saben y no saben, a la vez, lo que están haciendo. Dedican sus vidas a la conquista del mundo, pero están convencidos al mismo tiempo de que es absolutamente necesario que la guerra continúe eternamente sin ninguna victoria definitiva. Mientras tanto, el hecho de que no hay peligro de conquista hace posible la denegación sistemática de la realidad, que es la característica principal del Ingsoc y de sus sistemas rivales. Y aquí hemos de repetir que, al hacerse continua, la guerra ha cambiado fundamentalmente de carácter.

En tiempos pasados, una guerra, casi por definición, era algo que más pronto o más tarde tenía un final; generalmente, una clara victoria o una derrota indiscutible. Además, en el pasado, la guerra era uno de los principales instrumentos con que se mantenían las sociedades humanas en contacto con la realidad física. Todos los gobernantes de todas las épocas intentaron imponer un falso concepto del mundo a sus súbditos, pero no podían fomentar ilusiones que perjudicasen la eficacia militar. Como quiera que la derrota significaba la pérdida de la independencia o cualquier otro resultado indeseable, habían de tomar serias precauciones para evitar la derrota. Estos hechos no podían ser ignorados. Aun admitiendo que en filosofía, en ciencia, en ética o en política dos y dos pudieran ser cinco, cuando se fabricaba un cañón o un aeroplano tenían que ser cuatro. Las naciones mal preparadas acababan siempre siendo conquistadas, y la lucha por una mayor eficacia no admitía ilusiones. Además, para ser eficaces había que aprender del pasado, lo cual suponía estar bien enterado de lo ocurrido en épocas anteriores. Los periódicos y los libros de historia eran parciales, naturalmente, pero habría sido imposible una falsificación como la que hoy se realiza. La guerra era una garantía de cordura. Y respecto a las clases gobernantes, era el freno más seguro. Nadie podía ser, desde el poder, absolutamente irresponsable desde el momento en que una guerra cualquiera podía ser ganada o perdida.

Pero cuando una guerra se hace continua, deja de ser peligrosa porque desaparece toda necesidad militar. El progreso técnico puede cesar y los hechos más palpables pueden ser negados o descartados como cosas sin importancia. Lo único eficaz en Oceanía es la Policía del Pensamiento. Como cada uno de los tres superestados es inconquistable, cada uno de ellos es, por tanto, un mundo separado dentro del cual puede ser practicada con toda tranquilidad cualquier perversión mental. La realidad sólo ejerce su presión sobre las necesidades de la vida cotidiana: la necesidad de comer y de beber, de vestirse y tener un techo, de no beber venenos ni caerse de las ventanas, etc... Entre la vida y la muerte, y entre el placer físico y el dolor físico, sigue habiendo una distinción, pero eso es todo. Cortados todos los contactos con el mundo exterior y con el pasado, el ciudadano de Oceanía es como un hombre en el espacio interestelar, que no tiene manera de saber por dónde se va hacia arriba y por dónde hacia abajo. Los gobernantes de un Estado como éste son absolutos como pudieran serlo los faraones o los césares. Se ven obligados a evitar que sus gentes se mueran de hambre en cantidades excesivas, y han de mantenerse al mismo nivel de baja técnica militar que sus rivales. Pero, una vez conseguido ese mínimo, pueden retorcer y deformar la realidad dándole la forma que se les antoje.

Por tanto, la guerra de ahora, comparada con las antiguas, es una impostura. Se podría comparar esto a las luchas entre ciertos rumiantes cuyos cuernos están colocados de tal manera que no pueden herirse. Pero aunque es una impostura, no deja de tener sentido. Sirve para consumir el sobrante de bienes y ayuda a conservar la atmósfera mental imprescindible para una sociedad jerarquizada. Como se ve, la guerra es ya sólo un asunto de política interna. En el pasado, los grupos dirigentes de todos los países, aunque reconocieran sus propios intereses e incluso los de sus enemigos y gritaran en lo posible la destructividad de la guerra, en definitiva luchaban unos contra otros y el vencedor aplastaba al vencido. En nuestros días no luchan unos contra otros, sino cada grupo dirigente contra sus propios súbditos, y el objeto de la guerra no es conquistar territorio ni defenderlo, sino mantener intacta la estructura de la sociedad. Por lo tanto, la palabra guerra se ha hecho equívoca. Quizás sería acertado decir que la guerra, al hacerse continua, ha dejado de existir. La presión que ejercía sobre los seres humanos entre la Edad neolítica y principios del siglo xx ha desaparecido, siendo sustituida por algo completamente distinto. El efecto sería muy parecido si los tres superestados, en vez de pelear cada uno con los otros, llegaran al acuerdo –respetándolo– de vivir en paz perpetua sin traspasar cada uno las fronteras del otro. En ese caso, cada uno de ellos seguiría siendo un mundo cerrado libre de la angustiosa influencia del peligro externo. Una paz que fuera de verdad permanente sería lo mismo que una guerra permanente. Éste es el sentido verdadero (aunque la mayoría de los miembros del Partido lo entienden sólo de un modo superficial) de la consigna del Partido: *la guerra es la paz.*

Winston dejó de leer un momento. A una gran distancia había estallado una bomba. La inefable sensación de estar leyendo el libro prohibido, en una habitación sin telepantalla, seguía llenándolo de satisfacción. La soledad y la seguridad eran sensaciones físicas, mezcladas por el cansancio de su cuerpo, la suavidad de la alfombra, la caricia de la débil brisa que entraba por la ventana... El libro le fascinaba o, más exactamente, lo tranquilizaba. En cierto sentido, no le enseñaba nada nuevo, pero esto era una parte de su encanto. Decía lo que el propio Winston podía haber dicho, si le hubiera sido posible ordenar sus propios pensamientos y darles una clara expresión. Este libro era el producto de una mente semejante a la suya, pero mucho más poderosa, más sistemática y libre de temores. Pensó Winston que los mejores libros son los que nos dicen lo que ya sabemos. Había vuelto al capítulo I cuando oyó los pasos de Julia en la escalera. Se levantó del sillón para salirle al encuentro. Julia entró en ese momento, tiró su bolsa al suelo y se lanzó a los brazos de él. Hacía más de una semana que no se habían visto.

–Tengo *el libro* –dijo Winston en cuanto se apartaron.

–¿Ah, sí? Muy bien –dijo ella sin gran interés y casi inmediatamente se arrodilló junto a la estufa para hacer café.

No volvieron a hablar del libro hasta después de media hora de estar en la cama. La tarde era bastante fresca para que mereciera la pena cerrar la ventana. De abajo llegaban las habituales canciones y el ruido de botas sobre el empedrado. La mujer de los brazos rojizos parecía no moverse del patio. A todas horas del día estaba lavando y tendiendo ropa. Julia tenía sueño, Winston volvió a coger el libro, que estaba en el suelo, y se sentó apoyando la espalda en la cabecera de la cama.

–Tenemos que leerlo –dijo–. Y tú también. Todos los miembros de la Hermandad deben leerlo.

–Léelo tú –dijo Julia con los ojos cerrados–. Léelo en voz alta. Así es mejor. Y me puedes explicar los puntos difíciles.

El viejo reloj marcaba las seis, o sea, las dieciocho. Disponían de tres o cuatro horas más. Winston se puso el libro abierto sobre las rodillas en ángulo y empezó a leer:

CAPÍTULO PRIMERO

La ignorancia es la fuerza

»Durante todo el tiempo de que se tiene noticia, probablemente desde fines del período neolítico, ha habido en el mundo tres clases de personas: los Altos, los Medianos y los Bajos. Se han subdividido de muchos modos, han llevado muy diversos nombres y su número relativo, así como la actitud que han guardado unos hacia otros, han variado de época en época; pero la estructura esencial de la sociedad nunca ha cambiado. Incluso después de enormes conmociones y de cambios que parecían irrevocables, la misma estructura ha vuelto a imponerse, igual que un giroscopio vuelve siempre a la posición de equilibrio por mucho que lo empujemos en un sentido o en otro.

–Julia, ¿estás despierta? –dijo Winston.

–Sí, amor mío, te escucho. Sigue. Es maravilloso.

Winston continuó leyendo:

Los fines de estos tres grupos son inconciliables. Los Altos quieren quedarse donde están. Los Medianos tratan de arrebatarles sus puestos a los Altos. La finalidad de los Bajos, cuando la tienen –porque su principal característica es hallarse aplastados por las exigencias de la vida cotidiana–, consiste en abolir todas las distinciones y crear una sociedad en que todos los hombres sean iguales. Así, vuelve a presentarse continuamente la misma lucha social. Durante largos períodos, parece que los Altos se encuentran muy seguros en su poder, pero siempre llega un momento en que pierden la confianza en sí mismos o se debilita su capacidad para gobernar, o ambas cosas a la vez. Entonces son derrotados por los Medianos, que llevan junto a ellos a los Bajos porque les han asegurado que ellos representan la libertad y la justicia. En cuanto logran sus objetivos, los Medianos abandonan a los Bajos y los relegan a su antigua posición de servidumbre, convirtiéndose ellos en los Altos. Entonces, un grupo de los Medianos se separa de los demás y empiezan a luchar entre ellos. De los tres grupos, solamente los Bajos no logran sus objetivos ni siquiera transitoriamente. Sería exagerado afirmar que en toda la Historia no ha habido progreso material. Aun hoy, en un período de decadencia, el ser humano se encuentra mejor que hace unos cuantos siglos. Pero ninguna reforma ni revolución alguna han conseguido acercarse ni un milímetro a la igualdad humana. Desde el punto de vista de los Bajos, ningún cambio histórico ha significado mucho más que un cambio en el nombre de sus amos.

A fines del siglo XIX eran muchos los que habían visto claro este juego. De ahí que surgieran escuelas del pensamiento que interpretaban la Historia como un proceso cíclico y aseguraban que la desigualdad era la ley inalterable de la vida humana. Desde luego, esta doctrina ha tenido siempre sus partidarios, pero se había introducido un cambio significativo. En el pasado, la necesidad de una forma jerárquica de la sociedad había sido la doctrina privativa de los Altos. Fue defendida por reyes, aristócratas, jurisconsultos, etc. Los Medianos, mientras luchaban por el poder, utilizaban términos como «libertad», «justicia» y «fraternidad». Sin embargo, el concepto de la fraternidad humana empezó a ser atacado por individuos que todavía no estaban en el Poder, pero que esperaban estarlo pronto. En el pasado, los Medianos hicieron revoluciones bajo la bandera de la igualdad, pero se limitaron a imponer una nueva tiranía apenas desaparecida la anterior. En cambio, los nuevos grupos de Medianos proclamaron de antemano su tiranía. El socialismo, teoría que apareció a principios del siglo XIX y que fue el último eslabón de una cadena que se extendía hasta las rebeliones de esclavos en la Antigüedad, seguía profundamente infestado por las viejas utopías. Pero a cada variante de socialismo aparecida a partir de 1900 se abandonaba más abiertamente la pretensión de establecer la libertad y la igualdad. Los nuevos movimientos que surgieron a mediados del siglo, Ingsoc en Oceanía, neobolchevismo en Eurasia y adoración de la muerte en Asia oriental, tenían como finalidad consciente la perpetuación de la falta de libertad y de la desigualdad social. Estos nuevos movimientos, claro está, nacieron de los antiguos y tendieron a conservar sus nombres y aparentaron respetar sus ideologías. Pero el propósito de todos ellos era sólo detener el progreso e inmovilizar a la Historia en un momento dado. El movimiento de péndulo iba a ocurrir una vez más y luego a detenerse. Como de costumbre, los Altos serían desplazados por los Medianos, que entonces se convertirían a su vez en Altos, pero esta vez, por una estrategia consciente, estos últimos Altos conservarían su posición permanentemente.

Las nuevas doctrinas surgieron en parte a causa de la acumulación de conocimientos históricos y del aumento del sentido histórico, que apenas había existido antes del siglo XIX. Se entendía ya el movimiento cíclico de la Historia, o parecía entenderse; y al ser comprendido podía ser también alterado. Pero la causa principal y subyacente era que ya a principios del siglo XX era técnicamente posible la igualdad humana. Seguía siendo cierto que los hombres no eran iguales en sus facultades innatas y que las funciones habían de especializarse de modo que favorecían inevitablemente a unos individuos sobre otros; pero ya no eran precisas las diferencias de clase ni las grandes diferencias de riqueza. Antiguamente, las diferencias de clase no sólo habían sido inevitables, sino deseables. La desigualdad era el precio de la civilización. Sin embargo, el desarrollo del maquinismo iba a cambiar esto. Aunque fuera aún necesario que los seres humanos realizaran diferentes clases de trabajo, ya no era preciso que vivieran en diferentes niveles sociales o económicos. Por tanto, desde el punto de vista de los nuevos grupos que estaban a punto de apoderarse del mando, no era ya la igualdad humana un ideal por el que convenía luchar, sino un peligro que había de ser evitado. En épocas más antiguas, cuando una sociedad justa y pacífica no era posible, resultaba muy fácil creer en ella. La idea de un paraíso terrenal en el que los hombres vivirían como hermanos, sin leyes y sin trabajo agotador, estuvo obsesionando a muchas imaginaciones durante miles de años. Y esta visión tuvo una cierta importancia incluso entre los grupos que de hecho se aprovecharon de cada cambio histórico. Los herederos de la Revolución francesa, inglesa y americana habían creído parcialmente en sus frases sobre los derechos humanos, libertad de expresión, igualdad ante la ley y demás, e incluso se dejaron influir en su conducta por algunas de ellas hasta cierto punto. Pero hacia la década cuarta del siglo XX todas las corrientes de pensamiento político eran autoritarias. Pero ese paraíso terrenal quedó desacreditado precisamente cuando podía haber sido realizado, y en el segundo cuarto del siglo XX volvieron a ponerse en práctica procedimientos que ya no se usaban desde hacía siglos: encarcelamiento sin proceso, empleo de los prisioneros de guerra como esclavos, ejecuciones públicas, tortura para extraer confesiones, uso de rehenes y deportación de poblaciones en masa. Todo esto se hizo habitual y fue defendido por individuos considerados como inteligentes y avanzados. Los nuevos sistemas políticos se basaban en la jerarquía y la regimentación.

Después de una década de guerras nacionales, guerras civiles, revoluciones y contrarrevoluciones en todas partes del mundo, surgieron el Ingsoc y sus rivales como teorías políticas inconmovibles. Pero ya las habían anunciado los varios sistemas, generalmente llamados totalitarios, que aparecieron durante el segundo cuarto de siglo y se veía claramente el perfil que había de tener el mundo futuro. La nueva aristocracia estaba formada en su mayoría por burócratas, hombres de ciencia, técnicos, organizadores sindicales, especialistas en propaganda, sociólogos, educadores, periodistas y políticos profesionales. Esta gente, cuyo origen estaba en la clase media asalariada y en la capa superior de la clase obrera, había sido formada y agrupada por el mundo inhóspito de la industria monopolizada y el gobierno centralizado. Comparados con los miembros de las clases dirigentes en el pasado, esos hombres eran menos avariciosos, les tentaba menos el lujo y más el placer de mandar, y, sobre todo, tenían más consciencia de lo que estaban haciendo y se dedicaban con mayor intensidad a aplastar a la oposición. Esta última diferencia era esencial. Comparadas con la que hoy existe, todas las tiranías del pasado fueron débiles e ineficaces. Los grupos gobernantes se hallaban contagiados siempre en cierta medida por las ideas liberales y no les importaba dejar cabos sueltos por todas partes. Sólo se preocupaban por los actos realizados y no se interesaban por lo que los súbditos pudieran pensar. En parte, esto se debe a que en el pasado ningún Estado tenía el poder necesario para someter a todos sus ciudadanos a una vigilancia constante. Sin embargo, el invento de la imprenta facilitó mucho el manejo de la opinión pública, y el cine y la radio contribuyeron en gran escala a acentuar este proceso. Con el desarrollo de la televisión y el adelanto técnico que hizo posible recibir y transmitir simultáneamente en el mismo aparato, terminó la vida privada. Todos los ciudadanos, o por lo menos todos aquellos ciudadanos que poseían la suficiente importancia para que mereciese la pena vigilarlos, podían ser tenidos durante las veinticuatro horas del día bajo la constante observación de la policía y rodeados sin cesar por la propaganda oficial, mientras que se les cortaba toda comunicación con el mundo exterior.

Por primera vez en la Historia existía la posibilidad de forzar a los gobernados, no sólo a una completa obediencia a la voluntad del Estado, sino a la completa uniformidad de opinión.

Después del período revolucionario entre los años cincuenta y tantos y setenta, la sociedad volvió a agruparse como siempre, en Altos, Medios y Bajos. Pero el nuevo grupo de Altos, a diferencia de sus predecesores, no actuaba ya por instinto, sino que sabía lo que necesitaba hacer para salvaguardar su posición. Los privilegiados se habían dado cuenta desde hacía bastante tiempo de que la base más segura para la oligarquía es el colectivismo. La riqueza y los privilegios se defienden más fácilmente cuando se poseen conjuntamente. La llamada «abolición de la propiedad privada», que ocurrió a mediados de este siglo, quería decir que la propiedad iba a concentrarse en un número mucho menor de manos que anteriormente, pero con esta diferencia: que los nuevos dueños constituirían un grupo en vez de una masa de individuos. Individualmente, ningún miembro del Partido posee nada, excepto insignificantes objetos de uso personal. Colectivamente, el Partido es el dueño de todo lo que hay en Oceanía, porque lo controla todo y dispone de los productos como mejor se le antoja. En los años que siguieron a la Revolución pudo ese grupo tomar el mando sin encontrar apenas oposición porque todo el proceso fue presentado como un acto de colectivización. Siempre se había dado por cierto que si la clase capitalista era expropiada, el socialismo se impondría, y era un hecho que los capitalistas habían sido expropiados. Las fábricas, las minas, las tierras, las casas, los medios de transporte, todo se les había quitado, y como todo ello dejaba de ser propiedad privada, era evidente que pasaba a ser propiedad pública. El Ingsoc, procedente del antiguo socialismo y que había heredado su fraseología, realizó los principios fundamentales de ese socialismo, con el resultado, previsto y deseado, de que la desigualdad económica se hizo permanente.

Pero los problemas que plantea la perpetuación de una sociedad jerarquizada son mucho más complicados. Sólo hay cuatro medios de que un grupo dirigente sea derribado del Poder. O es vencido desde fuera, o gobierna tan ineficazmente que las masas se le rebelan, o permite la formación de un grupo medio que lo pueda desplazar, o pierde la confianza en sí mismo y la voluntad de mando. Estas causas no operan sueltas, y por lo general se presentan las cuatro combinadas en cierta medida. El factor que decide en última instancia es la actitud mental de la propia clase gobernante.

Después de mediados del siglo XX, el primer peligro había desaparecido. No había posibilidad de una derrota infligida por una potencia enemiga. Cada uno de los tres superestados en que ahora se divide el mundo es inconquistable, y sólo podría llegar a ser conquistado por lentos cambios demográficos, que un Gobierno con amplios poderes puede evitar muy fácilmente. El segundo peligro es sólo teórico. Las masas nunca se levantan por su propio impulso y nunca lo harán por la sola razón de que están oprimidas. Las crisis económicas del pasado fueron absolutamente innecesarias y ahora no se tolera que ocurran, pero de todos modos ninguna razón de descontento podrá tener ahora resultados políticos, ya que no hay modo de que el descontento se articule. En cuanto al problema de la superproducción, que ha estado latente en nuestra sociedad desde el desarrollo del maquinismo, queda resuelto por el recurso de la guerra continua (véase el capítulo III), que es también necesaria para mantener la moral pública a un elevado nivel. Por tanto, desde el punto de vista de nuestros actuales gobernantes, los únicos peligros auténticos son la aparición de un nuevo grupo de personas muy capacitadas y ávidas de poder o el crecimiento del espíritu liberal y del escepticismo en las propias filas gubernamentales. O sea, todo se reduce a un problema de educación, a moldear continuamente la mentalidad del grupo dirigente y del que se halla inmediatamente debajo de él. En cambio, la consciencia de las masas sólo ha de ser influida de un modo negativo.

Con este fondo se puede deducir la estructura general de la sociedad de Oceanía. En el vértice de la pirámide está el Gran Hermano. Éste es infalible y todopoderoso. Todo triunfo, todo descubrimiento científico, toda sabiduría, toda felicidad, toda virtud, se considera que procede directamente de su inspiración y de su poder. Nadie ha visto nunca al Gran Hermano. Es una cara en los carteles, una voz en la telepantalla. Podemos estar seguros de que nunca morirá y no hay manera de saber cuándo nació. El Gran Hermano es la concreción con que el Partido se presenta al mundo. Su función es actuar como punto de mira para todo amor, miedo o respeto, emociones que se sienten con mucha mayor facilidad hacia un individuo que hacia una organización. Detrás del Gran Hermano se halla el Partido Interior, del cual sólo forman parte seis millones de personas, o sea, menos del seis por ciento de la población de Oceanía. Después del Partido Interior, tenemos el Partido Exterior; y si el primero puede ser descrito como «el cerebro del Estado», el segundo pudiera ser comparado a las manos. Más abajo se encuentra la masa amorfa de los proles, que constituyen quizás el ochenta y cinco por ciento de la población. En los términos de nuestra anterior clasificación, los proles son los Bajos. Y las masas de esclavos procedentes de las tierras ecuatoriales, que pasan constantemente de vencedor a vencedor (no olvidemos que «vencedor» sólo debe ser tomado de un modo relativo) y no forman parte de la población propiamente dicha.

En principio, la pertenencia a estos tres grupos no es hereditaria. No se considera que un niño nazca dentro del Partido Interior porque sus padres pertenezcan a él. La entrada en cada una de las ramas del Partido se realiza mediante examen a la edad de dieciséis años. Tampoco hay prejuicios raciales ni dominio de una provincia sobre otra. En los más elevados puestos del Partido encontramos judíos, negros, sudamericanos de pura sangre india, y los dirigentes de cualquier zona proceden siempre de los habitantes de ese área. En ninguna parte de Oceanía tienen sus habitantes la sensación de ser una población colonial regida desde una capital remota. Oceanía no tiene capital y su jefe titular es una persona cuya residencia nadie conoce. No está centralizada en modo alguno, aparte de que el inglés es su principal *lingua franca* y que la neolengua es su idioma oficial. Sus gobernantes no se hallan ligados por lazos de sangre, sino por la adherencia a una doctrina común. Es verdad que nuestra sociedad se compone de estratos –una división muy rígida en estratos– ateniéndose a lo que a primera vista parecen normas hereditarias. Hay mucho menos intercambio entre los diferentes grupos de lo que había en la época capitalista o en las épocas preindustriales. Entre las dos ramas del Partido se verifica algún intercambio, pero solamente lo necesario para que los débiles sean excluidos del Partido Interior y que los miembros ambiciosos del Partido Exterior pasen a ser inofensivos al subir de categoría. En la práctica, los proletarios no pueden entrar en el Partido. Los más dotados de ellos, que podían quizás constituir un núcleo de descontentos, son fichados por la Policía del Pensamiento y eliminados. Pero semejante estado de cosas no es permanente ni de ello se hace cuestión de principio. El Partido no es una clase en el antiguo sentido de la palabra. No se propone transmitir el poder a sus hijos como tales descendientes directos, y si no hubiera otra manera de mantener en los puestos de mando a los individuos más capaces, estaría dispuesto el Partido a reclutar una generación completamente nueva de entre las filas del proletariado. En los años cruciales, el hecho de que el Partido no fuera un cuerpo hereditario contribuyó muchísimo a neutralizar la oposición. El socialista de la vieja escuela, acostumbrado a luchar contra algo que se llamaba «privilegios de clase», daba por cierto que todo lo que no es hereditario no puede ser permanente. No comprendía que la continuidad de una oligarquía no necesita ser física ni se paraba a pensar que las aristocracias hereditarias han sido siempre de corta vida, mientras que organizaciones basadas en la adopción han durado centenares y miles de años. Lo esencial de la regla oligárquica no es la herencia de padre a hijo, sino la persistencia de una cierta manera de ver el mundo y de un cierto modo de vida impuesto por los muertos a los vivos. Un grupo dirigente es tal grupo dirigente en tanto pueda nombrar a sus sucesores. El Partido no se preocupa de perpetuar su sangre, sino de perpetuarse a sí mismo. No importa *quién* detenta el Poder con tal de que la estructura jerárquica sea siempre la misma.

Todas las creencias, costumbres, aficiones, emociones y actitudes mentales que caracterizan a nuestro tiempo sirven para sostener la mística del Partido y evitar que la naturaleza de la sociedad actual sea percibida por la masa. La rebelión física o cualquier movimiento preliminar hacia la rebelión no es posible en nuestros días. Nada hay que temer de los proletarios. Dejados aparte, continuarán, de generación en generación y de siglo en siglo, trabajando, procreando y muriendo, no sólo sin sentir impulsos de rebelarse, sino sin la facultad de comprender que el mundo podría ser diferente de lo que es. Sólo podrían convertirse en peligrosos si el progreso de la técnica industrial hiciera necesario educarles mejor; pero como la rivalidad militar y comercial ha perdido toda importancia, el nivel de la educación popular declina continuamente. Las opiniones que tenga o no tenga la masa se consideran con absoluta indiferencia. A los proletarios se les puede conceder la libertad intelectual por la sencilla razón de que no tienen intelecto alguno. En cambio, a un miembro del Partido no se le puede tolerar ni siquiera la más pequeña desviación ideológica.

Todo miembro del Partido vive, desde su nacimiento hasta su muerte, vigilado por la Policía del Pensamiento. Incluso cuando está solo no puede tener la seguridad de hallarse efectivamente solo. Dondequiera que esté, dormido o despierto, trabajando o descansando, en el baño o en la cama, puede ser inspeccionado sin previo aviso y sin que él sepa que lo inspeccionan. Nada de lo que hace es indiferente para la Policía del Pensamiento. Sus amistades, sus distracciones, su conducta con su mujer y sus hijos, la expresión de su rostro cuando se encuentra solo, las palabras que murmura durmiendo, incluso los movimientos característicos de su cuerpo, son analizados escrupulosamente. No sólo una falta efectiva en su conducta, sino cualquier pequeña excentricidad, cualquier cambio de costumbres, cualquier gesto nervioso que pueda ser el síntoma de una lucha interna, será estudiado con todo interés. El miembro del Partido carece de toda libertad para decidirse por una dirección determinada; no puede elegir en modo alguno. Por otra parte, sus actos no están regulados por ninguna ley ni por un código de conducta claramente formulado. En Oceanía no existen leyes. Los pensamientos y actos que, una vez descubiertos, acarrean la muerte segura, no están prohibidos expresamente y las interminables purgas, torturas, detenciones y vaporizaciones no se le aplican al individuo como castigo por crímenes que haya cometido, sino que son sencillamente el barrido de personas que quizás algún día pudieran cometer un crimen político. No sólo se le exige al miembro del Partido que tenga las opiniones que se consideran buenas, sino también los instintos ortodoxos. Muchas de las creencias y actitudes que se le piden no llegan a fijarse nunca en normas estrictas y no podrían ser proclamadas sin incurrir en flagrantes contradicciones con los principios mismos del Ingsoc. Si una persona es ortodoxa por naturaleza (en neolengua se le llama *piensabien*) sabrá en cualquier circunstancia, sin detenerse a pensarlo, cuál es la creencia acertada o la emoción deseable. Pero en todo caso, un enfrentamiento mental complicado, que comienza en la infancia y se concentra en torno a las palabras neolingüísticas *paracrimen*, *negroblanco* y *doblepensar*, le convierte en un ser incapaz de pensar demasiado sobre cualquier tema.

Se espera que todo miembro del Partido carezca de emociones privadas y que su entusiasmo no se enfríe en ningún momento. Se supone que vive en un continuo frenesí de odio contra los enemigos extranjeros y los traidores de su propio país, en una exaltación triunfal de las victorias y en absoluta humildad y entrega ante el poder y la sabiduría del Partido. Los descontentos producidos por esta vida tan seca y poco satisfactoria son suprimidos de raíz mediante la vibración emocional de los Dos Minutos de Odio, y las especulaciones que podrían quizás llevar a una actitud escéptica o rebelde son aplastadas en sus comienzos o, mejor dicho, antes de asomar a la consciencia, mediante la disciplina interna adquirida desde la niñez. La primera etapa de esta disciplina, que puede ser enseñada incluso a los niños, se llama en neolengua *paracrimen*. *Paracrimen* significa la facultad de parar, de cortar en seco, de un modo casi instintivo, todo pensamiento peligroso que pretenda salir a la superficie. Incluye esta facultad la de no percibir las analogías, de no darse cuenta de los errores de lógica, de no comprender los razonamientos más sencillos si son contrarios a los principios del Ingsoc y de sentirse fastidiado e incluso asqueado por todo pensamiento orientado en una dirección herética. *Paracrimen* equivale, pues, a estupidez protectora. Pero no basta con la estupidez. Por el contrario, la ortodoxia en su más completo sentido exige un control sobre nuestros procesos mentales, un autodominio tan completo como el de una contorsionista sobre su cuerpo. La sociedad oceánica se apoya en definitiva sobre la creencia de que el Gran Hermano es omnipotente y que el Partido es infalible. Pero como en realidad el Gran Hermano no es omnipotente y el Partido no es infalible, se requiere una incesante flexibilidad para enfrentarse con los hechos. La palabra clave en esto es *negroblanco*. Como tantas palabras neolingüísticas, ésta tiene dos significados contradictorios. Aplicada a un contrario, significa la costumbre de asegurar descaradamente que lo negro es blanco en contradicción con la realidad de los hechos. Aplicada a un miembro del Partido significa la buena y leal voluntad de afirmar que lo negro es blanco cuando la disciplina del Partido lo exija. Pero también se designa con esa palabra la facultad de *creer* que lo negro es blanco, más aún, de *saber* que lo negro es blanco y olvidar que alguna vez se creyó lo contrario. Esto exige una continua alteración del pasado, posible gracias al sistema de pensamiento que abarca a todo lo demás y que se conoce con el nombre de *doblepensar*.

La alteración del pasado es necesaria por dos razones, una de las cuales es subsidiaria y, por decirlo así, de precaución. La razón subsidiaria es que el miembro del Partido, lo mismo que el proletario, tolera las condiciones de vida actuales, en gran parte porque no tiene con qué compararlas. Hay que cortarle radicalmente toda relación con el pasado, así como hay que aislarlo de los países extranjeros, porque es necesario que se crea en mejores condiciones que sus antepasados y que se haga la ilusión de que el nivel de comodidades materiales crece sin cesar. Pero la razón más importante para «reformar» el pasado es la necesidad de salvaguardar la infalibilidad del Partido. No solamente es preciso poner al día los discursos, estadísticas y datos de toda clase para demostrar que las predicciones del Partido nunca fallan, sino que no puede admitirse en ningún caso que la doctrina política del Partido haya cambiado lo más mínimo porque cualquier variación de táctica política es una confesión de debilidad. Si, por ejemplo, Eurasia o Asia Oriental es la enemiga de hoy, es necesario que ese país (el que sea de los dos, según las circunstancias) figure como el enemigo de siempre. Y si los hechos demuestran otra cosa, habrá que cambiar los hechos. Así, la Historia ha de ser escrita continuamente. Esta falsificación diaria del pasado, realizada por el Ministerio de la Verdad, es tan imprescindible para la estabilidad del régimen como la represión y el espionaje efectuados por el Ministerio del Amor.

La mutabilidad del pasado es el eje del Ingsoc. Los acontecimientos pretéritos no tienen existencia objetiva, sostiene el Partido, sino que sobreviven sólo en los documentos y en las memorias de los hombres. El pasado es únicamente lo que digan los testimonios escritos y la memoria humana. Pero como quiera que el Partido controla por completo todos los documentos y también la mente de todos sus miembros, resulta que el pasado será lo que el Partido quiera que sea. También resulta que aunque el pasado puede ser cambiado, nunca lo ha sido en ningún caso concreto. En efecto, cada vez que ha habido que darle nueva forma por las exigencias del momento, esta nueva versión *es* ya el pasado y no ha existido ningún pasado diferente. Esto sigue siendo así incluso cuando –como ocurre a menudo– el mismo acontecimiento tenga que ser alterado, hasta hacerse irreconocible, varias veces en el transcurso de un año. En cualquier momento se halla el Partido en posesión de la verdad absoluta y, naturalmente, lo absoluto no puede haber sido diferente de lo que es ahora. Se verá, pues, que el control del pasado depende por completo del entrenamiento de la memoria. La seguridad de que todos los escritos están de acuerdo con el punto de vista ortodoxo que exigen las circunstancias, no es más que una labor mecánica. Pero también es preciso *recordar* que los acontecimientos ocurrieron de la manera deseada. Y si es necesario adaptar de nuevo nuestros recuerdos o falsificar los documentos, también es necesario *olvidar* que se ha hecho esto. Este truco puede aprenderse como cualquier otra técnica mental. La mayoría de los miembros del Partido lo aprenden y desde luego lo consiguen muy bien todos aquellos que son inteligentes además de ortodoxos. En el antiguo idioma se conoce esta operación con toda franqueza como «control de la realidad». En neolengua se le llama *doblepensar*, aunque también es verdad que *doblepensar* comprende muchas cosas.

Doblepensar significa el poder, la facultad de sostener dos opiniones contradictorias simultáneamente, dos creencias contrarias albergadas a la vez en la mente. El intelectual del Partido sabe en qué dirección han de ser alterados sus recuerdos; por tanto, sabe que está trucando la realidad; pero al mismo tiempo se satisface a sí mismo por medio del ejercicio del *doblepensar* en el sentido de que la realidad no queda violada. Este proceso ha de ser consciente, pues, si no, no se verificaría con la suficiente precisión, pero también tiene que ser inconsciente para que no deje un sentimiento de falsedad y, por tanto, de culpabilidad. El *doblepensar* está arraigando en el corazón mismo del Ingsoc, ya que el acto esencial del Partido es el empleo del engaño consciente, conservando a la vez la firmeza de propósito que caracteriza a la auténtica honradez. Decir mentiras a la vez que se cree sinceramente en ellas, olvidar todo hecho que no convenga recordar, y luego, cuando vuelva a ser necesario, sacarlo del olvido sólo por el tiempo que convenga, negar la existencia de la realidad objetiva sin dejar ni por un momento de saber que existe esa realidad que se niega..., todo esto es indispensable. Incluso para usar la palabra *doblepensar* es preciso emplear el doblepensar. Porque para usar la palabra se admite que se están haciendo trampas con la realidad. Mediante un nuevo acto de doblepensar se borra este conocimiento; y así indefinidamente, manteniéndose la mentira siempre unos pasos delante de la verdad. En definitiva, gracias al doblepensar ha sido capaz el Partido –y seguirá siéndolo durante miles de años– de parar el curso de la Historia.

Todas las oligarquías del pasado han perdido el poder porque se anquilosaron o por haberse reblandecido excesivamente. O bien se hacían estúpidas y arrogantes, incapaces de adaptarse a las nuevas circunstancias, y eran vencidas, o bien se volvían liberales y cobardes, haciendo concesiones cuando debieron usar la fuerza, y también fueron derrotadas. Es decir, cayeron por exceso de consciencia o por pura inconsciencia. El gran éxito del Partido es haber logrado un sistema de pensamiento en que tanto la consciencia como la inconsciencia pueden existir simultáneamente. Y ninguna otra base intelectual podría servirle al Partido para asegurar su permanencia. Si uno ha de gobernar, y de seguir gobernando siempre, es imprescindible que desquicie el sentido de la realidad. Porque el secreto del gobierno infalible consiste en combinar la creencia en la propia infalibilidad con la facultad de aprender de los pasados errores.

No es preciso decir que los más sutiles cultivadores del doblepensar son aquellos que lo inventaron y que saben perfectamente que este sistema es la mejor organización del engaño mental. En nuestra sociedad, aquellos que saben mejor lo que está ocurriendo son a la vez los que están más lejos de ver al mundo como realmente es. En general, a mayor comprensión, mayor autoengaño: los más inteligentes son en esto los menos cuerdos. Un claro ejemplo de ello es que la histeria de guerra aumenta en intensidad a medida que subimos en la escala social. Aquellos cuya actitud hacia la guerra es más racional son los súbditos de los territorios disputados. Para estas gentes, la guerra es sencillamente una calamidad continua que pasa por encima de ellos con movimiento de marea. Para ellos es completamente indiferente cuál de los bandos va a ganar. Saben que un cambio de dueño significa sólo que seguirán haciendo el mismo trabajo que antes, pero sometidos a nuevos amos que los tratarán lo mismo que los anteriores. Los trabajadores algo más favorecidos, a los que llamamos proles, sólo se dan cuenta de un modo intermitente de que hay guerra. Cuando es necesario se les inculca el frenesí de odio y miedo, pero si se les deja tranquilos son capaces de olvidar durante largos períodos que existe una guerra. Y en las filas del Partido –sobre todo en las del Partido Interior– hallamos el verdadero entusiasmo bélico. Sólo creen en la conquista del mundo los que saben que es imposible. Esta peculiar trabazón de elementos opuestos –conocimiento con ignorancia, cinismo con fanatismo– es una de las características distintivas de la sociedad oceánica. La ideología oficial abunda en contradicciones incluso cuando no hay razón alguna que las justifique. Así, el Partido rechaza y vilifica todos los principios que defendió en un principio el movimiento socialista, y pronuncia esa condenación precisamente en nombre del socialismo. Predica el desprecio de las clases trabajadoras. Un desprecio al que nunca se había llegado, y a la vez viste a sus miembros con un uniforme que fue en tiempos el distintivo de los obreros manuales y que fue adoptado por esa misma razón. Sistemáticamente socava la solidaridad de la familia y al mismo tiempo llama a su jefe supremo con un nombre que es una evocación de la lealtad familiar. Incluso los nombres de los cuatro ministerios que los gobiernan revelan un gran descaro al tergiversar deliberadamente los hechos. El Ministerio de la Paz se ocupa de la guerra; El Ministerio de la Verdad, de las mentiras; el Ministerio del Amor, de la tortura, y el Ministerio de la Abundancia, del hambre. Estas contradicciones no son accidentales, no resultan de la hipocresía corriente. Son ejercicios de doblepensar. Porque sólo mediante la reconciliación de las contradicciones es posible retener el mando indefinidamente. Si no, se volvería al antiguo ciclo. Si la igualdad humana ha de ser evitada para siempre, si los Altos, como los hemos llamado, han de conservar sus puestos de un modo permanente, será imprescindible que el estado mental predominante sea la locura controlada.

Pero hay una cuestión que hasta ahora hemos dejado a un lado. A saber: ¿por qué debe ser evitada la igualdad humana? Suponiendo que la mecánica de este proceso haya quedado aquí claramente descrita, debemos preguntarnos: ¿cuál es el motivo de este enorme y minucioso esfuerzo planeado para congelar la historia de un determinado momento?

Llegamos con esto al secreto central. Como hemos visto, la mística del Partido, y sobre todo la del Partido Interior, depende del doblepensar. Pero a más profundidad aún, se halla el motivo original, el instinto nunca puesto en duda, el instinto que los llevó por primera vez a apoderarse de los mandos y que produjo el doblepensar, la Policía del Pensamiento, la guerra continua y todos los demás elementos que se han hecho necesarios para el sostenimiento del Poder. Este motivo consiste realmente en...

Winston se dio cuenta del silencio, lo mismo que se da uno cuenta de un nuevo ruido. Le parecía que Julia había estado completamente inmóvil desde hacía un rato. Estaba echada de lado, desnuda de la cintura para arriba, con su mejilla apoyada en la mano y una sombra oscura atravesándole los ojos. Su seno subía y bajaba poco a poco y con regularidad.

–Julia.

No hubo respuesta.

–Julia, ¿estás despierta?

Silencio. Estaba dormida. Cerró el libro y lo depositó cuidadosamente en el suelo, se echó y estiró la colcha sobre los dos.

Todavía, pensó, no se había enterado de cuál era el último secreto. Entendía el *cómo*; no entendía el *porqué*. El capítulo I, como el capítulo III, no le habían enseñado nada que él no supiera. Solamente le habían servido para sistematizar los conocimientos que ya poseía. Pero después de leer aquellas páginas tenía una mayor seguridad de no estar loco. Encontrarse en minoría, incluso en minoría de uno solo, no significaba estar loco. Había la verdad y lo que no era verdad, y si uno se aferraba a la verdad incluso contra el mundo entero, no estaba uno loco. Un rayo amarillento del sol poniente entraba por la ventana y se aplastaba sobre la almohada. Winston cerró los ojos. El sol en sus ojos y el suave cuerpo de la muchacha tocando al suyo le daba una sensación de sueño, fuerza y confianza. Todo estaba bien y él se hallaba completamente seguro allí. Se durmió con el pensamiento «la cordura no depende de las estadísticas», convencido de que esta observación contenía una sabiduría profunda.

X

Se despertó con la sensación de haber dormido mucho tiempo, pero una mirada al antiguo reloj le dijo que eran sólo las veinte y treinta. Siguió adormilado un rato; le despertó otra vez la habitual canción del patio:

Era sólo una ilusión sin esperanza
que pasó como un día de abril;
pero aquella mirada, aquella palabra
y los ensueños que despertaron
me robaron el corazón.

Esta canción conservaba su popularidad. Se oía por todas partes. Había sobrevivido a la Canción del Odio. Julia se despertó al oírla, se estiró con lujuria y se levantó.

–Tengo hambre –dijo–. Vamos a hacer un poco de café. ¡Caramba! La estufa se ha apagado y el agua está fría. –Cogió la estufa y la sacudió–. No tiene ya gasolina.

–Supongo que el viejo Charrington podrá dejarnos alguna –dijo Winston.

–Lo curioso es que me había asegurado de que estuviera llena –añadió ella–. Parece que se ha enfriado.

Él también se levantó y se vistió. La incansable voz proseguía:

Dicen que el tiempo lo cura todo,
dicen que siempre se olvida,
pero las sonrisas y lágrimas
a lo largo de los años
me retuercen el corazón.

Mientras se apretaba el cinturón del «mono», Winston se asomó a la ventana. El sol debía de haberse ocultado detrás de las casas porque ya no daba en el patio. El cielo estaba tan azul, entre las chimeneas, que parecía recién lavado. Incansablemente, la lavandera seguía yendo del lavadero a las cuerdas, cantando y callándose y no dejaba de colgar panales. Se preguntó Winston si aquella mujer lavaría ropa como medio de vida, o si era la esclava de veinte o treinta nietos. Julia se acercó a él; juntos contemplaron fascinados el ir y venir de la mujerona. Al mirarla en su actitud característica, alcanzando el tendedero con sus fuertes brazos, o al agacharse sacando sus poderosas ancas, pensó Winston, sorprendido, que era una hermosa mujer. Nunca se le había ocurrido que el cuerpo de una mujer de cincuenta años, deformado hasta adquirir dimensiones monstruosas a causa de los partos y endurecido, embastecido por el trabajo, pudiera ser un hermoso cuerpo. Pero así era, y después de todo, ¿por qué no? El sólido y deformado cuerpo, como un bloque de granito, y la basta piel enrojecida guardaba la misma relación con el cuerpo de una muchacha que un fruto con la flor de su árbol. ¿Y por qué va a ser inferior el fruto a la flor?

–Es hermosa –murmuró.

–Por lo menos tiene un metro de caderas –dijo Julia.

–Es su estilo de belleza.

Winston abarcó con su brazo derecho el fino talle de Julia, que se apoyó sobre su costado. Nunca podrían permitírselo. La mujer de abajo no se preocupaba con sutilezas mentales; tenía fuertes brazos, un corazón cálido y un vientre fértil. Se preguntó Winston cuántos hijos habría tenido. Seguramente unos quince. Habría florecido momentáneamente –quizás durante un año– y luego se había hinchado como una fruta fertilizada y se había hecho dura y basta, y a partir de entonces su vida se había reducido a lavar, fregar, remendar, guisar, barrer, sacar brillo, primero para sus hijos y luego para sus nietos durante una continuidad de treinta años. Y al final todavía cantaba. La reverencia mística que Winston sentía hacia ella tenía cierta relación con el aspecto del pálido y limpio cielo que se extendía por entre las chimeneas y los tejados en una distancia infinita. Era curioso pensar que el cielo era el mismo para todo el mundo, lo mismo para los habitantes de Eurasia y de Asia Oriental, que para los de Oceanía. Y en realidad las gentes que vivían bajo ese mismo cielo eran muy parecidas en todas partes, centenares o millares de millones de personas como aquélla, personas que ignoraban mutuamente sus existencias, separadas por muros de odio y mentiras, y sin embargo casi exactamente iguales; gentes que nunca habían aprendido a pensar, pero que almacenaban en sus corazones, en sus vientres y en sus músculos la energía que en el futuro habría de cambiar al mundo. ¡Si había alguna esperanza, radicaba en los proles! Sin haber leído el final del libro, sabía Winston que ése tenía que ser el mensaje final de Goldstein. El futuro pertenecía a los proles. Y, ¿podía él estar seguro de que cuando llegara el tiempo de los proles, el mundo que éstos construyeran no le resultaría tan extraño a él, a Winston Smith, como le era ahora el mundo del Partido? Sí, porque por lo menos sería un mundo de cordura. Donde hay igualdad puede haber sensatez. Antes o después ocurriría esto, la fuerza almacenada se transmutaría en consciencia. Los proles eran inmortales, no cabía dudarlo cuando se miraba aquella heroica figura del patio. Al final se despertarían. Y hasta que ello ocurriera, aunque tardasen mil años, sobrevivirían a pesar de todos los obstáculos como los pájaros, pasándose de cuerpo a cuerpo la vitalidad que el Partido no poseía y que éste nunca podría aniquilar.

–¿Te acuerdas –le dijo a Julia– de aquel pájaro que cantó para nosotros, el primer día en que estuvimos juntos en el lindero del bosque?

–No cantaba para nosotros –respondió ella–. Cantaba

para distraerse, porque le gustaba. Tampoco; sencillamente, estaba cantando.

Los pájaros cantaban; los proles cantaban también, pero el Partido no cantaba. Por todo el mundo, en Londres y en Nueva York, en África y en el Brasil, así como en las tierras prohibidas más allá de las fronteras, en las calles de París y Berlín, en las aldeas de la interminable llanura rusa, en los bazares de China y del Japón, por todas partes existía la misma figura inconquistable, el mismo cuerpo deformado por el trabajo y por los partos, en lucha permanente desde el nacer al morir, y que sin embargo cantaba. De esas poderosas entrañas nacería antes o después una raza de seres conscientes. «Nosotros somos los muertos; el futuro es de ellos», pensó Winston. Pero era posible participar de ese futuro si se mantenía alerta la mente como ellos, los proles, mantenían vivos sus cuerpos. Todo el secreto estaba en pasarse de unos a otros la doctrina secreta de que dos y dos son cuatro.

–Nosotros somos los muertos –dijo Winston.

–Nosotros somos los muertos –repitió Julia con obediencia escolar.

–Vosotros sois los muertos –dijo una voz de hierro tras ellos.

Winston y Julia se separaron con un violento sobresalto. A Winston parecían habérsele helado las entrañas y, mirando a Julia, observó que se le habían abierto los ojos desmesuradamente y que había empalidecido hasta adquirir su cara un color amarillo lechoso. La mancha del colorete en las mejillas se destacaba violentamente como si fueran parches sobre la piel.

–Vosotros sois los muertos –repitió la voz de hierro.

–Ha sido detrás del cuadro –murmuró Julia.

–Ha sido detrás del cuadro –repitió la voz–. Quedaos exactamente donde estáis. No hagáis ningún movimiento hasta que se os ordene.

¡Por fin, aquello había empezado! Nada podían hacer sino mirarse fijamente. Ni siquiera se les ocurrió escaparse, salir de la casa antes de que fuera demasiado tarde. Sabían que era inútil. Era absurdo pensar que la voz de hierro procedente del muro pudiera ser desobedecida. Se oyó un chasquido como si hubiese girado un resorte, y un ruido de cristal roto. El cuadro había caído al suelo descubriendo la telepantalla que ocultaba.

–Ahora pueden vernos –dijo Julia.

–Ahora podemos veros –dijo la voz–. Permaneced en el centro de la habitación. Espalda contra espalda. Poneos las manos enlazadas detrás de la cabeza. No os toquéis el uno al otro.

Por supuesto, no se tocaban, pero a Winston le parecía sentir el temblor del cuerpo de Julia. O quizás no fuera más que su propio temblor. Podía evitar que los dientes le castañetearan, pero no podía controlar las rodillas. Se oyeron unos pasos de pesadas botas en el piso bajo dentro y fuera de la casa. El patio parecía estar lleno de hombres; arrastraban algo sobre las piedras. La mujer dejó de cantar súbitamente. Se produjo un resonante ruido, como si algo rodara por el patio. Seguramente, era el barreño de lavar la ropa. Luego, varios gritos de ira que terminaron con un alarido de dolor.

–La casa está rodeada –dijo Winston.

–La casa está rodeada –dijo la voz.

Winston oyó que Julia le decía:

–Supongo que podremos decirnos adiós.

–Podéis deciros adiós –dijo la voz. Y luego, otra voz por completo distinta, una voz fina y culta que Winston creía haber oído alguna vez, dijo:

–Y ya que estamos en esto, *aquí tenéis una vela para alumbraros mientras os acostáis; aquí tenéis un hacha para cortaros la cabeza.*

Algo cayó con estrépito sobre la cama a espaldas de Winston. Era el marco de la ventana, que había sido derribado por la escalera de mano que habían apoyado allí desde abajo. Por la escalera de la casa subía gente. Pronto se llenó la habitación de hombres corpulentos con uniformes negros, botas fuertes y altas porras en las manos.

Ya Winston no temblaba. Ni siquiera movía los ojos. Sólo le importaba una cosa: estarse inmóvil y no darles motivo para que le golpearan. Un individuo con aspecto de campeón de lucha libre, cuya boca era sólo una raya, se detuvo frente a él, balanceando la porra entre los dedos pulgar e índice mientras parecía meditar. Winston lo miró a los ojos. Era casi intolerable la sensación de hallarse desnudo, con las manos detrás de la cabeza. El hombre sacó un poco la lengua, una lengua blanquecina, y se lamió el sitio donde debía haber tenido los labios. Dejó de prestarle atención a Winston. Hubo otro ruido violento. Alguien había cogido el pisapapeles de cristal y lo había arrojado contra el hogar de la chimenea, donde se había hecho trizas.

El fragmento de coral, un pedacito de materia roja como un capullito de los que adornan algunas tartas, rodó por la estera. «¡Qué pequeño es!», pensó Winston. Detrás de él se produjo un ruido sordo y una exclamación contenida, a la vez que recibía un violento golpe en el tobillo que casi le hizo caer al suelo. Uno de los hombres le había dado a Julia un puñetazo en la boca del estómago, haciéndola doblarse como un metro de bolsillo. La joven se retorcía en el suelo esforzándose por respirar. Winston no se atrevió a volver la cabeza ni un milímetro, pero a veces entraba en su radio de visión la lívida y angustiada cara de Julia. A pesar del terror que sentía, era como si el dolor que hacía retorcerse a la joven lo tuviera él dentro de su cuerpo, aquel dolor espantoso que sin embargo era menos importante que la lucha por volver a respirar. Winston sabía de qué se trataba: conocía el terrible dolor que ni siquiera puede ser sentido porque antes que nada es necesario volver a respirar. Entonces, dos de los hombres la levantaron por las rodillas y los hombros y se la llevaron de la habitación como un saco. Winston pudo verle la cara amarilla y contorsionada, con los ojos cerrados y sin haber perdido todavía el colorete de las mejillas.

Siguió inmóvil como una estatua. Aún no le habían pegado. Le acudían a la mente pensamientos de muy poco interés en aquel momento, pero que no podía evitar. Se preguntó qué habría sido del señor Charrington y qué le habrían hecho a la mujer del patio. Sintió urgentes deseos de orinar y se sorprendió de ello porque lo había hecho dos horas antes. Notó que el reloj de la repisa de la chimenea marcaba las nueve, es decir, las veintiuna, pero por la luz parecía ser más temprano. ¿No debía estar oscureciendo a las veintiuna de una tarde de agosto? Pensó que quizás Julia y él se hubieran equivocado de hora. Quizás habían creído que eran las veinte y treinta cuando fueran en realidad las cero treinta de la mañana siguiente, pero no siguió pensando en ello. Aquello no tenía interés. Se sintieron otros pasos, más leves éstos, en el pasillo. El señor Charrington entró en la habitación. Los hombres de los uniformes negros adoptaron en seguida una actitud más sumisa. También habían cambiado la actitud y el aspecto del señor Charrington. Se fijó en los fragmentos del pisapapeles de cristal.

–Recoged esos pedazos –dijo con tono severo.

Un hombre se agachó para recogerlos.

Charrington no hablaba ya con acento *cockney*. Winston comprendió en seguida que aquélla era la voz que él había oído poco antes en la telepantalla. Charrington llevaba todavía su chaqueta de terciopelo, pero el cabello, que antes tenía casi blanco, se le había vuelto completamente negro. No llevaba ya gafas. Miró a Winston de un modo breve y cortante, como si sólo le interesase comprobar su identidad y no le prestó más atención. Se le reconocía fácilmente, pero ya no era la misma persona. Se le había enderezado el cuerpo y parecía haber crecido. En el rostro sólo se le notaban cambios muy pequeños, pero que sin embargo lo transformaban por completo. Las cejas negras eran menos peludas, no tenía arrugas, e incluso las facciones le habían cambiado algo. Parecía tener ahora la nariz más corta. Era el rostro alerta y frío de un hombre de unos treinta y cinco años. Pensó Winston que por primera vez en su vida contemplaba, sabiendo que era uno de ellos, a un miembro de la Policía del Pensamiento.

PARTE TERCERA

I

No sabía dónde estaba. Seguramente en el Ministerio del Amor; pero no había manera de comprobarlo.

Se encontraba en una celda de alto techo, sin ventanas y con paredes de reluciente porcelana blanca. Lámparas ocultas inundaban el recinto de fría luz y había un sonido bajo y constante, un zumbido que Winston suponía relacionado con la ventilación mecánica. Un banco, o mejor dicho, una especie de estante a lo largo de la pared, le daba la vuelta a la celda, interrumpido sólo por la puerta y, en el extremo opuesto, por un retrete sin asiento de madera. Había cuatro telepantallas, una en cada pared.

Winston sentía un sordo dolor en el vientre. Le venía doliendo desde que lo encerraron en el camión para llevarlo allí. Pero también tenía hambre, un hambre roedora, anormal. Aunque estaba justificada, porque por lo menos hacía veinticuatro horas que no había comido; quizás treinta y seis. No sabía, quizás nunca lo sabría, si lo habían detenido de día o de noche. Desde que lo detuvieron no le habían dado nada de comer.

Se estuvo lo más quieto que pudo en el estrecho banco, con las manos cruzadas sobre las rodillas. Había aprendido ya a estarse quieto. Si se hacían movimientos inesperados, le chillaban a uno desde la telepantalla, pero la necesidad de comer algo le atenazaba de un modo espantoso. Lo que más le apetecía era un pedazo de pan. Tenía una vaga idea de que en el bolsillo de su «mono» tenía unas cuantas migas de pan. Incluso era posible –lo pensó porque de cuando en cuando algo le hacía cosquillas en la pierna– que tuviera allí guardado un buen mendrugo. Finalmente, pudo más la tentación que el miedo; se metió una mano en el bolsillo.

–¡Smith! –gritó una voz desde la telepantalla–. ¡6079! ¡Smith W! ¡En las celdas, las manos fuera de los bolsillos!

Volvió a inmovilizarse y a cruzar las manos sobre las rodillas. Antes de llevarlo allí lo habían dejado algunas horas en otro sitio que debía de ser una cárcel corriente o un calabozo temporal usado por las patrullas. No sabía exactamente cuánto tiempo le habían tenido allí; desde luego varias horas; pero no había relojes ni luz natural y resultaba casi imposible calcular el tiempo. Era un sitio ruidoso y maloliente. Lo habían dejado en una celda parecida a ésta en que ahora se hallaba, pero horriblemente sucia y continuamente llena de gente. Por lo menos había a la vez diez o quince personas, la mayoría de las cuales eran criminales comunes, pero también se hallaban entre ellos unos cuantos prisioneros políticos. Winston se había sentado silencioso, apoyado contra la pared, encajado entre unos cuerpos sucios y demasiado preocupado por el miedo y por el dolor que sentía en el vientre para interesarse por lo que le rodeaba. Sin embargo, notó la asombrosa diferencia de conducta entre los prisioneros del Partido y los otros. Los prisioneros del Partido estaban siempre callados y llenos de terror, pero los criminales corrientes parecían no temer a nadie. Insultaban a los guardias se resistían a que les quitaran los objetos que llevaban, escribían palabras obscenas en el suelo, comían descaradamente alimentos robados que sacaban de misteriosos escondrijos de entre sus ropas e incluso le respondían a gritos a la telepantalla cuando ésta intentaba restablecer el orden. Por otra parte, algunos de ellos parecían hallarse en buenas relaciones con los guardias, los llamaban con apodos y trataban de sacarles cigarrillos. También los guardias trataban a los criminales ordinarios con cierta tolerancia, aunque, naturalmente, tenían que manejarlos con rudeza. Se hablaba mucho allí de los campos de trabajos forzados adonde los presos esperaban ser enviados. Por lo visto, se estaba bien en los campos siempre que se tuvieran ciertos apoyos y se conociera el tejemaneje. Había allí soborno, favoritismo e inmoralidades de toda clase, abundaba la homosexualidad y la prostitución e incluso se fabricaba clandestinamente alcohol destilándolo de las patatas. Los cargos de confianza sólo se los daban a los criminales propiamente dichos, sobre todo a los *gangsters* y a los asesinos de toda clase, que constituían una especie de aristocracia. En los campos de trabajos forzados, todas las tareas sucias y viles eran realizadas por los presos políticos.

En aquella celda había presenciado Winston un constante entrar y salir de presos de la más variada condición: traficantes de drogas, ladrones, bandidos, gente del mercado negro, borrachos y prostitutas. Algunos de los borrachos eran tan violentos que los demás presos tenían que ponerse de acuerdo para sujetarlos. Una horrible mujer de unos sesenta años, con grandes pechos caídos y greñas de cabello blanco sobre la cara, entró empujada por los guardias. Cuatro de éstos la sujetaban mientras ella daba patadas y chillaba. Tuvieron que quitarle las botas con las que la vieja les castigaba las espinillas y la empujaron haciéndola caer sentada sobre las piernas de Winston. El golpe fue tan violento que Winston creyó que se le habían partido los huesos de los muslos. La mujer les gritó a los guardias, que ya se marchaban: «¡Hijos de perra!». Luego, notando que estaba sentada en las piernas de Winston, se dejó resbalar hasta la madera.

–Perdona, querido –le dijo–. No me hubiera sentado encima de ti, pero esos matones me empujaron. No saben tratar a una dama. –Se calló unos momentos y, después de darse unos golpecitos en el pecho, eructó ruidosamente–. Perdona, chico –dijo–. Yo ya no soy yo.

Se inclinó hacia delante y vomitó copiosamente sobre el suelo.

–Esto va mejor –dijo, volviendo a apoyar la espalda en la pared y cerrando los ojos–. Es lo que yo digo: lo mejor es echarlo fuera mientras esté reciente en el estómago.

Reanimada, volvió a fijarse en Winston y pareció tomarle un súbito cariño. Le pasó uno de sus fláccidos brazos por los hombros y lo atrajo hacia ella, echándole encima un pestilente vaho a cerveza y porquería.

–¿Cómo te llamas, cariño? –le dijo.

–Smith.

–¿Smith? –repitió la mujer–. Tiene gracia. Yo también me llamo Smith. Es que –añadió sentimentalmente– yo podía ser tu madre.

En efecto, podía ser mi madre, pensó Winston. Tenía aproximadamente la misma edad y el mismo aspecto físico y era probable que la gente cambiara algo después de pasar veinte años en un campo de trabajos forzados.

Nadie más le había hablado. Era sorprendente hasta qué punto despreciaban los criminales ordinarios a los presos del Partido. Los llamaban, despectivamente, los *polits*, y no sentían ningún interés por lo que hubieran hecho o dejado de hacer. Los presos del Partido parecían tener un miedo atroz a hablar con nadie y, sobre todo, a hablar unos con otros. Sólo una vez, cuando dos miembros del Partido, ambos mujeres, fueron sentadas juntas en el banco, oyó Winston entre la algarabía de voces, unas cuantas palabras murmuradas precipitadamente y, sobre todo, la referencia a algo que llamaban la «habitación uno-cero-uno». No sabía a qué se podían referir.

Quizás llevara dos o tres horas en este nuevo sitio. El dolor de vientre no se le pasaba, pero se le aliviaba algo a ratos y entonces sus pensamientos eran un poco menos tétricos. En cambio, cuando aumentaba el dolor, sólo pensaba en el dolor mismo y en su hambre. Al aliviarse, se apoderaba el pánico de él. Había momentos en que se figuraba de modo tan gráfico las cosas que iban a hacerle que el corazón le galopaba y se le cortaba la respiración. Sentía los porrazos que iban a darle en los codos y las patadas que le darían las pesadas botas claveteadas de hierro. Se veía a sí mismo retorciéndose en el suelo, pidiendo a gritos misericordia por entre los dientes partidos. Apenas recordaba a Julia. No podía concentrar en ella su mente. La amaba y no la traicionaría; pero eso era sólo un hecho, conocido por él como conocía las reglas de aritmética. No *sentía* amor por ella y ni siquiera se preocupaba por lo que pudiera estarle sucediendo a Julia en ese momento. En cambio pensaba con más frecuencia en O'Brien con cierta esperanza. O'Brien tenía que saber que lo habían detenido. Había dicho que la Hermandad nunca intentaba salvar a sus miembros. Pero la cuchilla de afeitar se la proporcionarían si podían. Quizás pasaran cinco segundos antes de que los guardias pudieran entrar en la celda. La hoja penetraría en su carne con quemadora frialdad e incluso los dedos que la sostuvieran quedarían cortados hasta el hueso. Todo esto se le representaba a él, que en aquellos momentos se encogía ante el más pequeño dolor. No estaba seguro de utilizar la hoja de afeitar incluso si se la llegaban a dar. Lo más natural era seguir existiendo momentáneamente, aceptando otros diez minutos de vida aunque al final de aquellos largos minutos no hubiera más que una tortura insoportable.

A veces procuraba calcular el número de mosaicos de porcelana que cubrían las paredes de la celda. No debía de ser difícil, pero siempre perdía la cuenta. Se preguntaba a cada momento dónde estaría y qué hora sería. Llegó a estar seguro de que fuera hacía sol y poco después estaba igualmente convencido de que era noche cerrada. Sabía instintivamente que en aquel lugar nunca se apagaban las luces. Era el sitio donde no había oscuridad: y ahora sabía por qué O'Brien había reconocido la alusión. En el Ministerio del Amor no había ventanas. Su celda podía hallarse en el centro del edificio o contra la pared trasera, podía estar diez pisos bajo tierra o treinta sobre el nivel del suelo. Winston se fue trasladando mentalmente de sitio y trataba de comprender, por la sensación vaga de su cuerpo, si estaba colgado a gran altura o enterrado a gran profundidad.

Fuera se oía ruido de pesados pasos. La puerta de acero se abrió con estrépito. Entró un joven oficial, con impecable uniforme negro, una figura que parecía brillar por todas partes con reluciente cuero y cuyo pálido y severo rostro era como una máscara de cera. Avanzó unos pasos dentro de la celda y volvió a salir para ordenar a los guardias que esperaban fuera que hiciesen entrar al preso que traían. El poeta Ampleforth entró dando tumbos en la celda. La puerta volvió a cerrarse de golpe.

Ampleforth hizo dos o tres movimientos inseguros como buscando una salida y luego empezó a pasear arriba y abajo por la celda. Todavía no se había dado cuenta de la presencia de Winston. Sus turbados ojos miraban la pared un metro por encima del nivel de la cabeza de Winston. No llevaba zapatos; por los agujeros de los calcetines le salían los dedos gordos. Llevaba varios días sin afeitarse y la incipiente barba le daba un aire rufianesco que no le iba bien a su aspecto larguirucho y débil ni a sus movimientos nerviosos.

Winston salió un poco de su letargo. Tenía que hablarle a Ampleforth aunque se expusiera al chillido de la telepantalla. Probablemente, Ampleforth era el que le traía la hoja de afeitar.

—Ampleforth.

La telepantalla no dijo nada. Ampleforth se detuvo, sobresaltado. Su mirada se concentró unos momentos sobre Winston.

—¡Ah, Smith! —dijo—. ¡También tú!

—¿De qué te acusan?

—Para decirte la verdad... —sentóse embarazosamente en el banco de enfrente a Winston—. Sólo hay un delito, ¿verdad?

—¿Y tú lo has cometido?

—Por lo visto.

Se llevó una mano a la frente y luego las dos apretándose las sienes en un esfuerzo por recordar algo.

—Estas cosas suelen ocurrir —empezó vagamente—. A fuerza de pensar en ello, se me ha ocurrido que pudiera ser... fue desde luego una indiscreción, lo reconozco. Estábamos preparando una edición definitiva de los poemas de Kipling. Dejé la palabra Dios al final de un verso. ¡No pude evitarlo! —añadió casi con indignación, levantando la cara para mirar a Winston—. Era imposible cambiar ese verso. *God* (Dios) tenía que rimar con *rod*. ¿Te das cuenta de que sólo hay doce rimas para *rod* en nuestro idioma? Durante muchos días me he estado arañando el cerebro. Inútil, no había ninguna otra rima posible.

Cambió la expresión de su cara. Desapareció de ella la angustia y por unos momentos pareció satisfecho. Era una especie de calor intelectual que lo animaba, la alegría del pedante que ha descubierto algún dato inútil.

–¿Has pensado alguna vez –dijo– que toda la historia de la poesía inglesa ha sido determinada por el hecho de que en el idioma inglés escasean las rimas?

No, aquello no se le había ocurrido nunca a Winston ni le parecía que en aquellas circunstancias fuera un asunto muy interesante.

–¿Sabes si es ahora de día o de noche? –le preguntó.

Ampleforth se sobresaltó de nuevo:

–No había pensado en ello. Me detuvieron hace dos días, quizás tres. –Su mirada recorrió las paredes como si esperase encontrar una ventana–. Aquí no hay diferencia entre el día y la noche. No es posible calcular la hora.

Hablaron sin mucho sentido durante unos minutos hasta que, sin razón aparente, un alarido de la telepantalla los mandó callar. Winston se inmovilizó como ya sabía hacerlo. En cambio, Ampleforth, demasiado grande para acomodarse en el estrecho banco, no sabía cómo ponerse y se movía nervioso. Unos ladridos de la telepantalla le ordenaron que se estuviera quieto. Pasó el tiempo. Veinte minutos, quizás una hora... Era imposible saberlo. Una vez más se acercaban pasos de botas. A Winston se le contrajo el vientre. Pronto, muy pronto, quizás dentro de cinco minutos, quizás ahora mismo, el ruido de pasos significaría que le había llegado su turno.

Se abrió la puerta. El joven oficial de antes entró en la celda. Con un rápido movimiento de la mano señaló a Ampleforth.

–Habitación uno-cero-uno –dijo.

Ampleforth salió conducido por los guardias con las facciones alteradas, pero sin comprender.

A Winston le pareció que pasaba mucho tiempo. Había

vuelto a dolerle atrozmente el estómago. Su mente daba vueltas por el mismo camino. Tenía sólo seis pensamientos: el dolor de vientre; un pedazo de pan; la sangre y los gritos; O'Brien; Julia; la hoja de afeitar. Sintió otra contracción en las entrañas; se acercaban las pesadas botas. Al abrirse la puerta, la oleada de aire trajo un intenso olor a sudor frío. Parsons entró en la celda. Vestía sus *shorts* caquis y una camisa de *sport*.

Esta vez, el asombro de Winston le hizo olvidarse de sus preocupaciones.

–¡Tú aquí! –exclamó.

Parsons dirigió a Winston una mirada que no era de interés ni de sorpresa, sino sólo de pena. Empezó a andar de un lado a otro con movimientos mecánicos. Luego empezó a temblar, pero se dominaba apretando los puños. Tenía los ojos muy abiertos.

–¿De qué te acusan? –le preguntó Winston.

–Crimental –dijo Parsons dando a entender con el tono de su voz que reconocía plenamente su culpa y, a la vez, un horror incrédulo de que esa palabra pudiera aplicarse a un hombre como él. Se detuvo frente a Winston y le preguntó con angustia–: ¿No me matarán, verdad, amigo? No le matan a uno cuando no ha hecho nada concreto y sólo es culpable de haber tenido pensamientos que no pudo evitar. Sé que le juzgan a uno con todas las garantías. Tengo gran confianza en ellos. Saben perfectamente mi hoja de servicios. También tú sabes cómo he sido yo siempre. No he sido inteligente, pero siempre he tenido la mejor voluntad. He procurado servir lo mejor posible al Partido, ¿no crees? Me castigarán a cinco años, ¿verdad? O quizás diez. Un tipo como yo puede resultar muy útil en un campo de trabajos forzados. Creo que no me fusilarán por una pequeña y única equivocación.

–¿Eres culpable de algo? –dijo Winston.

–¡Claro que soy culpable! –exclamó Parsons mirando servilmente a la telepantalla–. ¿No creerás que el Partido puede detener a un hombre inocente? –Se le calmó su rostro de rana e incluso tomó una actitud beatífica–. El crimen del pensamiento es una cosa horrible –dijo sentenciosamente–. Es una insidia que se apodera de uno sin que se dé cuenta. ¿Sabes cómo me ocurrió a mí? ¡Mientras dormía! Sí, así fue. Me he pasado la vida trabajando tan contento, cumpliendo con mi deber lo mejor que podía y, ya ves, resulta que tenía un mal pensamiento oculto en la cabeza. ¡Y yo sin saberlo! Una noche, empecé a hablar dormido, y ¿sabes lo que me oyeron decir?

Bajó la voz, como alguien que por razones médicas tiene que pronunciar unas palabras obscenas.

–¡Abajo el Gran Hermano! Sí, eso dije. Y parece ser que lo repetí varias veces. Entre nosotros, chico, te confesaré que me alegró que me detuvieran antes de que la cosa pasara a mayores. ¿Sabes lo que voy a decirles cuando me lleven ante el tribunal? «Gracias –les diré–, gracias por haberme salvado antes de que fuera demasiado tarde.»

–¿Quién te denunció? –dijo Winston.

–Fue mi niña –dijo Parsons con cierto orgullo dolido–. Estaba escuchando por el agujero de la cerradura. Me oyó decir aquello y llamó a la patrulla al día siguiente. No se le puede pedir más lealtad política a una niña de siete años, ¿no te parece? No le guardo ningún rencor. La verdad es que estoy orgulloso de ella, pues lo que hizo demuestra que la he educado muy bien.

Anduvo un poco más por la celda mirando varias veces, con deseo contenido, a la taza del retrete. Luego, se bajó a toda prisa los pantalones.

–Perdona, chico –dijo–. No puedo evitarlo. Es por la espera, ¿sabes?

Asentó su amplio trasero sobre la taza. Winston se cubrió la cara con las manos.

–¡Smith! –chilló la voz de la telepantalla–. ¡6079 Smith W! Descúbrete la cara. En las celdas, nada de taparse la cara.

Winston se descubrió el rostro. Parsons usó el retrete ruidosa y abundantemente. Luego resultó que no funcionaba el agua y la celda estuvo oliendo espantosamente durante varias horas.

Se llevaron a Parsons. Entraron y salieron más presos,

misteriosamente. Una mujer fue enviada a la «habitación 101» y Winston observó que esas palabras la hicieron cambiar de color. Llegó el momento en que, si hubiera sido de día cuando le llevaron allí, sería ya la última hora de la tarde; y de haber entrado por la tarde, sería ya media noche. Había seis presos en la celda entre hombres y mujeres. Todos estaban sentados muy quietos. Frente a Winston se hallaba un hombre con cara de roedor; apenas tenía barbilla y sus dientes eran afilados y salientes. Los carrillos le formaban bolsones de tal modo que podía pensarse que almacenaba allí comida. Sus ojos gris pálido se movían temerosamente de un lado a otro y se desviaba su mirada en cuanto tropezaba con la de otra persona.

Se abrió la puerta de nuevo y entró otro preso cuyo aspecto le causó un escalofrío a Winston. Era un hombre de aspecto vulgar, quizás un ingeniero o un técnico. Pero lo sorprendente en él era su figura esquelética. Su delgadez era tan exagerada que la boca y los ojos parecían de un tamaño desproporcionado y en sus ojos se almacenaba un intenso y criminal odio contra algo o contra alguien.

El individuo se sentó en el banco a poca distancia de Winston. Éste no volvió a mirarle, pero la cara de calavera se le había quedado tan grabada como si la tuviera continuamente frente a sus ojos. De pronto comprendió de qué se trataba. Aquel hombre se moría de hambre. Lo mismo pareció ocurrírseles casi a la vez a cuantos allí se hallaban. Se produjo un leve movimiento por todo el banco. El hombre de la cara de ratón miraba de cuando en cuando al esquelético y desviaba en seguida la mirada con aire culpable para volverse a fijarse en él irresistiblemente atraído. Por fin se levantó, cruzó pesadamente la celda, se rebuscó en el bolsillo del «mono» y con aire tímido sacó un mugriento mendrugo de pan y se lo tendió al hambriento.

La telepantalla rugió furiosa. El de la cara de ratón volvió a su sitio de un brinco. El esquelético se había llevado inmediatamente las manos detrás de la espalda como para demostrarle a todo el mundo que se había negado a aceptar el ofrecimiento.

–¡Bumstead! –gritó la voz de un modo ensordecedor–. ¡2713 Bumstead J! Tira ese pedazo de pan.

El individuo tiró el mendrugo al suelo.

–Ponte de pie de cara a la puerta y sin hacer ningún movimiento.

El hombre obedeció mientras le temblaban los bolsones de sus mejillas. Se abrió la puerta de golpe y entró el joven oficial, que se apartó para dejar pasar a un guardia achaparrado con enormes brazos y hombros. Se colocó frente al hombre del mendrugo y, a una orden muda del oficial, le lanzó un terrible puñetazo a la boca apoyándolo con todo el peso de su cuerpo. La fuerza del golpe empujó al individuo hasta la otra pared de la celda. Se cayó junto al retrete. Le brotaba una sangre negruzca de la boca y de la nariz. Después, gimiendo débilmente, consiguió ponerse en pie. Entre un chorro de sangre y saliva, se le cayeron de la boca las dos mitades de una dentadura postiza.

Los presos estaban muy quietos, todos ellos con las manos cruzadas sobre las rodillas. El hombre ratonil volvió a su sitio. Se le oscurecía la carne en uno de los lados de la cara. Se le hinchó la boca hasta formar una masa informe con un agujero negro en medio. Sus ojos grises seguían moviéndose, sintiéndose más culpable que nunca y como tratando de averiguar cuánto lo despreciaban los otros por aquella humillación.

Se abrió la puerta. Con un pequeño gesto, el oficial señaló al hombre esquelético.

–Habitación 101 –dijo.

Winston oyó a su lado una ahogada exclamación de pánico. El hombre se dejó caer al suelo de rodillas y rogaba con las manos juntas:

–¡Camarada! ¡Oficial! No tienes que llevarme a ese sitio; ¿no te lo he dicho ya todo? ¿Qué más quieres saber? ¡Todo lo confesaría, todo! Dime de qué se trata y lo confesaré. ¡Escribe lo que quieras y lo firmaré! Pero no me lleves a la habitación 101.

–Habitación 101 –dijo el oficial.

La cara del hombre, ya palidísima, se volvió de un color increíble. Era –no había lugar a dudas– de un tono verde.

–¡Haz algo por mí! –chilló–. Me has estado matando de hambre durante varias semanas. Acaba conmigo de una vez. Dispara contra mí. Ahórcame. Condéname a veinticinco años. ¿Queréis que denuncie a alguien más? Decidme de quién se trata y yo diré todo lo que os convenga. No me importa quién sea ni lo que vayáis a hacerle. Tengo mujer y tres hijos. El mayor de ellos no tiene todavía seis años. Podéis coger a los cuatro y cortarles el cuerpo delante de mí y yo lo contemplaré sin rechistar. Pero no me llevéis a la habitación 101.

–Habitación 101 –dijo el oficial.

El hombre del rostro de calavera miró frenéticamente a los demás presos como si esperara encontrar alguno que pudiera poner en su lugar. Sus ojos se detuvieron en la aporreada cara del que le había ofrecido el mendrugo. Lo señaló con su mano huesuda y temblorosa.

–¡A ése es al que debíais llevar, no a mí! –gritó–. ¿No habéis oído lo que dijo cuando le pegaron? Os lo contaré si queréis oírme. Él sí que está contra el Partido y no yo. –Los guardias avanzaron dos pasos. La voz del hombre se elevó histéricamente–. ¡No lo habéis oído! –repitió–. La telepantalla no funcionaba bien. Ése es al que debéis llevaros. ¡Sí, él, él; yo no!

Los dos guardias lo sujetaron por el brazo, pero en ese momento el preso se tiró al suelo y se agarró a una de las patas de hierro que sujetaban el banco. Lanzaba un aullido que parecía de algún animal. Los guardias tiraban de él. Pero se aferraba con asombrosa fuerza. Estuvieron forcejeando así quizás unos veinte segundos. Los presos seguían inmóviles con las manos cruzadas sobre las rodillas mirando fijamente frente a ellos. El aullido se cortó; el hombre sólo tenía ya alientos para sujetarse. Entonces se oyó un grito diferente. Un guardia le había roto de una patada los dedos de una mano. Lo pusieron de pie alzándolo como un pelele.

–Habitación 101 –dijo el oficial.

Y se lo llevaron al hombre, que apenas podía apoyarse en el suelo y que se sujetaba con la otra la mano partida. Había perdido por completo los ánimos.

Pasó mucho tiempo. Si había sido media noche cuando se llevaron al hombre de la cara de calavera, era ya por la mañana; si había sido por la mañana, ahora sería por la tarde. Winston estaba solo desde hacía varias horas. Le producía tal dolor estarse sentado en el estrecho banco que se atrevió a levantarse de cuando en cuando y dar unos pasos por la celda sin que la telepantalla se lo prohibiera. El mendrugo de pan seguía en el suelo, en el mismo sitio donde lo había tirado el individuo de cara ratonil. Al principio, necesitó Winston esforzarse mucho para no mirarlo, pero ya no tenía hambre, sino sed. Se le había puesto la boca pegajosa y de un sabor malísimo. El constante zumbido y la invariable luz blanca le causaban una sensación de mareo y de tener vacía la cabeza. Cuando no podía resistir más el dolor de los huesos, se levantaba, pero volvía a sentarse en seguida porque estaba demasiado mareado para permanecer en pie. En cuanto conseguía dominar sus sensaciones físicas, le volvía el terror. A veces pensaba con leve esperanza en O'Brien y en la hoja de afeitar. Bien pudiera llegar la hoja escondida en el alimento que le dieran, si es que llegaban a darle alguno. En Julia pensaba menos. Estaría sufriendo, quizás más que él. Probablemente estaría chillando de dolor en este mismo instante. Pensó: «Si pudiera salvar a Julia duplicando mi dolor, ¿lo haría? Sí, lo haría». Esto era sólo una decisión intelectual, tomada porque sabía que su deber era ése; pero, en verdad, no lo sentía. En aquel sitio no se podía sentir nada excepto el dolor físico y la anticipación de venideros dolores. Además, ¿era posible, mientras se estaba sufriendo realmente, desear que por una u otra razón le aumentara a uno el dolor? Pero a esa pregunta no estaba él todavía en condiciones de responder. Las botas volvieron a acercarse. Se abrió la puerta. Entró O'Brien.

Winston se puso en pie. El choque emocional de ver a aquel hombre le hizo abandonar toda preocupación. Por primera vez en muchos años, olvidó la presencia de la telepantalla.

–¡También a ti te han cogido! –exclamó.

–Hace mucho tiempo que me han cogido –repuso O'Brien

con una ironía suave y como si lo lamentara. Se apartó un poco para que pasara un corpulento guardia que tenía una larga porra negra en la mano.

–Ya sabías que ocurriría esto, Winston –dijo O'Brien–. No te engañes a ti mismo. Lo sabías... Siempre lo has sabido.

Sí, ahora comprendía que siempre lo había sabido. Pero no había tiempo de pensar en ello. Sólo tenía ojos para la porra que se balanceaba en la mano del guardia. El golpe podía caer en cualquier parte de su cuerpo: en la coronilla, encima de la oreja, en el antebrazo, en el codo...

¡En el codo! Dio un brinco y se quedó casi paralizado sujetándose con la otra mano el codo golpeado. Había visto luces amarillas. ¡Era inconcebible que un solo golpe pudiera causar tanto dolor! Cayó al suelo. Volvió a ver claro. Los otros dos lo miraban desde arriba. El guardia se reía de sus contorsiones. Por lo menos, ya sabía una cosa. Jamás, por ninguna razón del mundo, puede uno desear un aumento de dolor. Del dolor físico sólo se puede desear una cosa: que cese. Nada en el mundo es tan malo como el dolor físico. Ante eso no hay héroes. No hay héroes, pensó una y otra vez mientras se retorcía en el suelo, sujetándose inútilmente su inutilizado brazo izquierdo.

II

Winston yacía sobre algo que parecía una cama de campaña aunque más elevada sobre el suelo y que estaba sujeta para que no pudiera moverse. Sobre su rostro caía una luz más fuerte que la normal. O'Brien estaba de pie a su lado, mirándole fijamente. Al otro lado se hallaba un hombre con chaqueta blanca en una de cuyas manos tenía preparada una jeringuilla hipodérmica.

Aunque ya hacía un rato que había abierto los ojos, no acababa de darse plena cuenta de lo que le rodeaba. Tenía la impresión de haber venido nadando hasta esta habitación desde un mundo muy distinto, una especie de mundo submarino. No sabía cuánto tiempo había estado en aquellas profundidades. Desde el momento en que lo detuvieron no había visto oscuridad ni luz diurna. Además sus recuerdos no eran continuos. A veces la conciencia, incluso esa especie de conciencia que tenemos en los sueños, se le había parado en seco y sólo había vuelto a funcionar después de un rato de absoluto vacío. Pero si esos ratos eran segundos, horas, días, o semanas, no había manera de saberlo.

La pesadilla comenzó con aquel primer golpe en el codo. Más tarde se daría cuenta de que todo lo ocurrido entonces había sido sólo una ligera introducción, un interrogatorio rutinario al que eran sometidos casi todos los presos. Todos tenían que confesar, como cuestión de mero trámite, una larga serie de delitos: espionaje, sabotaje y cosas por el estilo.

Aunque la tortura era real, la confesión era sólo cuestión de trámite. Winston no podía recordar cuántas veces le habían pegado ni cuánto tiempo habían durado los castigos. Recordaba, en cambio, que en todo momento había en torno suyo cinco o seis individuos con uniformes negros. A veces emplearon los puños, otras las porras, también varas de acero y, por supuesto, las botas. Sabía que había rodado varias veces por el suelo con el impudor de un animal retorciéndose en un inútil esfuerzo por evitar los golpes, pero con aquellos movimientos sólo conseguía que le propinaran más patadas en las costillas, en el vientre, en los codos, en las espinillas, en los testículos y en la base de la columna vertebral. A veces gritaba pidiendo misericordia incluso antes de que empezaran a pegarle y bastaba con que un puño hiciera el movimiento de retroceso precursor del golpe para que confesara todos los delitos, verdaderos o imaginarios, de que le acusaban. Otras veces, cuando se decidía a no confesar nada, tenían que sacarle las palabras entre alaridos de dolor y en otras ocasiones se decía a sí mismo, dispuesto a transigir: «Confesaré, pero todavía no. Tengo que resistir hasta que el dolor sea insoportable. Tres golpes más, dos golpes más y les diré lo que quieran». Cuando le golpeaban hasta dejarlo tirado como un saco de patatas en el suelo de piedra para que recobrara alguna energía, al cabo de varias horas volvían a buscarlo y le pegaban otra vez. También había períodos más largos de descanso. Los recordaba confusamente porque los pasaba adormilado o con el conocimiento casi perdido. Se acordaba de que un barbero había ido a afeitarle la barba al rape y algunos hombres de actitud profesional, con batas blancas, le tomaban el pulso, le observaban sus movimientos reflejos, le levantaban los párpados y le recorrían el cuerpo con dedos rudos en busca de huesos rotos o le ponían inyecciones en el brazo para hacerle dormir.

Las palizas se hicieron menos frecuentes y quedaron reducidas casi únicamente a amenazas, a anunciarle un horror al que le enviarían en cuanto sus respuestas no fueran satisfactorias. Los que le interrogaban no eran ya rufianes con uniformes negros, sino intelectuales del Partido, hombrecillos regordetes con movimientos rápidos y gafas brillantes que se relevaban para «trabajarlo» en turnos que duraban –no estaba seguro– diez o doce horas. Estos otros interrogadores procuraban que se hallase sometido a un dolor leve, pero constante, aunque ellos no se basaban en el dolor para hacerle confesar. Le daban bofetadas, le retorcían las orejas, le tiraban del pelo, le hacían sostenerse en una sola pierna, le negaban el permiso para orinar, le enfocaban la cara con insoportables reflectores hasta que le hacían llorar a lágrima viva... Pero la finalidad de esto era sólo humillarlo y destruir en él la facultad de razonar, de encontrar argumentos. La verdadera arma de aquellos hombres era el despiadado interrogatorio que proseguía hora tras hora, lleno de trampas, deformando todo lo que él había dicho, haciéndole confesar a cada paso mentiras y contradicciones, hasta que empezaba a llorar no sólo de vergüenza sino de cansancio nervioso. A veces lloraba media docena de veces en una sola sesión. Casi todo el tiempo lo estaban insultando y lo amenazaban, a cada vacilación, con volverlo a entregar a los guardias. Pero de pronto cambiaban de tono, lo llamaban camarada, trataban de despertar sus sentimientos en nombre del Ingsoc y del Gran Hermano, y le preguntaban compungidos si no le quedaba la suficiente lealtad hacia el Partido para desear no haber hecho todo el mal que había hecho. Con los nervios destrozados después de tantas horas de interrogatorio, estos amistosos reproches le hacían llorar con más fuerza. Al final se había convertido en un muñeco: una boca que afirmaba lo que le pedían y una mano que firmaba todo lo que le ponían delante. Su única preocupación consistía en descubrir qué deseaban hacerle declarar para confesarlo inmediatamente antes de que empezaran a insultarlo y a amenazarlo. Confesó haber asesinado a distinguidos miembros del Partido, haber distribuido propaganda sediciosa, robo de fondos públicos, venta de secretos militares al extranjero, sabotajes de toda clase... Confesó que había sido espía a sueldo de Asia Oriental ya en 1968. Confesó que tenía creencias religiosas, que admiraba el capitalismo y que era un pervertido sexual. Confesó haber asesinado a su esposa, aunque sabía perfectamente –y tenían que saberlo también sus verdugos– que su mujer vivía aún. Confesó que durante muchos años había estado en relación con Goldstein y había sido miembro de una organización clandestina a la que habían pertenecido casi todas las personas que él había conocido en su vida. Lo más fácil era confesarlo todo –fuera verdad o mentira– y comprometer a todo el mundo. Además, en cierto sentido, todo ello era verdad. Era cierto que había sido un enemigo del Partido y a los ojos del Partido no había distinción alguna entre los pensamientos y los actos.

También recordaba otras cosas que surgían en su mente de un modo inconexo, como cuadros aislados rodeados de oscuridad.

Estaba en una celda que podía haber estado oscura o con luz, no lo sabía, porque lo único que él veía era un par de ojos. Allí cerca se oía el tic-tac, lento y regular, de un instrumento. Los ojos aumentaron de tamaño y se hicieron más luminosos. De pronto, Winston salió flotando de su asiento y sumergiéndose en los ojos, fue tragado por ellos.

Estaba atado a una silla rodeada de esferas graduadas, bajo cegadores focos. Un hombre con bata blanca leía los discos. Fuera se oía que se acercaban pasos. La puerta se abrió de golpe. El oficial de cara de cera entró seguido por dos guardias.

–Habitación 101 –dijo el oficial.

El hombre de la bata blanca no se volvió. Ni siquiera miró a Winston; se limitaba a observar los discos.

Winston rodaba por un interminable corredor de un kilómetro de anchura inundado por una luz dorada y deslumbrante. Se reía a carcajadas y gritaba confesiones sin cesar. Lo confesaba todo, hasta lo que había logrado callar bajo las torturas. Le contaba toda la historia de su vida a un público que ya la conocía. Lo rodeaban los guardias, sus otros verdugos de lentes, los hombres de las batas blancas, O'Brien, Julia, el señor Charrington, y todos rodaban alegremente por el pasillo riéndose a carcajadas. Winston se había escapado de algo terrorífico con que le amenazaban y que no había llegado a suceder. Todo estaba muy bien, no había más dolor y hasta los más mínimos detalles de su vida quedaban al descubierto, comprendidos y perdonados.

Intentó levantarse, incorporarse en la cama donde lo habían tendido, pues casi tenía la seguridad de haber oído la voz de O'Brien. Durante todos los interrogatorios anteriores, a pesar de no haberlo llegado a ver, había tenido la constante sensación de que O'Brien estaba allí cerca, detrás de él. Era O'Brien quien lo había dirigido todo. Él había lanzado a los guardias contra Winston y también él había evitado que lo mataran. Fue él quién decidió cuándo tenía Winston que gritar de dolor, cuándo podía descansar, cuándo lo tenían que alimentar, cuándo habían de dejarlo dormir y cuándo tenían que reanimarlo con inyecciones. Era él quien sugería las preguntas y las respuestas. Era su atormentador, su protector, su inquisidor y su amigo. Y una vez –Winston no podía recordar si esto ocurría mientras dormía bajo el efecto de la droga, o durante el sueño normal o en un momento en que estaba despierto– una voz le había murmurado al oído: «No te preocupes, Winston; estás bajo mi custodia. Te he vigilado durante siete años. Ahora ha llegado el momento decisivo. Te salvaré; te haré perfecto». No estaba seguro si era la voz de O'Brien; pero desde luego era la misma voz que le había dicho en aquel otro sueño, siete años antes: «Nos encontraremos en el sitio donde no hay oscuridad».

Ahora no podía moverse. Le habían sujetado bien el cuerpo boca arriba. Incluso la cabeza estaba sujeta por detrás al lecho. O'Brien lo miraba serio, casi triste. Su rostro, visto desde abajo, parecía basto y gastado, y con bolsas bajo los ojos y arrugas de cansancio de la nariz a la barbilla. Era mayor de lo que Winston creía. Quizás tuviera cuarenta y ocho o cincuenta años. Apoyaba la mano en una palanca que hacía mover la aguja de la esfera, en la que se veían unos numeros.

–Te dije –murmuró O'Brien– que, si nos encontrábamos de nuevo, sería aquí.

–Sí –dijo Winston.

Sin advertencia previa –excepto un leve movimiento de la mano de O'Brien– le inundó una oleada dolorosa. Era un dolor espantoso porque no sabía de dónde venía y tenía la sensación de que le habían causado un daño mortal. No sabía si era un dolor interno o el efecto de algún recurso eléctrico, pero sentía como si todo el cuerpo se le descoyuntara. Aunque el dolor le hacía sudar por la frente, lo único que le preocupaba es que se le rompiera la columna vertebral. Apretó los dientes y respiró por la nariz tratando de estarse callado lo más posible.

–Tienes miedo –dijo O'Brien observando su cara– de que de un momento a otro se te rompa algo. Sobre todo, temes que se te parta la espina dorsal. Te imaginas ahora mismo las vértebras soltándose y el líquido raquídeo saliéndose. ¿Verdad que lo estás pensando, Winston?

Winston no contestó. O'Brien presionó sobre la palanca. La ola de dolor se retiró con tanta rapidez como había llegado.

–Eso era cuarenta –dijo O'Brien–. Ya ves que los números llegan hasta el ciento. Recuerda, por favor, durante nuestra conversación, que está en mi mano infligirte dolor en el momento y en el grado que yo desee. Si me dices mentiras o si intentas engañarme de alguna manera, o te dejas caer por debajo de tu nivel normal de inteligencia, te haré dar un alarido inmediatamente. ¿Entendido?

–Sí –dijo Winston.

O'Brien adoptó una actitud menos severa. Se ajustó pensativo las gafas y anduvo unos pasos por la habitación. Cuando volvió a hablar, su voz era suave y paciente. Parecía un médico, un maestro, incluso un sacerdote, deseoso de explicar y de persuadir antes que de castigar.

–Me estoy tomando tantas molestias contigo, Winston, porque tú lo mereces. Sabes perfectamente lo que te ocurre. Lo has sabido desde hace muchos años aunque te has esforzado en convencerte de que no lo sabías. Estás trastornado mentalmente. Padeces de una memoria defectuosa. Eres incapaz de recordar los acontecimientos reales y te convences a ti mismo porque estabas decidido a no curarte. No estabas dispuesto a hacer el pequeño esfuerzo de voluntad necesario. Incluso ahora, estoy seguro de ello, te aferras a tu enfermedad por creer que es una virtud. Ahora te pondré un ejemplo y te convencerás de lo que digo. Vamos a ver, en este momento, ¿con qué potencia está en guerra oceanía?

–Cuando me detuvieron, Oceanía estaba en guerra con Asia Oriental.

–Con Asia Oriental. Muy bien. Y Oceanía ha estado siempre en guerra con Asia Oriental, ¿verdad?

Winston contuvo la respiración. Abrió la boca para hablar, pero no pudo. Era incapaz de apartar los ojos del disco numerado.

–La verdad, por favor, Winston. Tu verdad. Dime lo que creas recordar.

–Recuerdo que hasta una semana antes de haber sido yo detenido, no estábamos en guerra con Asia Oriental en absoluto. Éramos aliados de ella. La guerra era contra Eurasia. Una guerra que había durado cuatro años. Y antes de eso...

O'Brien lo hizo callar con un movimiento de la mano.

–Otro ejemplo. Hace algunos años sufriste una obcecación muy seria. Creíste que tres hombres que habían sido miembros del Partido, llamados Jones, Aaronson y Rutherford –unos individuos que fueron ejecutados por traición y sabotaje después de haber confesado todos sus delitos– creíste, repito, que no eran culpables de los delitos de que se les acusaba. Creíste que habías visto una prueba documental innegable que demostraba que sus confesiones habían sido forzadas y falsas. Sufriste una alucinación que te hizo ver cierta fotografía. Llegaste a creer que la habías tenido en tus manos. Era una foto como ésta.

Entre los dedos de O'Brien había aparecido un recorte de periódico que pasó ante la vista de Winston durante unos cinco segundos. Era una foto de periódico y no podía dudarse cuál. Sí, era *la* fotografía; otro ejemplar del retrato de Jones, Aaronson y Rutherford en el acto del Partido celebrado en Nueva York, aquella foto que Winston había descubierto por casualidad once años antes y había destruido en seguida. Y ahora había vuelto a verla. Sólo unos instantes, pero estaba seguro de haberla visto otra vez. Hizo un desesperado esfuerzo por incorporarse. Pero era imposible moverse ni siquiera un centímetro. Había olvidado hasta la existencia de la amenazadora palanca. Sólo quería volver a coger la fotografía, o por lo menos verla más tiempo.

–¡Existe! –gritó.

–No –dijo O'Brien.

Cruzó la estancia. En la pared de enfrente había un «agujero de la memoria». O'Brien levantó la rejilla. El pedazo de papel salió dando vueltas en el torbellino de aire caliente y se deshizo en una fugaz llama. O'Brien volvió junto a Winston.

–Cenizas –dijo–. Ni siquiera cenizas identificables. Polvo. Nunca ha existido.

–¡Pero existió! ¡Existe! Sí, existe en la memoria. Lo recuerdo. Y tú también lo recuerdas.

–Yo no lo recuerdo –dijo O'Brien.

Winston se desanimó. Aquello era doblepensar. Sintió un mortal desamparo. Si hubiera estado seguro de que O'Brien mentía, se habría quedado tranquilo. Pero era muy posible que O'Brien hubiera olvidado de verdad la fotografía. Y en ese caso habría olvidado ya su negativa de haberla recordado y también habría olvidado el acto de olvidarlo. ¿Cómo podía uno estar seguro de que todo esto no era más que un truco? Quizás aquella demencial dislocación de los pensamientos pudiera tener una realidad efectiva. Eso era lo que más desanimaba a Winston.

O'Brien lo miraba pensativo. Más que nunca, tenía el aire de un profesor esforzándose por llevar por buen camino a un chico descarriado, pero prometedor.

–Hay una consigna del Partido sobre el control del pasado. Repítela, Winston, por favor.

–El que controla el pasado controla el futuro; y el que controla el presente controla el pasado –repitió Winston, obediente.

–El que controla el presente controla el pasado –dijo O'Brien moviendo la cabeza con lenta aprobación–. ¿Y crees tú, Winston, que el pasado existe verdaderamente?

Otra vez invadió a Winston el desamparo. Sus ojos se volvieron hacia el disco. No sólo no sabía si la respuesta que le evitaría el dolor sería sí o no, sino que ni siquiera sabía cuál de estas respuestas era la que él tenía por cierta.

O'Brien sonrió débilmente:

–No eres metafísico, Winston. Hasta este momento nunca habías pensado en lo que se conoce por existencia. Te lo explicaré con más precisión. ¿Existe el pasado concretamente, en el espacio? ¿Hay algún sitio en alguna parte, hay un mundo de objetos sólidos donde el pasado siga acaeciendo?

–No.

–Entonces, ¿dónde existe el pasado?

–En los documentos. Está escrito.

–En los documentos... Y, ¿dónde más?

–En la mente. En la memoria de los hombres.

–En la memoria. Muy bien. Pues nosotros, el Partido, controlamos todos los documentos y controlamos todas las memorias. De manera que controlarnos el pasado, ¿no es así?

–Pero ¿cómo van ustedes a evitar que la gente recuerde lo que ha pasado? –exclamó Winston olvidando de nuevo el martirizador eléctrico–. Es un acto involuntario. No puede uno evitarlo. ¿Cómo vais a controlar la memoria? ¡La mía no la habéis controlado!

O'Brien volvió a ponerse serio. Tocó la palanca con la mano.

–Al contrario –dijo por fin–, eres tú el que no la ha controlado y por eso estás aquí. Te han traído porque te han faltado humildad y autodisciplina. No has querido realizar el acto de sumisión que es el precio de la cordura. Has preferido ser un loco, una minoría de uno solo. Convéncete, Winston; solamente el espíritu disciplinado puede ver la realidad. Crees que la realidad es algo objetivo, externo, que existe por derecho propio. Crees también que la naturaleza de la realidad se demuestra por sí misma. Cuando te engañas a ti mismo pensando que ves algo, das por cierto que todos los demás están viendo lo mismo que tú. Pero te aseguro, Winston, que la realidad no es externa. La realidad existe en la mente humana y en ningún otro sitio. No en la mente individual, que puede cometer errores y que, en todo caso, perece pronto. Sólo la mente del Partido, que es colectiva e inmortal, puede captar la realidad. Lo que el Partido sostiene que es verdad es efectivamente verdad. Es imposible ver la realidad sino a través de los ojos del Partido. Éste es el hecho que tienes que volver a aprender, Winston. Para ello se necesita un acto de autodestrucción, un esfuerzo de la voluntad. Tienes que humillarte si quieres volverte cuerdo.

Después de una pausa de unos momentos, prosiguió:

–¿Recuerdas haber escrito en tu Diario: «la libertad es poder decir que dos más dos son cuatro»?

–Sí –dijo Winston.

O'Brien levantó la mano izquierda, con el reverso hacia Winston, y escondiendo el dedo pulgar extendió los otros cuatro.

–¿Cuántos dedos hay aquí, Winston?

–Cuatro.

–¿Y si el Partido dice que no son cuatro sino cinco? Entonces, ¿cuántos hay?

–Cuatro.

La palabra terminó con un espasmo de dolor. La aguja de la esfera había subido a cincuenta y cinco. A Winston le sudaba todo el cuerpo. Aunque apretaba los dientes, no podía evitar los roncos gemidos. O'Brien lo contemplaba, con los cuatro dedos todavía extendidos. Soltó la palanca y el dolor, aunque no desapareció del todo, se alivió bastante.

–¿Cuántos dedos, Winston?

–Cuatro.

La aguja subió a sesenta.

–¿Cuántos dedos, Winston?

–¡¡Cuatro!! ¡¡Cuatro!! ¿Qué voy a decirte? ¡Cuatro!

La aguja debía de marcar más, pero Winston no la miró. El rostro severo y pesado y los cuatro dedos ocupaban por completo su visión. Los dedos, ante sus ojos, parecían columnas, enormes, borrosos y vibrantes, pero seguían siendo cuatro, sin duda alguna.

–¿Cuántos dedos, Winston?

–¡¡Cuatro!! ¡Para eso, para eso! ¡No sigas, es inútil!

–¿Cuántos dedos, Winston!

–¡Cinco! ¡Cinco! ¡Cinco!

–No, Winston; así no vale. Estás mintiendo. Sigues creyendo que son cuatro. Por favor, ¿cuántos dedos?

–¡¡Cuatro!! ¡¡Cinco!! ¡¡Cuatro!! Lo que quieras, pero termina de una vez. Para este dolor.

Ahora estaba sentado en el lecho con el brazo de O'Brien rodeándole los hombros. Quizás hubiera perdido el conocimiento durante unos segundos. Se habían aflojado las ligaduras que sujetaban su cuerpo. Sentía mucho frío, temblaba como un azogado, le castañeteaban los dientes y le corrían lágrimas por las mejillas. Durante unos instantes se apretó contra O'Brien como un niño, confortado por el fuerte brazo que le rodeaba los hombros. Tenía la sensación de que O'Brien era su protector, que el dolor venía de fuera, de otra fuente, y que O'Brien le evitaría sufrir.

–Tardas mucho en aprender, Winston –dijo O'Brien con suavidad.

–No puedo evitarlo –balbuceó Winston–. ¿Cómo puedo evitar ver lo que tengo ante los ojos si no los cierro? Dos y dos son cuatro.

–Algunas veces sí, Winston; pero otras veces son cinco. Y otras, tres. Y en ocasiones son cuatro, cinco y tres a la vez. Tienes que esforzarte más. No es fácil recobrar la razón.

Volvió a tender a Winston en el lecho. Las ligaduras volvieron a inmovilizarlo, pero ya no sentía dolor y le había desaparecido el temblor. Estaba débil y frío. O'Brien le hizo una señal con la cabeza al hombre de la bata blanca, que había permanecido inmóvil durante la escena anterior y ahora, inclinándose sobre Winston, le examinaba los ojos de cerca, le tomaba el pulso, le acercaba el oído al pecho y le daba golpecitos de reconocimiento. Luego, mirando a O'Brien, movió la cabeza afirmativamente.

–Otra vez –dijo O'Brien.

El dolor invadió de nuevo el cuerpo de Winston. La aguja debía de marcar ya setenta o setenta y cinco. Esta vez, había cerrado los ojos. Sabía que los dedos continuaban allí y que seguían siendo cuatro. Lo único importante era conservar la vida hasta que pasaran las sacudidas dolorosas. Ya no tenía idea de si lloraba o no. El dolor disminuyó otra vez. Abrió los ojos. O'Brien había vuelto a bajar la palanca.

–¿Cuántos dedos, Winston?

–¡¡Cuatro!! Supongo que son cuatro. Quisiera ver cinco. Estoy tratando de ver cinco.

–¿Qué deseas? ¿Persuadirme de que ves cinco o verlos de verdad?

–Verlos de verdad.

–Otra vez –dijo O'Brien.

Es probable que la aguja marcase de ochenta a noventa. Sólo de un modo intermitente podía recordar Winston a qué se debía su martirio. Detrás de sus párpados cerrados, un bosque de dedos se movía en una extraña danza, entretejiéndose, desapareciendo unos tras otros y volviendo a aparecer. Quería contarlos, pero no recordaba por qué. Sólo sabía que era imposible contarlos y que esto se debía a la misteriosa identidad entre cuatro y cinco. El dolor desapareció de nuevo. Cuando abrió los ojos, halló que seguía viendo lo mismo; es decir, innumerables dedos que se movían como árboles locos en todas direcciones cruzándose y volviéndose a cruzar. Cerró otra vez los ojos.

–¿Cuántos dedos te estoy enseñando, Winston?

–No sé, no sé. Me matarás si aumentas el dolor. Cuatro, cinco, seis... Te aseguro que no lo sé.

–Esto va mejor –dijo O'Brien.

Le pusieron una inyección en el brazo. Casi instantáneamente se le esparció por todo el cuerpo una cálida y beatífica sensación. Casi no se acordaba de haber sufrido. Abrió los ojos y miró agradecido a O'Brien. Le conmovió ver a aquel rostro pesado, lleno de arrugas, tan feo y tan inteligente. Si se hubiera podido mover, le habría tendido una mano. Nunca lo había querido tanto como en este momento y no sólo por haberle suprimido el dolor. Aquel antiguo sentimiento, aquella idea de que no importaba que O'Brien fuera un amigo o un enemigo, había vuelto a apoderarse de él. O'Brien era una persona con quien se podía hablar. Quizás no deseara uno tanto ser amado como ser comprendido. O'Brien lo había torturado casi hasta enloquecerlo y era seguro que dentro de un rato le haría matar. Pero no importaba. En cierto sentido, más allá de la amistad, eran íntimos. De uno u otro modo y aunque las palabras que lo explicarían todo no pudieran ser pronunciadas nunca, había desde luego un lugar donde podrían reunirse y charlar. O'Brien lo miraba con una expresión reveladora de que el mismo pensamiento se le estaba ocurriendo. Empezó a hablar en un tono de conversación corriente.

–¿Sabes dónde estás, Winston? –dijo.

–No sé. Me lo figuro. En el Ministerio del Amor.

–¿Sabes cuánto tiempo has estado aquí?

–No sé. Días, semanas, meses... creo que meses.

–¿Y por qué te imaginas que traemos aquí a la gente?

–Para hacerles confesar.

–No, no es ésa la razón. Di otra cosa.

–Para castigarlos.

–¡No! –exclamó O'Brien. Su voz había cambiado extraordinariamente y su rostro se había puesto de pronto serio y animado a la vez–. ¡No! No te traemos sólo para hacerte confesar y para castigarte. ¿Quieres que te diga para qué te hemos traído? ¡¡Para curarte!! ¡¡Para volverte cuerdo!! Debes saber, Winston, que ninguno de los que traemos aquí sale de nuestras manos sin haberse curado. No nos interesan esos estúpidos delitos que has cometido. Al Partido no le interesan los actos realizados; nos importa sólo el pensamiento. No sólo destruimos a nuestros enemigos, sino que los cambiamos. ¿Comprendes lo que quiero decir?

Estaba inclinado sobre Winston. Su cara parecía enorme por su proximidad y horriblemente fea vista desde abajo. Además, sus facciones se alteraban por aquella exaltación, aquella intensidad de loco. Otra vez se le encogió el corazón a Winston. Si le hubiera sido posible, habría retrocedido. Estaba seguro de que O'Brien iba a mover la palanca por puro capricho. Sin embargo, en ese momento se apartó de él y paseó un poco por la habitación. Luego prosiguió con menos vehemencia:

–Lo primero que debes comprender es que éste no es un lugar de martirio. Has leído cosas sobre las persecuciones religiosas en el pasado. En la Edad Media había la Inquisición. No funcionó. Pretendían erradicar la herejía y terminaron por perpetuarla. En las persecuciones antiguas por cada hereje quemado han surgido otros miles de ellos. ¿Por qué? Porque se mataba a los enemigos abiertamente y mientras aún no se habían arrepentido. Se moría por no abandonar las creencias heréticas. Naturalmente, así toda la gloria pertenecía a la víctima y la vergüenza al inquisidor que la quemaba. Más tarde, en el siglo XX, han existido los totalitarios, como los llamaban: los nazis alemanes y los comunistas rusos. Los rusos persiguieron a los herejes con mucha más crueldad que ninguna otra inquisición. Y se imaginaron que habían aprendido de los errores del pasado. Por lo menos sabían que no se deben hacer mártires. Antes de llevar a sus víctimas a un juicio público, se dedicaban a destruirles la dignidad. Los deshacían moralmente y físicamente por medio de la tortura y el aislamiento hasta convertirlos en seres despreciables, verdaderos peleles capaces de confesarlo todo, que se insultaban a sí mismos acusándose unos a otros y pedían sollozando un poco de misericordia. Sin embargo, después de unos cuantos años, ha vuelto a ocurrir lo mismo. Los muertos se han convertido en mártires y se ha olvidado su degradación. ¿Por qué había vuelto a suceder esto? En primer lugar, porque las confesiones que habían hecho eran forzadas y falsas. Nosotros no cometemos esta clase de errores. Todas las confesiones que salen de aquí son verdaderas. Nosotros hacemos que sean verdaderas. Y, sobre todo, no permitimos que los muertos se levanten contra nosotros. Por tanto, debes perder toda esperanza de que la posteridad te reivindique, Winston. La posteridad no sabrá nada de ti. Desaparecerás por completo de la corriente histórica. Te disolveremos en la estratosfera, por decirlo así. De ti no quedará nada: ni un nombre en un papel, ni tu recuerdo en un ser vivo. Quedarás aniquilado tanto en el pretérito como en el futuro. No habrás existido.

«Entonces, ¿para qué me torturan?», pensó Winston con una amargura momentánea. O'Brien se detuvo en seco como si hubiera oído el pensamiento de Winston. Su ancho y feo rostro se le acercó con los ojos un poco entornados y le dijo:

–Estás pensando que si nos proponemos destruirte por completo, ¿para qué nos tomamos todas estas molestias?; que si nada va a quedar de ti, ¿qué importancia puede tener lo que tú digas o pienses? ¿Verdad que lo estás pensando?

–Sí –dijo Winston.

O'Brien sonrió levemente y prosiguió:

–Te explicaré por qué nos molestamos en curarte. Tú, Winston, eres una mancha en el tejido; una mancha que debemos borrar. ¿No te dije hace poco que somos diferentes de los martirizadores del pasado? No nos contentamos con una obediencia negativa, ni siquiera con la sumisión más abyecta. Cuando por fin te rindas a nosotros, tendrá que impulsarte a ello tu libre voluntad. No destruimos a los herejes porque se nos resisten; mientras nos resisten no los destruimos. Los convertimos, captamos su mente, los reformamos. Al hereje político le quitamos todo el mal y todas las ilusiones engañosas que lleva dentro; lo traemos a nuestro lado, no en apariencia, sino verdaderamente, en cuerpo y alma. Lo hacemos uno de nosotros antes de matarlo. Nos resulta intolerable que un pensamiento erróneo exista en alguna parte del mundo, por muy secreto e inocuo que pueda ser. Ni siquiera en el instante de la muerte podemos permitir alguna desviación. Antiguamente, el hereje subía a la hoguera siendo aún un hereje, proclamando su herejía y hasta disfrutando con ella. Incluso la víctima de las purgas rusas se llevaba su rebelión encerrada en el cráneo cuando avanzaba por un pasillo de la prisión en espera del tiro en la nuca. Nosotros, en cambio, hacemos perfecto el cerebro que vamos a destruir. La consigna de todos los despotismos era: «No harás esto o lo otro». La voz de mando de los totalitarios era: «Harás esto o aquello». Nuestra orden es: «*Eres*». Ninguno de los que traemos aquí puede volverse contra nosotros. Les lavamos el cerebro. Incluso aquellos miserables traidores en cuya inocencia creíste un día –Jones, Aaronson y Rutherford– los conquistamos al final. Yo mismo participé en su interrogatorio. Los vi ceder paulatinamente, sollozando, llorando a lágrima viva, y al final no los dominaba el miedo ni el dolor, sino sólo un sentimiento de culpabilidad, un afán de penitencia. Cuando acabamos con ellos no eran más que cáscaras de hombre. Nada quedaba en ellos sino el arrepentimiento por lo que habían hecho y amor por el Gran Hermano. Era conmovedor ver cómo lo amaban. Pedían que se les matase en seguida para poder morir con la mente limpia. Temían que pudiera volver a ensuciárseles.

La voz de O'Brien se había vuelto soñadora y en su rostro permanecía el entusiasmo del loco y la exaltación del fanático. «No está mintiendo –pensó Winston–; no es un hipócrita; cree todo lo que dice.» A Winston le oprimía el convencimiento de su propia inferioridad intelectual. Contemplaba aquella figura pesada y de movimientos sin embargo agradables que paseaba de un lado a otro entrando y saliendo en su radio de visión. O'Brien era, en todos sentidos, un ser de mayores proporciones que él. Cualquier idea que Winston pudiera haber tenido o pudiese tener en lo sucesivo, ya se le había ocurrido a O'Brien, examinándola y rechazándola. La mente de aquel hombre *contenía* a la de Winston. Pero, en ese caso, ¿cómo iba a estar loco O'Brien? El loco tenía que ser él, Winston. O'Brien se detuvo y lo miró fijamente. Su voz había vuelto a ser dura:

–No te figures que vas a salvarte, Winston, aunque te rindas a nosotros por completo. Jamás se salva nadie que se haya desviado alguna vez. Y aunque decidiéramos dejarte vivir el resto de tu vida natural, nunca te escaparás de nosotros. Lo que está ocurriendo aquí es para siempre. Es preciso que se te grabe de una vez para siempre. Te aplastaremos hasta tal punto que no podrás recobrar tu antigua forma. Te sucederán cosas de las que no te recobrarás aunque vivas mil años. Nunca podrás experimentar de nuevo un sentimiento humano. Todo habrá muerto en tu interior. Nunca más serás capaz de amar, de amistad, de disfrutar de la vida, de reírte, de sentir curiosidad por algo, de tener valor, de ser un hombre íntegro... Estarás hueco. Te vaciaremos y te rellenaremos de... nosotros.

Se detuvo y le hizo una señal al hombre de la bata blanca. Winston tuvo la vaga sensación de que por detrás de él le acercaban un aparato grande. O'Brien se había sentado junto a la cama de modo que su rostro quedaba casi al mismo nivel del de Winston.

–Tres mil –le dijo, por encima de la cabeza de Winston, al hombre de la bata blanca.

Dos compresas algo húmedas fueron aplicadas a las sienes de Winston. Éste sintió una nueva clase de dolor. Era algo distinto. Quizás no fuese dolor. O'Brien le puso una mano sobre la suya para tranquilizarlo, casi con amabilidad.

–Esta vez no te dolerá –le dijo–. No apartes tus ojos de los míos.

En aquel momento sintió Winston una explosión devastadora o lo que parecía una explosión, aunque no era seguro que hubiese habido ningún ruido. Lo que sí se produjo fue un cegador fogonazo. Winston no estaba herido; sólo postrado. Aunque estaba tendido de espaldas cuando aquello ocurrió, tuvo la curiosa sensación de que le habían empujado hasta quedar en aquella posición. El terrible e indoloro golpe le había dejado aplastado. Y en el interior de su cabeza también había ocurrido algo. Al recobrar la visión, recordó quién era y dónde estaba y reconoció el rostro que lo contemplaba; pero tenía la sensación de un gran vacío interior. Era como si le faltase un pedazo del cerebro.

–Esto no durará mucho –dijo O'Brien–. Mírame a los ojos. ¿Con qué país está en guerra Oceanía?

Winston pensó. Sabía lo que significaba Oceanía y que él era un ciudadano de este país. También recordaba que existían Eurasia y Asia Oriental; pero no sabía cuál estaba en guerra con cuál. En realidad, no tenía idea de que hubiera guerra ninguna.

–No recuerdo.

–Oceanía está en guerra con Asia Oriental. ¿Lo recuerdas ahora?

–Sí.

–Oceanía ha estado siempre en guerra con Asia Oriental. Desde el principio de tu vida, desde el principio del Partido, desde el principio de la Historia, la guerra ha continuado sin interrupción, siempre la misma guerra. ¿Lo recuerdas?

–Sí.

–Hace once años inventaste una leyenda sobre tres hombres que habían sido condenados a muerte por traición. Pretendías que habías visto un pedazo de papel que probaba su inocencia. Ese recorte de papel nunca existió. Lo inventaste y acabaste creyendo en él. Ahora recuerdas el momento en que lo inventaste, ¿te acuerdas?

–Sí.

–Hace poco te puse ante los ojos los dedos de mi mano. Viste cinco dedos. ¿Recuerdas?

–Sí.

O'Brien le enseñó los dedos de la mano izquierda con el pulgar oculto.

–Aquí hay cinco dedos. ¿Ves cinco dedos?

–Sí.

Y los vio durante un fugaz momento. Llegó a ver cinco dedos, pero pronto volvió a ser todo normal y sintió de nuevo el antiguo miedo, el odio y el desconcierto. Pero durante unos instantes –quizás no más de treinta segundos– había tenido una luminosa certidumbre y todas las sugerencias de O'Brien habían venido a llenar un hueco de su cerebro convirtiéndose en verdad absoluta. En esos instantes dos y dos podían haber sido lo mismo tres que cinco, según se hubiera necesitado. Pero antes de que O'Brien hubiera dejado caer la mano, ya se había desvanecido la ilusión. Sin embargo, aunque no podía volver a experimentarla, recordaba aquello como se recuerda una viva experiencia en algún período remoto de nuestra vida en que hemos sido una persona distinta.

–Ya has visto que es posible –le dijo O'Brien.

–Sí –dijo Winston.

O'Brien se levantó con aire satisfecho. A su izquierda vio Winston que el hombre de la bata blanca preparaba una inyección. O'Brien miró a Winston sonriente. Se ajustó las gafas como en los buenos tiempos.

–¿Recuerdas haber escrito en tu diario que no importaba

que yo fuera amigo o enemigo, puesto que yo era por lo menos una persona que te comprendía y con quien podías hablar? Tenías razón. Me gusta hablar contigo. Tu mentalidad atrae a la mía. Se parece a la mía excepto en que está enferma. Antes de que acabemos esta sesión puedes hacerme algunas preguntas si quieres.

–¿La pregunta que quiera?

–Sí. Cualquiera. –Vio que los ojos de Winston se fijaban en la esfera graduada–. Ahora no funciona. ¿Cuál es tu primera pregunta?

–¿Qué habéis hecho con Julia? –dijo Winston.

O'Brien volvió a sonreír.

–Te traicionó, Winston. Inmediatamente y sin reservas. Pocas veces he visto a alguien que se nos haya entregado tan pronto. Apenas la reconocerías si la vieras. Toda su rebeldía, sus engaños, sus locuras, su suciedad mental... todo eso ha desaparecido de ella como si lo hubiera quemado. Fue una conversión perfecta, un caso para ponerlo en los libros de texto.

–¿La habéis torturado?

O'Brien no contestó.

–A ver, la pregunta siguiente.

–¿Existe el Gran Hermano?

–Claro que existe. El Partido existe. El Gran Hermano es la encarnación del Partido.

–¿Existe en el mismo sentido en que yo existo?

–Tú no existes –dijo O'Brien.

A Winston volvió a asaltarle una terrible sensación de desamparo. Comprendía por qué le decían a él que no existía; pero era un juego de palabras estúpido. ¿No era un gran absurdo la afirmación «tú no existes»? Pero ¿de qué servía rechazar esos argumentos disparatados?

–Yo creo que existo –dijo con cansancio–. Tengo plena conciencia de mi propia identidad. He nacido y he de morir. Tengo brazos y piernas. Ocupo un lugar concreto en el espacio. Ningún otro objeto sólido puede ocupar a la vez el mismo punto. En este sentido, ¿existe el Gran Hermano?

–Eso no tiene importancia. Existe.

–¿Morirá el Gran Hermano?

–Claro que no. ¿Cómo va a morir? A ver, la pregunta siguiente.

–¿Existe la Hermandad?

–Eso no lo sabrás nunca, Winston. Si decidimos libertarte cuando acabemos contigo y si llegas a vivir noventa años, seguirás sin saber si la respuesta a esa pregunta es sí o no. Mientras vivas, será eso para ti un enigma.

Winston yacía silencioso. Respiraba un poco más rápidamente. Todavía no había hecho la pregunta que le preocupaba desde un principio. Tenía que preguntarlo, pero su lengua se resistía a pronunciar las palabras. O'Brien parecía divertido. Hasta sus gafas parecían brillar irónicamente. Winston pensó de pronto: «Sabe perfectamente lo que le voy a preguntar». Y entonces le fue fácil decir:

–¿Qué hay en la habitación 101?

La expresión del rostro de O'Brien no cambió. Respondió:

–Sabes muy bien lo que hay en la habitación 101, Winston. Todo el mundo sabe lo que hay en la habitación 101. –Levantó un dedo hacia el hombre de la bata blanca. Evidentemente, la sesión había terminado. Winston sintió en el brazo el pinchazo de una inyección. Casi inmediata mente, se hundió en un profundo sueño.

III

–Hay tres etapas en tu reintegración –dijo O'Brien–; primero aprender, luego comprender y, por último, aceptar. Ahora tienes que entrar en la segunda etapa.

Como siempre, Winston estaba tendido de espaldas, pero ya no lo ataban tan fuerte. Aunque seguía sujeto al lecho, podía mover las rodillas un poco y volver la cabeza de uno a otro lado y levantar los antebrazos. Además, ya no le causaba tanta tortura la palanca. Podía evitarse el dolor con un poco de habilidad, porque ahora sólo lo castigaba O'Brien por faltas de inteligencia. A veces pasaba una sesión entera sin que se moviera la aguja del disco. No recordaba cuántas sesiones habían sido. Todo el proceso se extendía por un tiempo largo, indefinido –quizá varias semanas–, y los intervalos entre las sesiones quizá fueran de varios días y otras veces sólo de una o dos horas.

–Mientras te hallas ahí tumbado –le dijo O'Brien–, te has preguntado con frecuencia, e incluso me lo has preguntado a mí, por qué el Ministerio del Amor emplea tanto tiempo y trabajo en tu persona. Y cuando estabas en libertad te preocupabas por lo mismo. Podías comprender el mecanismo de la sociedad en que vivías, pero no los motivos subterráneos. ¿Recuerdas haber escrito en tu Diario: «Comprendo el *cómo* no comprendo el *porqué*»? Cuando pensabas en el porqué es cuando dudabas de tu propia cordura. Has leído el libro de

Goldstein, o partes de él por lo menos. ¿Te enseñó algo que ya no supieras?

–¿Lo has leído tú? –dijo Winston.

–Lo escribí. Es decir, colaboré en su redacción. Ya sabes que ningún libro se escribe individualmente.

–¿Es cierto lo que dice?

–Como descripción, sí. Pero el programa que presenta es una tontería. La acumulación secreta de conocimientos, la extensión paulatina de ilustración y, por último, la rebelión proletaria y el aniquilamiento del Partido. Ya te figurabas que esto es lo que encontrarías en el *libro*. Pura tontería. Los proletarios no se sublevarán ni dentro de mil años ni de mil millones de años. No pueden. Es inútil que te explique la razón por la que no pueden rebelarse; ya la conoces. Si alguna vez te has permitido soñar en violentas sublevaciones, debes renunciar a ello. El Partido no puede ser derribado por ningún procedimiento. Las normas del Partido, su dominio es para siempre. Debes partir de ese punto en todos tus pensamientos.

O'Brien se acercó más al lecho.

–¡Para siempre! –repitió–. Y ahora volvamos a la cuestión del cómo y el porqué. Entiendes perfectamente cómo se mantiene en el poder el Partido. Ahora dime, ¿por qué nos aferramos al poder? ¿Cuál es nuestro motivo? ¿Por qué deseamos el poder? Habla –añadió al ver que Winston no le respondía.

Sin embargo, Winston siguió callado unos instantes. Sentíase aplanado por una enorme sensación de cansancio. El rostro de O'Brien había vuelto a animarse con su fanático entusiasmo. Sabía Winston de antemano lo que iba a decirle O'Brien: que el Partido no buscaba el poder por el poder mismo, sino sólo para el bienestar de la mayoría. Que le interesaba tener en las manos las riendas porque los hombres de la masa eran criaturas débiles y cobardes que no podían soportar la libertad ni encararse con la verdad y debían ser dominados y engañados sistemáticamente por otros hombres más fuertes que ellos. Que la Humanidad sólo podía escoger entre la libertad y la felicidad, y para la gran masa de la Humanidad era preferible la felicidad. Que el Partido era el eterno guardián de los débiles, una secta dedicada a hacer el mal para lograr el bien sacrificando su propia felicidad a la de los demás. Lo terrible, pensó Winston, lo verdaderamente terrible era que cuando O'Brien le dijera esto, se lo estaría creyendo. No había más que verle la cara. O'Brien lo sabía todo. Sabía mil veces mejor que Winston cómo era en realidad el mundo, en qué degradación vivía la masa humana y por medio de qué mentiras y atrocidades la dominaba el Partido. Lo había entendido y pesado todo y, sin embargo, no importaba: todo lo justificaba él por los fines. ¿Qué va uno a hacer, pensó Winston, contra un loco que es más inteligente que uno, que le oye a uno pacientemente y que sin embargo persiste en su locura?

–Nos gobernáis por nuestro propio bien –dijo débilmente–. Creéis que los seres humanos no están capacitados para gobernarse, y en vista de ello...

Estuvo a punto de gritar. Una punzada de dolor se le había clavado en el cuerpo. O'Brien había presionado la palanca y la aguja de la esfera marcaba treinta y cinco.

–Eso fue una estupidez, Winston; has dicho una tontería. Debías tener un poco más de sensatez.

Volvió a soltar la palanca y prosiguió:

–Ahora te diré la respuesta a mi pregunta. Se trata de esto: el Partido quiere tener el poder por amor al poder mismo. No nos interesa el bienestar de los demás; sólo nos interesa el poder. No la riqueza ni el lujo, ni la longevidad ni la felicidad; sólo el poder, el poder puro. Ahora comprenderás lo que significa el poder puro. Somos diferentes de todas las oligarquías del pasado porque sabemos lo que estamos haciendo. Todos los demás, incluso los que se parecían a nosotros, eran cobardes o hipócritas. Los nazis alemanes y los comunistas rusos se acercaban mucho a nosotros por sus métodos, pero nunca tuvieron el valor de reconocer sus propios motivos. Pretendían, y quizás lo creían sinceramente, que se habían apoderado de los mandos contra su voluntad y para un tiempo limitado y que a la vuelta de la esquina, como quien dice, habría un paraíso donde todos los seres humanos serían libres e iguales. Nosotros no somos así. Sabemos que nadie se apodera del mando con la intención de dejarlo. El poder no es un medio, sino un fin en sí mismo. No se establece una dictadura para salvaguardar una revolución; se hace la revolución para establecer una dictadura. El objeto de la persecución no es más que la persecución misma. La tortura sólo tiene como finalidad la misma tortura. Y el objeto del poder no es más que el poder. ¿Empiezas a entenderme?

A Winston le asombraba el cansancio del rostro de O'Brien. Era fuerte, carnoso y brutal, lleno de inteligencia y de una especie de pasión controlada ante la cual sentíase uno desarmado; pero, desde luego, estaba cansado. Tenía bolsones bajo los ojos y la piel floja en las mejillas. O'Brien se inclinó sobre él para acercarle más la cara, para que pudiera verla mejor.

—Estás pensando –le dijo– que tengo la cara avejentada y cansada. Piensas que estoy hablando del poder y que ni siquiera puedo evitar la decrepitud de mi propio cuerpo. ¿No comprendes, Winston, que el individuo es sólo una célula? El cansancio de la célula supone el vigor del organismo. ¿Acaso te mueres al cortarte las uñas?

Se apartó del lecho y empezó a pasear con una mano en el bolsillo.

—Somos los sacerdotes del poder –dijo–. El poder es Dios. Pero ahora el poder es sólo una palabra en lo que a ti respecta. Y ya es hora de que tengas una idea de lo que el poder significa. Primero debes darte cuenta de que el poder es colectivo. El individuo sólo detenta poder en tanto deja de ser un individuo. Ya conoces la consigna del Partido: «La libertad es la esclavitud». ¿Se te ha ocurrido pensar que esta frase es reversible? Sí, la esclavitud es la libertad. El ser humano es derrotado siempre que está solo, siempre que es libre. Ha de ser así porque todo ser humano está condenado a morir irremisiblemente y la muerte es el mayor de todos los fracasos; pero si el hombre logra someterse plenamente, si puede escapar de su propia identidad, si es capaz de fundirse con el Partido de modo que él *es* el Partido, entonces será todopoderoso e inmortal. Lo segundo de que tienes que darte cuenta es que el poder es poder sobre seres humanos. Sobre el cuerpo, pero especialmente sobre el espíritu. El poder sobre la materia..., la realidad externa, como tú la llamarías..., carece de importancia. Nuestro control sobre la materia es, desde luego, absoluto.

Durante unos momentos olvidó Winston la palanca. Hizo un violento esfuerzo para incorporarse y sólo consiguió causarse dolor.

—Pero ¿cómo vais a controlar la materia? —exclamó sin poderse contener—. Ni siquiera conseguís controlar el clima y la ley de la gravedad. Además, existen la enfermedad, el dolor, la muerte...

O'Brien le hizo callar con un movimiento de la mano:

—Controlamos la materia porque controlamos la mente. La realidad está dentro del cráneo. Irás aprendiéndolo poco a poco, Winston. No hay nada que no podamos conseguir: la invisibilidad, la levitación... absolutamente todo. Si quisiera, podría flotar ahora sobre el suelo como una pompa de jabón. No lo deseo porque el Partido no lo desea. Debes librarte de esas ideas decimonónicas sobre las leyes de la Naturaleza. Somos nosotros quienes dictamos las leyes de la Naturaleza.

—¡No las dictáis! Ni siquiera sois los dueños de este planeta. ¿Qué me dices de Eurasia y Asia Oriental? Todavía no las habéis conquistado.

—Eso no tiene importancia. Las conquistaremos cuando nos convenga. Y si no las conquistásemos nunca, ¿en qué puede influir eso? Podemos borrarlas de la existencia. Oceanía es el mundo entero.

—Es que el mismo mundo no es más que una pizca de polvo. Y el hombre es sólo una insignificancia. ¿Cuánto tiempo lleva existiendo? La Tierra estuvo deshabitada durante millones de años.

—¡Qué tontería! La Tierra tiene sólo nuestra edad. ¿Cómo va a ser más vieja? No existe sino lo que admite la conciencia humana.

—Pero las rocas están llenas de huesos de animales desaparecidos, mastodontes y enormes reptiles que vivieron en la Tierra muchísimo antes de que apareciera el primer hombre.

—¿Has visto alguna vez esos huesos, Winston? Claro que no. Los inventaron los biólogos del siglo XIX. Nada hubo antes del hombre. Y después del hombre, si éste desapareciera definitivamente de la Tierra, nada habría tampoco. Fuera del hombre no hay nada.

—Es que el universo entero está fuera de nosotros. ¡Piensa en las estrellas! Puedes verlas cuando quieras. Algunas de ellas están a un millón de años-luz de distancia. Jamás podremos alcanzarlas.

—¿Qué son las estrellas? —dijo O'Brien con indiferencia—. Solamente unas bolas de fuego a unos kilómetros de distancia. Podríamos llegar a ellas si quisiéramos o hacerlas desaparecer, borrarlas de nuestra conciencia. La Tierra es el centro del universo. El sol y las estrellas giran en torno a ella.

Winston hizo otro movimiento convulsivo. Esta vez no dijo nada. O'Brien prosiguió, como si contestara a una objeción que le hubiera hecho Winston:

—Desde luego, para ciertos fines es eso verdad. Cuando navegamos por el océano o cuando predecimos un eclipse, nos puede resultar conveniente dar por cierto que la Tierra gira alrededor del sol y que las estrellas se encuentran a millones y millones de kilómetros de nosotros. Pero ¿qué importa eso? ¿Crees que está fuera de nuestros medios un sistema dual de astronomía? Las estrellas pueden estar cerca o lejos según las necesitemos. ¿Crees que ésa es tarea difícil para nuestros matemáticos? ¿Has olvidado el doblepensar?

Winston se encogió en el lecho. Dijera lo que dijese, le venía encima la veloz respuesta como un porrazo, y, sin embargo, sabía —*sabía*— que llevaba razón. Seguramente había alguna manera de demostrar que la creencia de que nada existe fuera de nuestra mente es una absoluta falsedad. ¿No se había demostrado hace ya mucho tiempo que era una teoría indefendible? Incluso había un nombre para eso, aunque él lo había olvidado. Una fina sonrisa recorrió los labios de O'Brien, que lo estaba mirando.

—Te digo, Winston, que la metafísica no es tu fuerte. La

palabra que tratas de encontrar es solipsismo. Pero estás equivocado. En este caso no hay solipsismo. En todo caso, habrá solipsismo colectivo, pero eso es muy diferente; es precisamente lo contrario. En fin, todo esto es una digresión —añadió con tono distinto—. El verdadero poder, el poder por el que tenemos que luchar día y noche, no es poder sobre las cosas, sino sobre los hombres. —Después de una pausa, asumió de nuevo su aire de maestro de escuela examinando a un discípulo prometedor—: Vamos a ver, Winston, ¿cómo afirma un hombre su poder sobre otro?

Winston pensó un poco y respondió:

—Haciéndole sufrir.

—Exactamente. Haciéndole sufrir. No basta con la obediencia. Si no sufre, ¿cómo vas a estar seguro de que obedece tu voluntad y no la suya propia? El poder radica en infligir dolor y humillación. El poder está en la facultad de hacer pedazos los espíritus y volverlos a construir dándoles nuevas formas elegidas por ti. ¿Empiezas a ver qué clase de mundo estamos creando? Es lo contrario, exactamente lo contrario de esas estúpidas utopías hedonistas que imaginaron los antiguos reformadores. Un mundo de miedo, de ración y de tormento, un mundo de pisotear y ser pisoteado, un mundo que se hará cada día más despiadado. El progreso de nuestro mundo será la consecución de más dolor. Las antiguas civilizaciones sostenían basarse en el amor o en la justicia. La nuestra se funda en el odio. En nuestro mundo no habrá más emociones que el miedo, la rabia, el triunfo y el autorebajamiento. Todo lo demás lo destruiremos, todo. Ya estamos suprimiendo los hábitos mentales que han sobrevivido de antes de la Revolución. Hemos cortado los vínculos que unían al hijo con el padre, un hombre con otro y al hombre con la mujer. Nadie se fía ya de su esposa, de su hijo ni de un amigo. Pero en el futuro no habrá ya esposas ni amigos. Los niños se les quitarán a las madres al nacer, como se les quitan los huevos a la gallina cuando los pone. El instinto sexual será arrancado donde persista. La procreación consistirá en una formalidad anual como la renovación de la cartilla de racionamiento. Suprimiremos el orgasmo. Nuestros neurólogos trabajan en ello. No habrá lealtad; no existirá más fidelidad que la que se debe al Partido, ni más amor que el amor al Gran Hermano. No habrá risa, excepto la risa triunfal cuando se derrota a un enemigo. No habrá arte, ni literatura, ni ciencia. No habrá ya distinción entre la belleza y la fealdad. Todos los placeres serán destruidos. Pero siempre, no lo olvides, Winston, siempre habrá el afán de poder, la sed de dominio, que aumentará constantemente y se hará cada vez más sutil. Siempre existirá la emoción de la victoria, la sensación de pisotear a un enemigo indefenso. Si quieres hacerte una idea de cómo será el futuro, figúrate una bota aplastando un rostro humano... incesantemente.

Se calló, como si esperase a que Winston le hablara. Pero éste se encogía más aún. No se le ocurría nada. Parecía helársele el corazón. O'Brien prosiguió:

–Recuerda que es para siempre. Siempre estará ahí la cara que ha de ser pisoteada. El hereje, el enemigo de la sociedad, estarán siempre a mano para que puedan ser derrotados y humillados una y otra vez. Todo lo que tú has sufrido desde que estás en nuestras manos, todo eso continuará sin cesar. El espionaje, las traiciones, las detenciones, las torturas, las ejecuciones y las desapariciones se producirán continuamente. Será un mundo de terror a la vez que un mundo triunfal. Mientras más poderoso sea el Partido, menos tolerante será. A una oposición más débil corresponderá un despotismo más implacable. Goldstein y sus herejías vivirán siempre. Cada día, a cada momento, serán derrotados, desacreditados, ridiculizados, les escupiremos encima, y, sin embargo, sobrevivirán siempre. Este drama que yo he representado contigo durante siete años volverá a ponerse en escena una y otra vez, generación tras generación, cada vez en forma más sutil. Siempre tendremos al hereje a nuestro albedrío, chillando de dolor, destrozado, despreciable y, al final, totalmente arrepentido, salvado de sus errores y arrastrándose a nuestros pies por su propia voluntad. Ése es el mundo que estamos preparando, Winston. Un mundo de victoria tras victoria, de triunfos sin fin, una presión constante sobre el nervio del poder. Ya veo que empiezas a darte cuenta de cómo será ese mundo. Pero acabarás haciendo más que comprenderlo. Lo aceptarás, lo acogerás encantado, te convertirás en parte de él.

Winston había recobrado suficiente energía para hablar:

–¡No podréis conseguirlo! –dijo débilmente.

–¿Qué has querido decir con esas palabras, Winston?

–No podréis crear un mundo como el que has descrito. Eso es un sueño, un imposible.

–¿Por qué?

–Es imposible fundar una civilización sobre el miedo, el odio y la crueldad. No perduraría.

–¿Por qué no?

–No tendría vitalidad. Se desintegraría, se suicidaría.

–No seas tonto. Estás bajo la impresión de que el odio es más agotador que el amor. ¿Por qué va a serlo? Y si lo fuera, ¿qué diferencia habría? Supón que preferimos gastarnos más pronto. Supón que aceleramos el *tempo* de la vida humana de modo que los hombres sean seniles a los treinta años. ¿Qué importaría? ¿No comprendes que la muerte del individuo no es la muerte? El Partido es inmortal.

Como de costumbre, la voz había vencido a Winston. Además, temía éste que si persistía su desacuerdo con O'Brien, se moviera de nuevo la aguja. Sin embargo, no podía estarse callado. Apagadamente, sin argumentos, sin nada en qué apoyarse excepto el inarticulado horror que le producía lo que había dicho O'Brien, volvió al ataque.

–No sé, no me importa. De un modo o de otro, fracasaréis. Algo os derrotará. La vida os derrotará.

–Nosotros, Winston, controlamos la vida en todos sus niveles. Te figuras que existe algo llamado la naturaleza humana, que se irritará por lo que hacemos y se volverá contra nosotros. Pero no olvides que nosotros creamos la naturaleza humana. Los hombres son infinitamente maleables. O quizás hayas vuelto a tu antigua idea de que los proletarios o los esclavos se levantarán contra nosotros y nos derribarán. Desecha esa idea. Están indefensos, como animales. La Humanidad es el Partido. Los otros están fuera, son insignificantes.

–No me importa. Al final, os vencerán. Antes o después os verán como sois, y entonces os despedazarán.

–¿Tienes alguna prueba de que eso esté ocurriendo? ¿O quizás alguna razón de que pudiera ocurrir?

–No. Es lo que creo. *Sé* que fracasaréis. Hay algo en el universo –no sé lo que es: algún espíritu, algún principio– contra lo que no podréis.

–¿Acaso crees en Dios, Winston?

–No.

–Entonces, ¿qué principio es ese que ha de vencernos?

–No sé. El espíritu del Hombre.

–¿Y te consideras tú un hombre?

–Sí.

–Si tú eres un hombre, Winston, es que eres el último. Tu especie se ha extinguido; nosotros somos los herederos. ¿Te das cuenta de que estás solo, absolutamente solo? Te encuentras fuera de la historia, no existes. –Cambió de tono y de actitud y dijo con dureza–: ¿Te consideras moralmente superior a nosotros por nuestras mentiras y nuestra crueldad?

–Sí, me considero superior.

O'Brien guardó silencio. Pero en seguida empezaron a hablar otras dos voces. Después de un momento, Winston reconoció que una de ellas era la suya propia. Era una cinta magnetofónica de la conversación que había sostenido con O'Brien la noche en que se había alistado en la Hermandad. Se oyó a sí mismo prometiendo solemnemente mentir, robar, falsificar, asesinar, fomentar el hábito de las drogas y la prostitución, propagar las enfermedades venéreas y arrojar vitriolo a la cara de un niño. O'Brien hizo un pequeño gesto de impaciencia, como dando a entender que la demostración casi no merecía la pena. Luego hizo funcionar un resorte y las voces se detuvieron.

–Levántate de ahí –dijo O'Brien.

Las ataduras se habían soltado por sí mismas. Winston se puso en pie con gran dificultad.

–Eres el último hombre –dijo O'Brien–. Eres el guardián del espíritu humano. Ahora te verás como realmente eres. Desnúdate.

Winston se soltó el pedazo de cuerda que le sostenía el «mono». Había perdido hacía tiempo la cremallera. No podía recordar si había llegado a desnudarse del todo desde que lo detuvieron. Debajo del «mono» tenía unos andrajos amarillentos que apenas podían reconocerse como restos de ropa interior. Al caérsele todo aquello al suelo, vio que había un espejo de tres lunas en la pared del fondo. Se acercó a él y se detuvo en seco. Se le había escapado un grito involuntario.

–Anda –dijo O'Brien–. Colócate entre las tres lunas. Así te verás también de lado.

Winston estaba aterrado. Una especie de esqueleto muy encorvado y de un color grisáceo andaba hacia él. La imagen era horrible. Se acercó más al espejo. La cabeza de aquella criatura tan extraña aparecía deformada, ya que avanzaba con el cuerpo casi doblado. Era una cabeza de presidiario con una frente abultada y un cráneo totalmente calvo, una nariz retorcida y los pómulos magullados, con unos ojos feroces y alertas. Las mejillas tenían varios costurones. Desde luego, era la cara de Winston, pero a éste le pareció que había cambiado, aún más por fuera que por dentro. Se había vuelto casi calvo y en un principio creyó que tenía el pelo cano, pero era que el color de su cuero cabelludo estaba gris. El cuerpo entero, excepto las manos y la cara, se había vuelto gris como si lo cubriera una vieja capa de polvo. Aquí y allá, bajo la suciedad, aparecían las cicatrices rojas de las heridas, y cerca del tobillo sus varices formaban una masa inflamada de la que se desprendían escamas de piel. Pero lo verdaderamente espantoso era su delgadez. La cavidad de sus costillas era tan estrecha como la de un esqueleto. Las piernas se le habían encogido de tal manera que las rodillas eran más gruesas que los muslos. Esto le hizo comprender por qué O'Brien le había dicho que se viera de lado. La curvatura de la espina dorsal era asombrosa. Los delgados hombros avanzaban formando un gran hueco en el pecho y el cuello se doblaba bajo el peso del cráneo. De no haber sabido que era su propio cuerpo, habría dicho Winston que se trataba de un hombre de más de sesenta años aquejado de alguna terrible enfermedad.

–Has pensado a veces –dijo O'Brien– que mi cara, la cara

de un miembro del Partido Interior, está avejentada y revela un gran cansancio. ¿Qué piensas contemplando la tuya?

Cogió a Winston por los hombros y le hizo dar la vuelta hasta tenerlo de frente.

—¡Fíjate en qué estado te encuentras! —dijo—. Mira la suciedad que cubre tu cuerpo. ¿Sabes que hueles como un macho cabrío? Es probable que ya no lo notes. Fíjate en tu horrible delgadez. ¿Ves? Te rodeo el brazo con el pulgar y el índice. Y podría doblarte el cuello como una remolacha. ¿Sabes que has perdido veinticinco kilos desde que estás en nuestras manos? Hasta el pelo se te cae a puñados. ¡Mira! —le arrancó un mechón de pelo—. Abre la boca. Te quedan nueve, diez, once dientes. ¿Cuántos tenías cuando te detuvimos? Y los pocos que te quedan se te están cayendo. ¡¡Mira!!

Agarró uno de los dientes de abajo que le quedaban a Winston. Éste sintió un dolor agudísimo que le corrió por toda la mandíbula. O'Brien se lo había arrancado de cuajo, tirándolo luego al suelo.

—Te estás pudriendo, Winston. Te estás desmoronando. ¿Qué eres ahora? Una bolsa llena de porquería. Mírate otra vez en el espejo. ¿Ves eso que tienes enfrente? Es el último hombre. Si eres humano, ésa es la Humanidad. Anda, vístete otra vez.

Winston empezó a vestirse con movimientos lentos y rígidos. Hasta ahora no había notado lo débil que estaba. Sólo un pensamiento le ocupaba la mente: que debía de llevar en aquel sitio más tiempo de lo que se figuraba. Entonces, al mirar los miserables andrajos que se habían caído en torno suyo, sintió una enorme piedad por su pobre cuerpo. Antes de saber lo que estaba haciendo, se había sentado en un taburete junto al lecho y había roto a llorar. Se daba plena cuenta de su terrible fealdad, de su inutilidad, de que era un montón de huesos envueltos en trapos sucios que lloraba iluminado por una deslumbrante luz blanca. Pero no podía contenerse. O'Brien le puso una mano en el hombro casi con amabilidad.

—Esto no durará siempre —le dijo—. Puedes evitarte todo esto en cuanto quieras. Todo depende de ti.

—¡Tú tienes la culpa! —sollozó Winston—. Tú me convertiste en este guiñapo.

–No, Winston, has sido tú mismo. Lo aceptaste cuando te pusiste contra el Partido. Todo ello estaba ya contenido en aquel primer acto de rebeldía. Nada ha ocurrido que tú no hubieras previsto.

Después de una pausa, prosiguió:

–Te hemos pegado, Winston; te hemos destrozado. Ya has visto cómo está tu cuerpo. Pues bien, tu espíritu está en el mismo estado. Has sido golpeado e insultado, has gritado de dolor, te has arrastrado por el suelo en tu propia sangre, y en tus vómitos has gemido pidiendo misericordia, has traicionado a todos. ¿Crees que hay alguna degradación en que no hayas caído?

Winston dejó de llorar, aunque seguía teniendo los ojos llenos de lágrimas. Miró a O'Brien.

–No he traicionado a Julia –dijo.

O'Brien lo miró pensativo.

–No, no. Eso es cierto. No has traicionado a Julia.

El corazón de Winston volvió a llenarse de aquella adoración por O'Brien que nada parecía capaz de destruir. «¡Qué inteligente –pensó–, qué inteligente es este hombre!» Nunca dejaba O'Brien de comprender lo que se le decía. Cualquiera otra persona habría contestado que había traicionado a Julia. ¿No se lo habían sacado todo bajo tortura? Les había contado absolutamente todo lo que sabía de ella: su carácter, sus costumbres, su vida pasada; había confesado, dando los más pequeños detalles, todo lo que había ocurrido entre ellos, todo lo que él había dicho a ella y ella a él, sus comidas, alimentos comprados en el mercado negro, sus relaciones sexuales, sus vagas conspiraciones contra el Partido... y, sin embargo, en el sentido que él le daba a la palabra traicionar, no la había traicionado. Es decir, no había dejado de amarla. Sus sentimientos hacia ella seguían siendo los mismos. O'Brien había entendido lo que él quería decir sin necesidad de explicárselo.

–Dime –murmuró Winston–, ¿cuándo me matarán?

–A lo mejor, tardan aún mucho tiempo –respondió O'Brien–. Eres un caso difícil. Pero no pierdas la esperanza. Todos se curan antes o después. Al final, te mataremos.

IV

Sentíase mucho mejor. Había engordado y cada día estaba más fuerte. Aunque hablar de días no era muy exacto.

La luz blanca y el zumbido seguían como siempre, pero la nueva celda era un poco más confortable que las demás en que había estado. La cama tenía una almohada y un colchón y había también un taburete. Lo habían bañado, permitiéndole lavarse con bastante frecuencia en un barreño de hojalata. Incluso le proporcionaron agua caliente. Tenía ropa interior nueva y un nuevo «mono». Le curaron las varices vendándoselas adecuadamente. Le arrancaron el resto de los dientes y le pusieron una dentadura postiza.

Debían de haber pasado varias semanas e incluso meses. Ahora le habría sido posible medir el tiempo si le hubiera interesado, pues lo alimentaban a intervalos regulares. Calculó que le llevaban tres comidas cada veinticuatro horas, aunque no estaba seguro si se las llevaban de día o de noche. El alimento era muy bueno, con carne cada tres comidas. Una vez le dieron también un paquete de cigarrillos. No tenía cerillas, pero el guardia que le llevaba la comida, y que nunca le hablaba, le daba fuego. La primera vez que intentó fumar, se mareó, pero perseveró, alargando el paquete mucho tiempo. Fumaba medio cigarrillo después de cada comida.

Le dejaron una pizarra con un pizarrín atado a un pico. Al principio no lo usó. Se hallaba en un continuo estado de atontamiento. Con frecuencia se tendía desde una comida hasta la siguiente sin moverse, durmiendo a ratos y a ratos pensando confusamente. Se había acostumbrado a dormir con una luz muy fuerte sobre el rostro. La única diferencia que notaba con ello era que sus sueños tenían así más coherencia. Soñaba mucho y a veces tenía ensueños felices. Se veía en el País Dorado o sentado entre enormes, soleadas y gloriosas ruinas con su madre, con Julia o con O'Brien, sin hacer nada, sólo tomando el sol y hablando de temas pacíficos. Al despertarse, pensaba mucho tiempo sobre lo que había soñado. Había perdido la facultad de esforzarse intelectualmente al desaparecer el estímulo del dolor. No se sentía aburrido ni deseaba conversar ni distraerse por otro medio. Sólo quería estar aislado, que no le pegaran ni lo interrogaran, tener bastante comida y estar limpio.

Gradualmente empezó a dormir menos, pero seguía sin desear levantarse de la cama. Su mayor afán era yacer en calma y sentir cómo se concentraba más energía en su cuerpo. Se tocaba continuamente el cuerpo para asegurarse de que no era una ilusión suya el que sus músculos se iban redondeando y su piel fortaleciendo. Por último, vio con alegría que sus muslos eran mucho más gruesos que sus rodillas. Después de esto, aunque sin muchas ganas al principio, empezó a hacer algún ejercicio con regularidad. Andaba hasta tres kilómetros seguidos; los medía por los pasos que daba en torno a la celda. La espalda se le iba enderezando. Intentó realizar ejercicios más complicados, y se asombró, humillado, de la cantidad asombrosa de cosas que no podía hacer. No podía coger el taburete estirando el brazo ni sostenerse en una sola pierna sin caerse. Intentó ponerse en cuclillas, pero sintió unos dolores terribles en los muslos y en las pantorrillas. Se tendió de cara al suelo e intentó levantar el peso del cuerpo con las manos. Fue inútil; no podía elevarse ni un centímetro. Pero después de unos días más –otras cuantas comidas– incluso eso llegó a realizarlo. Lo hizo hasta seis veces seguidas. Empezó a enorgullecerse de su cuerpo y a albergar la intermitente ilusión de que también su cara se le iba normalizando. Pero cuando casualmente se llevaba la mano a su cráneo calvo, recordaba el rostro cruzado de cicatrices y deformado que había visto aquel día en el espejo. Se le fue activando el espíritu. Sentado en la cama, con la espalda apoyada en la pared y la pizarra sobre las rodillas, se dedicó con aplicación a la tarea de reeducarse.

Había capitulado, eso era ya seguro. En realidad –lo comprendía ahora– había estado expuesto a capitular mucho antes de tomar esa decisión. Desde que le llevaron al Ministerio del Amor –e incluso durante aquellos minutos en que Julia y él se habían encontrado indefensos espalda contra espalda mientras la voz de hierro de la telepantalla les ordenaba lo que tenían que hacer– se dio plena cuenta de la superficialidad y frivolidad de su intento de enfrentarse con el Partido. Sabía ahora que durante siete años lo había vigilado la Policía del Pensamiento como si fuera un insecto cuyos movimientos se estudian bajo una lupa. Todos sus actos físicos, todas sus palabras e incluso sus actitudes mentales habían sido registradas o deducidas por el Partido. Incluso la motita de polvo blanquecino que Winston había dejado sobre la tapa de su Diario la habían vuelto a colocar cuidadosamente en su sitio. Durante los interrogatorios le hicieron oír cintas magnetofónicas y le mostraron fotografías. Algunas de éstas recogían momentos en que Julia y él habían estado juntos. Sí, incluso... Ya no podía seguir luchando contra el Partido. Además, el Partido tenía razón. ¿Cómo iba a equivocarse el cerebro inmortal y colectivo? ¿Con qué normas externas podían comprobarse sus juicios? La cordura era cuestión de estadística. Sólo había que aprender a pensar como ellos pensaban. ¡Claro que...!

El pizarrín se le hacía extraño entre sus dedos entorpecidos. Empezó a escribir los pensamientos que le acudían. Primero escribió con grandes mayúsculas:

LA LIBERTAD ES LA ESCLAVITUD

Luego, casi sin detenerse, escribió debajo:

DOS Y DOS SON CINCO

Pero luego sintió cierta dificultad para concentrarse. No recordaba lo que venía después, aunque estaba seguro de saberlo. Cuando por fin se acordó de ello, fue sólo por un razonamiento. No fue espontáneo. Escribió:

EL PODER ES DIOS

Lo aceptaba todo. El pasado podía ser alterado. El pasado nunca había sido alterado. Oceanía estaba en guerra con Asia Oriental. Oceanía había estado siempre en guerra con Asia Oriental. Jones, Aaronson y Rutherford eran culpables de los crímenes de que se les acusó. Nunca había visto la fotografía que probaba su inocencia. Esta foto no había existido nunca, la había inventado él. Recordó haber pensado lo contrario, pero estos eran falsos recuerdos, productos de un autoengaño. ¡Qué fácil era todo! Rendirse, y lo demás venía por sí solo. Era como andar contra una corriente que le echaba a uno hacia atrás por mucho que luchara contra ella, y luego, de pronto, se decidiera uno a volverse y nadar a favor de la corriente. Nada habría cambiado sino la propia actitud. Apenas sabía Winston por qué se había revelado. ¡Todo era tan fácil, excepto...!

Todo podía ser verdad. Las llamadas leyes de la Naturaleza eran tonterías. La ley de la gravedad era una imbecilidad. «Si yo quisiera –había dicho O'Brien–, podría flotar sobre este suelo como una pompa de jabón.» Winston desarrolló esta idea: «Si él cree que está flotando sobre el suelo y yo simultáneamente creo que estoy viéndolo flotar, ocurre efectivamente». De repente, como un madero de un naufragio que se suelta y emerge en la superficie, le acudió este pensamiento: «No ocurre en realidad. Lo imaginamos. Es una alucinación». Aplastó en el acto este pensamiento levantisco. Su error era evidente porque presuponía que en algún sitio existía un mundo real donde ocurrían cosas reales. ¿Cómo podía existir un mundo semejante? ¿Qué conocimiento tenemos de nada si no es a través de nuestro propio espíritu? Todo ocurre en la mente y sólo lo que allí sucede tiene una realidad.

No tuvo dificultad para eliminar estos engañosos pensamientos; no se vio en verdadero peligro de sucumbir a ellos. Sin embargo, pensó que nunca debían habérsele ocurrido. Su cerebro debía lanzar una mancha que tapara cualquier pensamiento peligroso al menor intento de asomarse a la conciencia. Este proceso había de ser automático, instintivo. En neolengua se le llamaba *paracrimen*. Era el freno de cualquier acto delictivo.

Se entrenó en el paracrimen. Se planteaba proposiciones como éstas: «El Partido dice que la tierra no es redonda», y se ejercitaba en no entender los argumentos que contradecían a esta proposición. No era fácil. Había que tener una gran facultad para improvisar y razonar. Por ejemplo, los problemas aritméticos derivados de la afirmación dos y dos son cinco requerían una preparación intelectual de la que él carecía. Además para ello se necesitaba una mentalidad atlética, por decirlo así. La habilidad de emplear la lógica en un determinado momento y en el siguiente desconocer los más burdos errores lógicos. Era tan precisa la estupidez como la inteligencia y tan difícil de conseguir.

Durante todo este tiempo, no dejaba de preguntarse con un rincón de su cerebro cuánto tardarían en matarlo. «Todo depende de ti», le había dicho O'Brien, pero Winston sabía muy bien que no podía abreviar ese plazo con ningún acto consciente. Podría tardar diez minutos o diez años. Podían tenerlo muchos años aislado, mandarlo a un campo de trabajos forzados o soltarlo durante algún tiempo, como solían hacer. Era perfectamente posible que antes de matarlo le hicieran representar de nuevo todo el drama de su detención, interrogatorios, etc. Lo cierto era que la muerte nunca llegaba en un momento esperado. La tradición –no la tradición oral, sino un conocimiento difuso que le hacía a uno estar seguro de ello aunque no lo hubiera oído nunca– era que le mataban a uno por detrás de un tiro en la nuca. Un tiro que llegaba sin aviso cuando le llevaban a uno de celda en celda por un pasillo.

Un día cayó en una ensoñación extraña. Se veía a sí mismo andando por un corredor en espera del disparo. Sabía que dispararían de un momento a otro. Todo estaba ya arreglado, se había reconciliado plenamente con el Partido. No más dudas ni más discusiones; no más dolor ni miedo. Tenía el cuerpo saludable y fuerte. Andaba con gusto, contento de moverse él solo. Ya no iba por los estrechos y largos pasillos del Ministerio del Amor, sino por un pasadizo de enorme anchura iluminado por el sol, un corredor de un kilómetro de anchura por el cual había transitado ya en aquel delirio que le produjeron las drogas. Se hallaba en el País Dorado siguiendo unas huellas en los pastos roídos por los conejos. Sentía el muelle césped bajo sus pies y la dulce tibieza del sol. Al borde del campo había unos olmos cuyas hojas se movían levemente y algo más allá corría el arroyo bajo los sauces.

De pronto se despertó horrorizado. Le sudaba todo el cuerpo. Se había oído a sí mismo gritando:

−¡Julia! ¡Julia! ¡Julia! ¡Amor mío! Julia.

Durante un momento había tenido una impresionante alucinación de su presencia. No sólo parecía que Julia estaba con él, sino dentro de él. Era como si la joven tuviera su misma piel. En aquel momento la había querido más que nunca. Además, sabía que se encontraba viva y necesitaba de su ayuda.

Se tumbó en la cama y trató de tranquilizarse. ¿Qué había hecho? ¿Cuántos años de servidumbre se había echado encima por aquel momento de debilidad?

Al cabo de unos instantes oiría los pasos de las botas. Era imposible que dejaran sin castigar aquel estallido. Ahora sabrían, si no lo sabían ya antes, que él había roto el convenio tácito que tenía con ellos. Obedecía al Partido, pero seguía odiándolo. Antes ocultaba un espíritu herético bajo una apariencia conformista. Ahora había retrocedido otro paso: en su espíritu se había rendido, pero con la esperanza de mantener inviolable lo esencial de su corazón, Winston sabía que estaba equivocado, pero prefería que su error hubiera salido a la superficie de un modo tan evidente. O'Brien lo comprendería. Aquellas estúpidas exclamaciones habían sido una excelente confesión.

Tendría que empezar de nuevo. Aquello iba a durar años y años. Se pasó una mano por la cara procurando familiarizarse con su nueva forma. Tenía profundas arrugas en las mejillas, los pómulos angulosos y la nariz aplastada. Además, desde la última vez en que se vio en el espejo tenía una dentadura postiza completa. No era fácil conservar la inescrutabilidad cuando no se sabía la cara que tenía uno. En todo caso no bastaba el control de las facciones. Por primera vez se dio cuenta de que la mejor manera de ocultar un secreto es ante todo ocultárselo a uno mismo. De entonces en adelante no sólo debía pensar rectamente, sino sentir y hasta soñar con rectitud, y todo el tiempo debería encerrar su odio en su interior como una especie de pelota que formaba parte de sí mismo y que sin embargo estuviera desconectada del resto de su persona; algo así como un quiste.

Algún día decidirían matarlo. Era imposible saber cuándo ocurriría, pero unos segundos antes podría adivinarse. Siempre lo mataban a uno por la espalda mientras andaba por un pasillo. Pero le bastarían diez segundos. Y entonces, de repente, sin decir una palabra, sin que se notara en los pasos que aún diera, sin alterar el gesto... podría tirar el camuflaje, y ¡bang!, soltar las baterías de su odio. Sí, en esos segundos anteriores a su muerte, todo su ser se convertiría en una enorme llamarada de odio. Y casi en el mismo instante ¡bang!, llegaría la bala, demasiado tarde, o quizás demasiado pronto. Le habrían destrozado el cerebro antes de que pudieran considerarlo de ellos. El pensamiento herético quedaría impune. No se habría arrepentido, quedaría para siempre fuera del alcance de esa gente. Con el tiro habrían abierto un agujero en esa perfección de que se vanagloriaban. Morir odiándolos, ésa era la libertad.

Cerró los ojos. Su nueva tarea era más difícil que cualquier disciplina intelectual. Tenía primero que degradarse, que mutilarse. Tenía que hundirse en lo más sucio. ¿Qué era lo más horrible, lo que a él le causaba más repugnancia del Partido? Pensó en el Gran Hermano. Su enorme rostro (por verlo constantemente en los carteles de propaganda se lo imaginaba siempre de un metro de anchura), con sus enormes bigotes negros y los ojos que le seguían a uno a todas partes, era la imagen que primero se presentaba a su mente. ¿Cuáles eran sus verdaderos sentimientos hacia el Gran Hermano?

En el pasillo sonaron las pesadas botas. La puerta de acero se abrió con estrépito. O'Brien entró en la celda. Detrás de él venían el oficial de cara de cera y los guardias de negros uniformes.

–Levántate –dijo O'Brien–. Ven aquí.

Winston se acercó a él. O'Brien lo cogió por los hombros con sus enormes manazas y lo miró fijamente:

–Has pensado engañarme –le dijo–. Ha sido una tontería por tu parte. Ponte más derecho y mírame a la cara.

Después de unos minutos de silencio, prosiguió en tono más suave:

–Estás mejorando. Intelectualmente estás ya casi bien del todo. Sólo fallas en lo emocional. Dime, Winston, y recuerda que no puedes mentirme; sabes muy bien que descubro todas tus mentiras. Dime: ¿cuáles son los verdaderos sentimientos que te inspira el Gran Hermano?

–Lo odio.

–¿Lo odias? Bien. Entonces ha llegado el momento de aplicarte el último medio. Tienes que amar al Gran Hermano. No basta que le obedezcas; tienes que amarlo.

Empujó delicadamente a Winston hacia los guardias.

–Habitación 101 –dijo.

V

En cada etapa de su encarcelamiento había sabido Winston –o creyó saber– hacia dónde se hallaba, aproximadamente, en el enorme edificio sin ventanas. Probablemente, había pequeñas diferencias en la presión del aire. Las celdas donde los guardias lo habían golpeado estaban bajo el nivel del suelo. La habitación donde O'Brien lo había interrogado estaba cerca del techo. Este lugar de ahora estaba a muchos metros bajo tierra. Lo más profundo a que se podía llegar.

Era mayor que casi todas las celdas donde había estado. Pero Winston no se fijó más que en dos mesitas ante él, cada una de ellas cubierta con gamuza verde. Una de ellas estaba sólo a un metro o dos de él y la otra más lejos, cerca de la puerta. Winston había sido atado a una silla tan fuerte que no se podía mover en absoluto, ni siquiera podía mover la cabeza que le tenía sujeta por detrás una especie de almohadilla obligándole a mirar de frente.

Se quedó sólo un momento. Luego se abrió la puerta y entró O'Brien.

–Me preguntaste una vez qué había en la habitación 101. Te dije que ya lo sabías. Todos lo saben. Lo que hay en la habitación 101 es lo peor del mundo.

La puerta volvió a abrirse. Entró un guardia que llevaba algo, un objeto hecho de alambres, algo así como una caja o una cesta. La colocó sobre la mesa próxima a la puerta: a causa de la posición de O'Brien, no podía Winston ver lo que era aquello.

–Lo peor del mundo –continuó O'Brien– varía de individuo a individuo. Puede ser que le entierren vivo o morir quemado, o ahogado o de muchas otras maneras. A, veces se trata de una cosa sin importancia, que ni siquiera es mortal, pero que para el individuo es lo peor del mundo.

Se había apartado un poco de modo que Winston pudo ver mejor lo que había en la mesa. Era una jaula alargada con un asa arriba para llevarla. En la parte delantera había algo que parecía una careta de esgrima con la parte cóncava hacia fuera. Aunque estaba a tres o cuatro metros de él pudo ver que la jaula se dividía a lo largo en dos departamentos y que algo se movía dentro de cada uno de ellos. Eran ratas.

–En tu caso –dijo O'Brien–, lo peor del mundo son las ratas.

Winston, en cuanto entrevió al principio la jaula, sintió un temblor premonitorio, un miedo a no sabía qué. Pero ahora, al comprender para qué servía aquella careta de alambre, parecían deshacérsele los intestinos.

–¡No puedes hacer eso! –gritó con voz descompuesta–. ¡Es imposible! ¡No puedes hacerme eso!

–¿Recuerdas –dijo O'Brien– el momento de pánico que surgía repetidas veces en tus sueños? Había frente a ti un muro de negrura y en los oídos te vibraba un fuerte zumbido. Al otro lado del muro había algo terrible. Sabías que *sabías* lo que era, pero no te atrevías a sacarlo a tu consciencia. Pues bien, lo que había al otro lado del muro eran ratas.

–¡O'Brien! –dijo Winston, haciendo un esfuerzo para controlar su voz–. Sabes muy bien que esto no es necesario. ¿Qué quieres que diga?

O'Brien no contestó directamente. Había hablado con su característico estilo de maestro de escuela. Miró pensativo al vacío, como si estuviera dirigiéndose a un público que se encontraba detrás de Winston.

–El dolor no basta siempre. Hay ocasiones en que un ser humano es capaz de resistir el dolor incluso hasta bordear la muerte. Pero para todos hay algo que no puede soportarse, algo tan inaguantable que ni siquiera se puede pensar en ello. No se trata de valor ni de cobardía. Si te estás cayendo desde una gran altura, no es cobardía que te agarres a una cuerda que encuentres a tu caída. Si subes a la superficie desde el fondo de un río, no es cobardía llenar de aire los pulmones. Es sólo un instinto que no puede ser desobedecido. Lo mismo te ocurre ahora con las ratas. Para ti son lo más intolerable del mundo, constituyen una presión que no puedes resistir aunque te esfuerces en ello. Por eso las ratas te harán hacer lo que se te pide.

–Pero ¿de qué se trata? ¿Cómo puedo hacerlo si no sé lo que es?

O'Brien levantó la jaula y la puso en la mesa más próxima a Winston, colocándola cuidadosamente sobre la gamuza. Winston podía oírse la sangre zumbándole en los oídos. Sentíase más abandonado que nunca. Estaba en medio de una gran llanura solitaria, un inmenso desierto quemado por el sol y le llegaban todos los sonidos desde distancias inconmensurables. Sin embargo, la jaula de las ratas estaba sólo a dos metros de él. Eran ratas enormes. Tenían esa edad en que el hocico de las ratas se vuelve hiriente y feroz y su piel es parda en vez de gris.

–La rata –dijo O'Brien, que seguía dirigiéndose a su público invisible–, a pesar de ser un roedor, es carnívora. Tú lo sabes. Habrás oído lo que suele ocurrir en los barrios pobres de nuestra ciudad. En algunas calles, las mujeres no se atreven a dejar a sus niños solos en las casas ni siquiera cinco minutos. Las ratas los atacan, y bastaría muy poco tiempo para que sólo quedaran de ellos los huesos. También atacan a los enfermos y a los moribundos. Demuestran poseer una asombrosa inteligencia para conocer cuándo está indefenso un ser humano.

Las ratas chillaban en su jaula. Winston las oía como desde una gran distancia. Las ratas luchaban entre ellas; querían alcanzarse a través de la división de alambre. Oyó también un profundo y desesperado gemido. Ese gemido era suyo.

O'Brien levantó la jaula y, al hacerlo, apretó algo sobre ella. Era un resorte. Winston hizo un frenético esfuerzo por desligarse de la silla. Era inútil: todas las partes de su cuerpo, incluso su cabeza, estaban inmovilizadas perfectamente. O'Brien le acercó más la jaula. La tenía Winston a menos de un metro de su cara.

–He apretado el primer resorte –dijo O'Brien–. Supongo que comprenderás cómo está construida esta jaula. La careta se adaptará a tu cabeza, sin dejar salida alguna. Cuando yo apriete el otro resorte, se levantará el cierre de la jaula. Estos bichos, locos de hambre, se lanzarán contra ti como balas. ¿Has visto alguna vez cómo se lanza una rata por el aire? Así te saltarán a la cara. A veces atacan primero a los ojos. Otras veces se abren paso a través de las mejillas y devoran la lengua.

La jaula se acercaba; estaba ya junto a él. Winston oyó una serie de chillidos que parecían venir de encima de su cabeza. Luchó furiosamente contra su propio pánico. Pensar, pensar, aunque sólo fuera medio segundo..., pensar era la única esperanza. De pronto, el asqueroso olor de las ratas le dio en el olfato como si hubiera recibido un tremendo golpe. Sintió violentas náuseas y casi perdió el conocimiento. Todo lo veía negro. Durante unos instantes se convirtió en un loco, en un animal que chillaba desesperadamente. Sin embargo, de esas tinieblas fue naciendo una idea. Sólo había una manera de salvarse. Debía interponer a otro ser humano, el *cuerpo* de otro ser humano entre las ratas y él.

El círculo que ajustaba la careta era lo bastante ancho para taparle la visión de todo lo que no fuera la puertecita de alambre situada a dos palmos de su cara. Las ratas sabían lo que iba a pasar ahora. Una de ellas saltaba alocada, mientras que la otra, mucho más vieja, se apoyaba con sus patas rosadas y husmeaba con ferocidad. Winston veía sus patillas y sus dientes amarillos. Otra vez se apoderó de él un negro pánico. Estaba ciego, desesperado, con el cerebro vacío.

–Era un castigo muy corriente en la China imperial –dijo O'Brien, tan didáctico como siempre

La careta le apretaba la cara. El alambre le arañaba las

mejillas. Luego..., no, no fue alivio, sino sólo esperanza, un diminuto fragmento de esperanza. Demasiado tarde, quizás fuese ya demasiado tarde. Pero había comprendido de pronto que en todo el mundo sólo había *una* persona a la que pudiese transferir su castigo, un cuerpo que podía arrojar entre las ratas y él. Y empezó a gritar una y otra vez, frenéticamente:

–¡Házselo a Julia! ¡Házselo a Julia! ¡A mí, no! ¡A Julia! No me importa lo que le hagas a ella. Desgárrale la cara, desconyúntale los huesos. ¡Pero a mí, no! ¡A Julia! ¡A mí, no!

Caía hacia atrás hundiéndose en enormes abismos, alejándose de las ratas a vertiginosa velocidad. Estaba todavía atado a la silla, pero había pasado a través del suelo de los muros del edificio, de la tierra, de los océanos, e iba lanzado por la atmósfera en los espacios interestelares, alejándose sin cesar de las ratas... Se encontraba ya a muchos años-luz de distancia, pero O'Brien estaba aún a su lado. Todavía le apretaba el alambre en las mejillas. Pero en la oscuridad que lo envolvía oyó otro chasquido metálico y sabía que el primer resorte había vuelto a funcionar y la jaula no había llegado a abrirse.

VI

El Nogal estaba casi vacío. Un rayo de sol entraba por una ventana y caía, amarillento, sobre las polvorientas mesas. Era la solitaria hora de las quince. Las telepantallas emitían una musiquilla ligera.

Winston, sentado en su rincón de costumbre, contemplaba un vaso vacío. De vez en cuando levantaba la mirada a la cara que le miraba fijamente desde la pared de enfrente. EL GRAN HERMANO TE VIGILA, decía el letrero. Sin que se lo pidiera, un camarero se acercó a llenarle el vaso con ginebra de la Victoria, echándole también unas cuantas gotas de otra botella que tenía un tubito atravesándole el tapón. Era sacarina aromatizada con clavo, la especialidad de la casa.

Winston escuchaba la telepantalla. Sólo emitía música, pero había la posibilidad de que de un momento a otro diera su comunicado el Ministerio de la Paz. Las noticias del frente africano eran muy intranquilizadoras. Winston había estado muy preocupado todo el día por esto. Un ejército eurasiático (Oceanía estaba en guerra con Eurasia; Oceanía había estado siempre en guerra con Eurasia) avanzaba hacia el sur con aterradora velocidad. El comunicado de mediodía no se había referido a ninguna zona concreta, pero probablemente a aquellas horas se lucharía ya en la desembocadura del Congo. Brazzaville y Leopoldville estaban en peligro. No había que mirar ningún mapa para saber lo que esto significaba. No era sólo cuestión de perder el África central. Por primera vez en la guerra, el territorio de Oceanía se veía amenazado.

Una violenta emoción, no exactamente miedo, sino una especie de excitación indiferenciada, se apoderó de él, para luego desaparecer. Dejó de pensar en la guerra. En aquellos días no podía fijar el pensamiento en ningún tema más que unos momentos. Se bebió el vaso de un golpe. Como siempre, le hizo estremecerse e incluso sentir algunas arcadas.

El líquido era horrible. El clavo y la sacarina, ya de por sí repugnantes, no podían suprimir el aceitoso sabor de la ginebra, y lo peor de todo era que el olor de la ginebra, que le acompañaba día y noche, iba inseparablemente unido en su mente con el olor de aquellas...

Nunca las nombraba, ni siquiera en sus más recónditos pensamientos. Era algo de que Winston tenía una confusa conciencia, un olor que llevaba siempre pegado a la nariz. La ginebra le hizo eructar. Había engordado desde que lo soltaron, recobrando su antiguo buen color, que incluso se le había intensificado. Tenía las facciones más bastas, la piel de la nariz y de los pómulos era rojiza y rasposa, e incluso su calva tenía un tono demasiado colorado. Un camarero, también sin que él se lo hubiera pedido, le trajo el tablero de ajedrez y el número del *Times* correspondiente a aquel día, doblado de manera que estuviese a la vista el problema de ajedrez. Luego, viendo que el vaso de Winston estaba vacío, le trajo la botella de ginebra y lo llenó. No había que pedir nada. Los camareros conocían las costumbres de Winston. El tablero de ajedrez le esperaba siempre, y siempre le reservaban la mesa del rincón. Aunque el café estuviera lleno, tenía aquella mesa libre, pues nadie quería que lo vieran sentado demasiado cerca de él. Nunca se preocupaba de contar sus bebidas. A intervalos irregulares le presentaban un papel sucio que le decían era la cuenta, pero Winston tenía la impresión de que siempre le cobraban más de lo debido. No le importaba. Ahora siempre le sobraba dinero. Le habían dado un cargo, una ganga donde cobraba mucho más que en su antigua colocación.

La música de la telepantalla se interrumpió y sonó una

voz. Winston levantó la cabeza para escuchar. Pero no era un comunicado del frente; sólo un breve anuncio del Ministerio de la Abundancia. En el trimestre pasado, ya en el décimo Plan Trienal, la cantidad de cordones para lo zapatos que se pensó producir había sido sobrepasada en un noventa y ocho por ciento.

Estudió el problema de ajedrez y colocó las piezas. Era un final ingenioso. «Juegan las blancas y mate en dos jugadas.» Winston miró el retrato del Gran Hermano. Las blancas siempre ganan, pensó con un confuso misticismo. Siempre, sin excepción; está dispuesto así. En ningún problema de ajedrez, desde el principio del mundo, han ganado las negras ninguna vez. ¿Acaso no simbolizan las blancas el invariable triunfo del Bien sobre el Mal? El enorme rostro miraba a Winston con su poderosa calma. Las blancas siempre ganan.

La voz de la telepantalla se interrumpió y añadió en un tono diferente y mucho más grave: «Estad preparados para escuchar un importante comunicado a las quince treinta. ¡Quince treinta! Son noticias de la mayor importancia. Cuidado con no perdérselas. ¡Quince treinta!». La musiquilla volvió a sonar.

A Winston le latió el corazón con más rapidez. Sería el comunicado del frente; su instinto le dijo que habría malas noticias. Durante todo el día había pensado con excitación en la posible derrota aplastante en África. Le parecía estar viendo al ejército eurasiático cruzando la frontera que nunca había sido violada y derramándose por aquellos territorios de Oceanía como una columna de hormigas. ¿Cómo no había sido posible atacarlos por el flanco de algún modo? Recordaba con toda exactitud el dibujo de la costa occidental africana. Cogió una pieza y la movió en el ajedrez. *Aquél* era el sitio adecuado. Pero a la vez que veía la horda negra avanzando hacia el Sur, vio también otra fuerza, misteriosamente reunida, que de repente había cortado por la retaguardia todas las comunicaciones terrestres y marítimas del enemigo. Sentía Winston como si por la fuerza de su voluntad estuviera dando vida a esos ejércitos salvadores. Pero había que actuar con rapidez. Si el enemigo dominaba toda el África, si lograban tener aeródromos y bases de submarinos en El Cabo, cortarían a Oceanía en dos. Esto podía significarlo todo: la derrota, una nueva división del mundo, la destrucción del Partido. Winston respiró hondamente. Sentía una extraordinaria mezcla de sentimientos, pero en realidad no era una mezcla, sino una sucesión de capas o estratos de sentimientos en que no se sabía cuál era la capa predominante.

Le pasó aquel sobresalto. Volvió a poner la pieza en su sitio, pero por un instante no pudo concentrarse en el problema de ajedrez. Sus pensamientos volvieron a vagar. Casi conscientemente trazó con su dedo en el polvo de la mesa:

$$2 + 2 =$$

«Dentro de ti no pueden entrar nunca», le había dicho Julia. Pues, sí, podían penetrar en uno. «Lo que te ocurre aquí es *para siempre*», le había dicho O'Brien. Eso era verdad. Había cosas, los actos propios, de las que no era posible rehacerse. Algo moría en el interior de la persona; algo se quemaba, se cauterizaba. Winston la había visto, incluso había hablado con ella. Ningún peligro había en esto. Winston sabía instintivamente que ahora casi no se interesaban por lo que él hacía. Podía haberse citado con ella si lo hubiera deseado. Esa única vez se habían encontrado por casualidad. Fue en el Parque, un día muy desagradable de marzo en que la tierra parecía hierro y toda la hierba había muerto. Winston andaba rápidamente contra el viento, con las manos heladas y los ojos acuosos, cuando la vio a menos de diez metros de distancia. En seguida le sorprendió que había cambiado de un modo indefinible. Se cruzaron sin hacerse la menor señal. Él se volvió y la siguió, pero sin un interés desmedido. Sabía que ya no había peligro, que nadie se interesaba por ellos. Julia no le hablaba. Siguió andando en dirección oblicua sobre el césped, como si tratara de librarse de él, y luego pareció resignarse a llevarlo a su lado. Por fin, llegaron bajo unos arbustos pelados que no podían servir ni para esconderse ni para protegerse del viento. Allí se detuvieron. Hacía un frío molestísimo. El viento silbaba entre las ramas. Winston le rodeó la cintura con un brazo.

No había telepantallas, pero debía de haber micrófonos ocultos. Además, podían verlos desde cualquier parte. No importaba; nada importaba. Podrían haberse echado sobre el suelo y hacer *eso* si hubieran querido. Su carne se estremeció de horror tan sólo al pensarlo. Ella no respondió cuando la agarró del brazo, ni siquiera intentó desasirse. Ya sabía Winston lo que había cambiado en ella. Tenía el rostro más demacrado y una larga cicatriz, oculta en parte por el cabello, le cruzaba la frente y la sien; pero el verdadero cambio no radicaba en eso. Era que la cintura se le había ensanchado mucho y toda ella estaba rígida. Recordó Winston como una vez después de la explosión de una bomba cohete había ayudado a sacar un cadáver de entre unas ruinas y le había asombrado no sólo su increíble peso, sino su rigidez y lo difícil que resultaba manejarlo, de modo que más parecía piedra que carne. El cuerpo de Julia le producía ahora la misma sensación. Se le ocurrió pensar que la piel de esta mujer sería ahora de una contextura diferente.

No intentó besarla ni hablaron. Cuando marchaban juntos por el césped, lo miró Julia a la cara por primera vez. Fue sólo una mirada fugaz, llena de desprecio y de repugnancia. Se preguntó Winston si esta adversión procedía sólo de sus relaciones pasadas, o si se la inspiraba también su desfigurado rostro y el agüilla que le salía de los ojos. Sentáronse en dos sillas de hierro uno al lado del otro, pero no demasiado juntos. Winston notó que Julia estaba a punto de hablar. Movió unos cuantos centímetros el basto zapato y aplastó con él una rama. Su pie parecía ahora más grande, pensó Winston. Julia, por fin, dijo sólo esto:

–Te traicioné.

–Yo también te traicioné –dijo él.

Julia lo miró otra vez con disgusto. Y dijo:

–A veces te amenazan con algo..., algo que no puedes soportar, que ni siquiera puedes imaginarte sin temblar. Y entonces dices: «No me lo hagas a mí, házselo a otra persona, a

Fulano de Tal». Y quizás pretendas, más adelante, que fue sólo un truco y que lo dijiste únicamente para que dejaran de martirizarte y que no lo pensabas de verdad. Pero, no. Cuando ocurre eso se desea de verdad y se desea que a la otra persona se lo hicieran. Crees entonces que no hay otra manera de salvarte y estás dispuesto a salvarte así. Deseas de todo corazón que eso tan terrible le ocurra a la otra persona y no a ti. No te importa en absoluto lo que pueda sufrir. Sólo te importas entonces tú mismo.

–Sólo te importas entonces tú mismo –repitió Winston como un eco.

–Y después de eso no puedes ya sentir por la otra persona lo mismo que antes.

–No –dijo él–; no se siente lo mismo.

No parecían tener más que decirse. El viento les pegaba a los cuerpos sus ligeros «monos». A los pocos instantes les producía una sensación embarazosa seguir allí callados. Además, hacía demasiado frío para estarse quietos. Julia dijo algo sobre que debía coger el Metro y se levantó para marcharse.

–Tenemos que vernos otro día –dijo Winston.

–Sí, tenemos que vernos –dijo ella.

Winston, irresoluto, la siguió un poco. Iba a unos pasos detrás de ella. No volvieron a hablar. Aunque Julia no le dijo que se apartara, andaba muy rápida para evitar que fuese junto a ella. Winston se había decidido a acompañarla a la estación del Metro, pero de repente se le hizo un mundo tener que andar con tanto frío. Le parecía que aquello no tenía sentido. No era tanto el deseo de apartarse de Julia como el de regresar al café lo que le impulsaba, pues nunca le había atraído tanto El Nogal como en este momento. Tenía una visión nostálgica de su mesa del rincón, con el periódico, el ajedrez y la ginebra que fluía sin cesar. Sobre todo, allí haría calor. Por eso, poco después y no sólo accidentalmente, se dejó separar de ella por una pequeña aglomeración de gente. Hizo un desganado intento de volver a seguirla, pero disminuyó el paso y se volvió, marchando en dirección opuesta. Cinco metros más allá se volvió a mirar. No había demasiada circulación, pero ya no podía distinguirla. Julia podría haber sido cualquiera de doce figuras borrosas que se apresuraban en dirección al Metro. Es posible que no pudiera reconocer ya su cuerpo tan deformado.

«Cuando ocurre eso, se desea de verdad», y él lo había pensado en serio. No solamente lo había dicho, sino que lo había deseado. Había deseado que fuera ella y no él quien tuviera que soportar a las...

Se produjo un sutil cambio en la música que brotaba de la telepantalla. Apareció una nota humorística, «la nota amarilla». Una voz –quizás no estuviera sucediendo de verdad, sino que fuera sólo un recuerdo que tomase forma de sonido– cantaba:

> *Bajo el Nogal de las ramas extendidas*
> *yo te vendí y tú me vendiste.*

Winston tenía los ojos más lacrimosos que de costumbre. Un camarero que pasaba junto a él vio que tenía vacío el vaso y volvió a llenárselo de la botella de ginebra.

Winston olió el líquido. Aquello estaba más repugnante cuanto más lo bebía, pero era el elemento en que él nadaba. Era su vida, su muerte y su resurrección. La ginebra lo hundía cada noche en un sopor animal, y también era la ginebra lo que le hacía revivir todas las mañanas. Al despertarse –rara vez antes de las once– con los párpados pegajosos, una boca pastosa y la espalda que parecía habérsele partido– le habría sido imposible echarse abajo de la cama si no hubiera tenido siempre en la mesa de noche la botella de ginebra y una taza. Durante la mañana se quedaba escuchando la telepantalla con una expresión pétrea y la botella siempre a mano. Desde las quince hasta la hora de cerrar, se pasaba todo el tiempo en El Nogal. Nadie se preocupaba de lo que hiciera, no le despertaba ningún silbato ni le dirigía advertencias la telepantalla. Dos veces a la semana iba a un despacho polvoriento, que parecía un rincón olvidado, en el Ministerio de la Verdad, y trabajaba un poco, si a aquello podía llamársele trabajo. Había sido nombrado miembro de un subcomité de otro subcomité que dependía de uno de los innumerables subcomités que se ocupaban de las dificultades de menos importancia planteadas por la preparación de la onceava edición del Diccionario de Neolengua. En aquel despacho se dedicaban a redactar algo que llamaban el informe provisional, pero Winston nunca había llegado a enterarse de qué tenían que informar. Tenía alguna relación con la cuestión de si las comas deben ser colocadas dentro o fuera de las comillas. Había otros cuatro en el subcomité, todos en situación semejante a la de Winston. Algunos días se marchaban apenas se habían reunido después de reconocer sinceramente que no había nada que hacer. Pero otros días se ponían a trabajar casi con encarnizamiento haciendo grandes alardes de aprovechamiento del tiempo redactando largos informes que nunca terminaban. En esas ocasiones discutían sobre cuál era el asunto sobre cuya discusión se les había encargado y esto les llevaba a complicadas argumentaciones y sutiles distingos con interminables digresiones, peleas, amenazas e incluso recurrían a las autoridades superiores. Pero de pronto parecía retirárseles la vida y se quedaban inmóviles en torno a la mesa mirándose unos a otros con ojos apagados como fantasmas que se esfuman con el canto del gallo.

La telepantalla estuvo un momento silenciosa. Winston levantó la cabeza otra vez. ¡El comunicado! Pero no, sólo era un cambio de música. Tenía el mapa de África detrás de los párpados, el movimiento de los ejércitos que él imaginaba era este diagrama; una flecha negra dirigiéndose verticalmente hacia el sur y una flecha blanca en dirección horizontal, hacia el este, cortando la cola de la primera. Como para darse ánimos, miró el imperturbable rostro del retrato. ¿Podía concebirse que la segunda flecha no existiera?

Volvió a aflojársele el interés. Bebió más ginebra, cogió la pieza blanca e hizo un intento de jugada. Pero no era aquélla la jugada acertada, porque...

Sin quererlo, le flotó en la memoria un recuerdo. Vio una habitación iluminada por la luz de una vela con una gran cama de madera clara y él, un chico de nueve o diez años que estaba sentado en el suelo agitando un cubilete de dados y riéndose excitado. Su madre estaba sentada frente a él y también se reía. Aquello debió de ocurrir un mes antes de desaparecer ella. Fueron unos momentos de reconciliación en que Winston no sentía aquel hambre imperiosa y le había vuelto temporalmente el cariño por su madre. Recordaba bien aquel día, un día húmedo de lluvia continua. El agua chorreaba monótona por los cristales de las ventanas y la luz del interior era demasiado débil para leer. El aburrimiento de los dos niños en la triste habitación era insoportable. Winston gimoteaba, pedía inútilmente que le dieran de comer, recorría la habitación revolviéndolo todo y dando patadas hasta que los vecinos tuvieron que protestar. Mientras, su hermanita lloraba sin parar. Al final le dijo su madre: «Sé bueno y te compraré un juguete. Sí, un juguete precioso que te gustará mucho». Y había salido a pesar de la lluvia para ir a unos almacenes que estaban abiertos a esa hora y volvió con una caja de cartón conteniendo el juego llamado «De las serpientes y las escaleras». Era muy modesto. El cartón estaba rasgado y los pequeños dados de madera, tan mal cortados que apenas se sostenían. Winston recordaba el olor a humedad del cartón. Había mirado el juego de mal humor. No le interesaba gran cosa. Pero entonces su madre encendió una vela y se sentaron en el suelo a jugar. Jugaron ocho veces ganando cuatro cada uno. La hermanita, demasiado pequeña para comprender de qué trataba el juego, miraba y se reía porque los veía reír a ellos dos. Habían pasado la tarde muy contentos, como cuando él era más pequeño.

Apartó de su mente estas imágenes. Era un falso recuerdo. De vez en cuando le asaltaban falsos recuerdos. Esto no importaba mientras que se supiera lo que era. Winston volvió a fijar la atención en el tablero de ajedrez, pero casi en el mismo instante dio un salto como si lo hubieran pinchado con un alfiler.

Un agudo trompetazo perforó el aire. Era el comunicado, ¡victoria!; siempre significaba victoria la llamada de la trompeta antes de las noticias. Una especie de corriente eléctrica recorrió a todos los que se hallaban en el café. Hasta los camareros se sobresaltaron y aguzaron el oído.

La trompeta había dado paso a un enorme volumen de ruido. Una voz excitada gritaba en la telepantalla, pero apenas había empezado fue ahogada por una espantosa algarabía en las calles. La noticia se había difundido como por arte de magia. Winston había oído lo bastante para saber que todo había sucedido como él lo había previsto: una inmensa armada, reunida secretamente, un golpe repentino a la retaguardia del enemigo, la flecha blanca destrozando la cola de la flecha negra. Entre el estruendo se destacaban trozos de frases triunfales: «Amplia maniobra estratégica... perfecta coordinación... tremenda derrota... medio millón de prisioneros... completa desmoralización... controlamos el África entera... La guerra se acerca a su final... victoria... la mayor victoria en la historia de la Humanidad. ¡Victoria, victoria, victoria!».

Bajo la mesa, los pies de Winston hacían movimientos convulsivos. No se había movido de su asiento, pero mentalmente estaba corriendo, corriendo a vertiginosa velocidad, se mezclaba con la multitud, gritaba hasta ensordecer. Volvió a mirar el retrato del Gran Hermano. ¡Aquél era el coloso que dominaba el mundo! ¡La roca contra la cual se estrellaban en vano las hordas asiáticas! Recordó que sólo hacía diez minutos –sí, diez minutos tan sólo– todavía se equivocaba su corazón al dudar si las noticias del frente serían de victoria o de derrota. ¡Ah, era más que un ejército eurasiático lo que había perecido! Mucho había cambiado en él desde aquel primer día en el Ministerio del Amor, pero hasta ahora no se había producido la cicatrización final e indispensable, el cambio salvador. La voz de la telepantalla seguía enumerando el botín, la matanza, los prisioneros, pero la gritería callejera había amainado un poco. Los camareros volvían a su trabajo. Uno de ellos acercó la botella de ginebra. Winston, sumergido en su feliz ensueño, no prestó atención mientras le llenaban el vaso. Ya no se veía corriendo ni gritando, sino de regreso al Ministerio del Amor, con todo olvidado, con el alma blanca como la nieve. Estaba confesándolo todo en un proceso público, comprometiendo a todos. Marchaba por un claro pasillo con la sensación de andar al sol y un guardia armado lo seguía. La bala tan esperada penetraba por fin en su cerebro.

Contempló el enorme rostro. Le había costado cuarenta años saber qué clase de sonrisa era aquella oculta bajo el bigote negro. ¡Qué cruel e inútil incomprensión! ¡Qué tozudez la suya exilándose a sí mismo de aquel corazón amante! Dos lágrimas, perfumadas de ginebra, le resbalaron por las mejillas. Pero ya todo estaba arreglado, todo alcanzaba la perfección, la lucha había terminado. Se había vencido a sí mismo definitivamente. Amaba al Gran Hermano.

APÉNDICE

Los principios de neolengua

Neolengua era la lengua oficial de Oceanía y fue creada para solucionar las necesidades ideológicas del Ingsoc o Socialismo Inglés. En el año 1984 aún no había nadie que utilizara la neolengua como elemento único de comunicación, ni hablado ni escrito. Los editoriales del *Times* estaban escritos en neolengua, pero era un *tour de force* que solamente un especialista podía llevar a cabo. Se esperaba que la neolengua reemplazara a la vieja lengua (o inglés corriente, diríamos nosotros) hacia el año 2050. Entretanto iba ganando terreno de una manera segura y todos los miembros del Partido tendían, cada vez más, a usar palabras y construcciones gramaticales de neolengua en el lenguaje ordinario. La versión utilizada en 1984, comprendida en las ediciones novena y décima del Diccionario de Neolengua, era provisional, y contenía muchas palabras superfluas y formaciones arcaicas que más tarde se suprimirían. Aquí nos referiremos a la última versión, la más perfeccionada, tal como aparece en la onceava edición del Diccionario.

La intención de la neolengua no era solamente proveer un medio de expresión a la cosmovisión y hábitos mentales propios de los devotos del Ingsoc, sino también imposibilitar otras formas de pensamiento. Lo que se pretendía era que una vez la neolengua fuera adoptada de una vez por todas y la vieja lengua olvidada, cualquier pensamiento herético, es decir, un pensamiento divergente de los principios del Ingsoc, fuera literalmente impensable, o por lo menos en tanto que el pensamiento depende de las palabras. Su vocabulario estaba construido de tal modo que diera la expresión exacta y a menudo de un modo muy sutil a cada significado que un miembro del Partido quisiera expresar, excluyendo todos los demás sentidos, así como la posibilidad de llegar a otros sentidos por métodos indirectos. Esto se conseguía inventando nuevas palabras y desvistiendo a las palabras restantes de cualquier significado heterodoxo, y a ser posible de cualquier significado secundario. Por ejemplo: la palabra *libre* aún existía en neolengua, pero sólo se podía utilizar en afirmaciones como «este perro está libre de piojos», o «este prado está libre de malas hierbas». No se podía usar en su viejo sentido de «políticamente libre» o «intelectualmente libre», ya que la libertad política e intelectual ya no existían como conceptos y por lo tanto necesariamente no tenían nombre. Aparte de la supresión de palabras definitivamente heréticas, la reducción del vocabulario por sí sola se consideraba como un objetivo deseable, y no sobrevivía ninguna palabra de la que se pudiera prescindir. La finalidad de la neolengua no era aumentar, sino disminuir el área del pensamiento, objetivo que podía conseguirse reduciendo el número de palabras al mínimo indispensable.

La neolengua se basaba en la lengua inglesa tal como ahora la conocemos, aunque muchas frases de neolengua, incluso sin contener nuevas palabras, serían apenas inteligibles para el que hablara el inglés actual. Las palabras de neolengua se dividían en tres clases distintas, conocidas por los nombres de vocabulario A, vocabulario B (también llamado de palabras compuestas) y vocabulario C. Lo más simple sería discutir cada clase separadamente, pero las peculiaridades gramaticales de la lengua pueden ser tratadas en la sección dedicada al vocabulario A, ya que las mismas reglas se aplicaban a las tres categorías.

El vocabulario A. El vocabulario A consistía en las palabras de uso cotidiano: cosas como comer, beber, trabajar, vestirse, subir y bajar escaleras, conducir vehículos, cuidar el jardín, cocinar y cosas por el estilo. Se componía prácticamente de palabras que ya poseemos –palabras como golpear, correr, perro, árbol, azúcar, casa, campo–; pero en comparación con el vocabulario inglés de hoy en día, su número era extremadamente pequeño, al mismo tiempo que sus significados eran más rigurosamente restringidos. Todas las ambigüedades y distintas variaciones de significado habían sido purgadas. En tanto que fuera posible, una palabra de neolengua de este tipo quedaba reducida simplemente a un sonido preciso que expresaba un concepto claramente entendido. Hubiera sido totalmente inconcebible utilizar el vocabulario A para propósitos literarios o para discusiones políticas o filosóficas. Su intención era la de expresar pensamientos simples y objetivos, casi siempre relacionados con objetos concretos o acciones físicas.

La gramática de la neolengua tenía dos grandes peculiaridades. La primera era una intercambiabilidad casi total entre las distintas partes de la oración. Cualquier palabra de la lengua (en principio esto era aplicable incluso a palabras abstractas como *si* o *cuando*) se podía usar como verbo, nombre adjetivo o adverbio. Entre la forma del verbo y la del nombre, cuando eran de la misma raíz, no había nunca ninguna variación y así esta regla por sí misma suponía la destrucción de muchas de las formas arcaicas. La palabra *pensamiento*, por ejemplo, no existía en neolengua. En su lugar existía *pensar*, que hacía la función de verbo y de nombre. Aquí no se seguía ningún principio etimológico. En algunos casos se conservaba el sustantivo original y en otros casos el verbo. Incluso cuando un nombre y un verbo de significado parecido no tenían una relación etimológica, con frecuencia se suprimía el uno o el otro. No existía, por ejemplo, una palabra como *cortar*, ya que su significado quedaba lo suficientemente cubierto por el nombre-verbo *cuchillo*. Los adjetivos se formaban añadiendo el sufijo *lleno* al nombre-verbo, y los adverbios añadiendo *demodo*. Así, por ejemplo, rapidolleno quería decir rapidez, y rapidodemodo significaba rápidamente. Se conservaron algunos adjetivos de hoy en día como bueno, fuerte, grande, negro, blando, pero en un número muy reducido. Por otra parte, su necesidad era mínima, ya que se llegaba a cualquier significado adjetival añadiendo *lleno* a un sustantivo-verbo. No se conservaron ninguno de los adverbios hoy existentes exceptuando algunos que acababan en demodo; la terminación *demodo* era invariable. La palabra *bien*, por ejemplo, se sustituyó por *buenmodo*. Además, a cualquier palabra –y esto, como principio, se aplicaba a todas las palabras del idioma–, se le daba sentido de negación añadiendo el prefijo *in* o se le daba fuerza con el sufijo *plus*, o para aumentar el énfasis, *dobleplus*. Así por ejemplo, *infrío* significaba «caliente», mientras que *plusfrío* y *dobleplusfrío* significaban respectivamente «muy frío» y «extraordinariamente frío». También era posible, como en el inglés de hoy en día, modificar el significado de casi todas las palabras con preposiciones afijas como, *ante, post, sobre, sub*, etc. A base de este método fue posible disminuir enormemente el vocabulario. Poniendo por caso la palabra *bueno*, ya no habría necesidad de la palabra *malo* ya que el significado requerido se expresaba tan bien o incluso mejor por *inbueno*. Lo único necesario, en el caso de que dos palabras formaran una pareja de significación opuesta, era decidir cuál suprimir. *Oscuridad*, por ejemplo, podía ser reemplazada por *inluz* o *luz* por *inoscuro*, según lo que se prefiera. La segunda característica de la gramática de la neolengua era su regularidad. Aparte de algunas excepciones abajo mencionadas, todas las inflexiones seguían las mismas reglas. Así, en todos los verbos el pretérito y el participio pasado eran el mismo y terminaban en *ed*[1]. El pretérito de pensar, *pensé*, de robar, *robé*, y así en toda la lengua; todas las otras formas: *mandó, dio, habló, trajo, cogido*, etc. fueron abolidas. Los plurales de *hombre, buey, vida* eran *hombres, bueys, vidas*.

La única clase de palabras a las que todavía se les permitía inflexiones irregulares eran los pronombres, los relativos,

---

1. En inglés. En español acabarían en la misma letra o seguirían como los verbos regulares, ejemplo: robé, hace, pensé, comer, comí. Los ejemplos ingleses robar, pensar en español ya son verbos y no justifican el ejemplo.

los adjetivos demostrativos y los verbos auxiliares. Todos estos seguían su uso antiguo excepto que «quien» había sido suprimido por innecesario y los tiempos condicionales de deber, debería, habían caído en desuso ya que habían sido cubiertos por «haría, habría hecho». Había también ciertas irregularidades en la formación de palabras creadas por la necesidad del habla fácil y rápida.

Una palabra que fuese difícil de pronunciar o que podía entenderse incorrectamente, se estimaba *ipso facto* una mala palabra; así que ocasionalmente, por la eufonía, se insertaban letras en una palabra o se conservaba una forma arcaica. Pero esta necesidad tenía más relación sobre todo con el vocabulario B. La razón de la importancia concedida a la facilidad de la pronunciación, se aclarará más tarde en este ensayo.

El vocabulario B: El vocabulario B consistía en palabras que habían sido construidas deliberadamente con propósitos políticos. Es decir, palabras que no solamente tenían en todos los casos implicaciones políticas sino que además poseían la intención de imponer una deseable actitud mental en la persona que las utilizaba. Sin una compresión total de los principios del Ingsoc era difícil usar estas palabras correctamente. En algunos casos se podían traducir a la vieja lengua o incluso a palabras tomadas del vocabulario A, pero ello exigía una larga parrafada y siempre se perdían ciertos énfasis. Las palabras del vocabulario B eran una especie de taquigrafía verbal que a menudo englobaban toda una serie de ideas expresadas en unas pocas sílabas y a la vez con un sentido más exacto y más fuerte que en el lenguaje ordinario. Las palabras B eran en todos los casos palabras compuestas.[2] Consistían en dos o más palabras juntadas de un modo fácilmente pronunciable. El resultado era siempre un verbo-nombre y se utilizaba según las reglas normales. Pongamos un único ejemplo: la palabra *bienpensar*, que significa de un modo general «ortodoxia», o si uno quiere tomarla como verbo,

2. Palabras compuestas como «hablarsubir» también se encontraban, claro está, en el vocabulario A, pero no eran más que abreviaciones de conveniencia y no tenían ideología de ningún color en especial.

«pensar de un modo ortodoxo». Su declinación era la siguiente: nombre-verbo, *bienpensar*; pretérito y participio pasado, *bienpensado*, participio presente, *bienpensante*; adjetivo, *bienpensadolleno*; adverbio, *bienpensadamente*; nombre verbal, *bienpensado*.

Las palabras B no se construían de acuerdo con ningún plan etimológico. Las palabras podían ser de cualquier parte de la lengua, se podían poner en un orden cualquiera y ser mutiladas de modo que las hiciera de fácil pronunciación a la vez que indicaban su derivación. En la palabra *crimenpensar* (pensamientocrimen), por ejemplo, el pensar iba detrás mientras que en *pensarpol* (Policía del Pensamiento) iba primero y en la última palabra, policía había perdido las tres sílabas finales. Dada la dificultad de asegurar la eufonía, las formaciones irregulares eran más comunes en el vocabulario B que en el vocabulario A. Por ejemplo, las formas adjetivadas de *Miniver*, *Minipax* y *Minimor* eran, respectivamente, *Miniverlleno*, *Minipaxlleno* y *Minimorlleno*, simplemente porque *verdadlleno*, *pazlleno* y *amorlleno* eran algo difíciles de pronunciar. En principio, de todos modos, todas las palabras B se modulaban del mismo modo.

Algunas de las palabras B tenían significados muy sutiles, apenas inteligibles para quien no dominara la lengua en su totalidad. Consideremos, por ejemplo, una frase típica del editorial del *Times* como ésta: «Viejos pensadores incorazonsentir Ingsoc». El modo más sencillo de entender esto en la Viejalengua sería: «Como que se formaron con las ideas de antes de la Revolución, no pueden tener una comprensión emocional de los principios del Socialismo Inglés». Pero ésta no es una traducción adecuada. En primer lugar, para lograr captar el significado de la frase arriba mencionada, habría que tener una idea clara de lo que se entiende por Ingsoc. Y además, sólo una persona totalmente educada en el Ingsoc podía apreciar toda la fuerza de la palabra corazonsentir, que implicaba una ciega y entusiasta aceptación difícil de imaginar hoy; de la palabra *viejopensar*, que estaba inextricablemente mezclada con la idea de maldad y decadencia. Pero la función especial de ciertas palabras de neolengua, de las que *viejopensar* era una, no era tanto expresar su significado como destruirlos. Estas palabras, pocas en número, por supuesto, habían extendido su significado hasta el punto de contener, dentro de ellas mismas, toda una serie de palabras que como quedaban englobadas por un solo término comprensivo, ahora podían ser relegadas y olvidadas. La mayor dificultad con la que se encontraban los compiladores del Diccionario de Neolengua no era inventar nuevas palabras, sino la de precisar, una vez inventadas aquéllas, cuál era su significado. Es decir, precisar qué series de palabras quedaban invalidadas con su existencia. Tal como ya hemos visto con la palabra *libre*, las palabras que en su día hubieran tenido un significado herético, a veces se conservaban por conveniencia, pero limpias de los significados indeseables. Innombrables palabras como honor, justicia, moralidad, internacionalismo, democracia, ciencia y religión simplemente habían dejado de existir. Unas cuantas palabras hacían de tapadera y, al encubrirlas, las abolían. Todas las palabras agrupadas bajo los conceptos de libertad e igualdad, por ejemplo, se contenían en una sola, *crimenpensar*, mientras que todas las palabras reunidas bajo los conceptos de objetividad y racionalismo quedaban comprendidas en la única palabra *viejopensar*. Mayor precisión hubiera sido peligrosa. Lo que se requería de un miembro del Partido era un punto de vista similar al de los antiguos hebreos que sabían, sin saber mucho más, que todas las naciones aparte de la suya adoraban a «dioses falsos». No necesitaban saber que estos dioses se llamaban Baal, Osiris, Moloch, Ashtaroth, etc. Probablemente cuanto menos supiesen sobre ellos, mejor para su ortodoxia. Conocían a Jehová y sus mandamientos; sabían, por lo tanto, que todos los dioses con otros nombres y atributos eran dioses falsos. De manera parecida, el miembro del Partido sabía lo que constituía la correcta norma de conducta, y de un modo increíblemente vago y general lo que podía apartarle de ella. Su vida sexual, por ejemplo, estaba totalmente regulada por las dos palabras de neolengua *sexocrimen* (inmoralidad sexual) y *buensexo* (castidad). El *sexocrimen* cubría infracciones de todo tipo: fornicación, adulterio, homosexualidad y otras perversiones y, además, el coito normal practicado por placer. No había necesidad de nombrarlos separadamente, ya que todos eran igualmente culpables y merecían la muerte. En el vocabulario C, que consistía en palabras técnicas y científicas, existía la necesidad de dar nombres especializados a ciertas aberraciones sexuales, pero el ciudadano normal no las necesitaba. Éste sabía lo que se quería decir *buensexo*, es decir, el coito normal entre marido y mujer con el solo propósito de engendrar hijos y sin placer físico por parte de la mujer; todo lo demás era *sexocrimen*. En neolengua era casi imposible seguir un pensamiento herético más allá de la percepción de su carácter herético; a partir de este punto faltaban las palabras necesarias. Ninguna palabra en el vocabulario B era ideológicamente neutral. Muchas eran eufemismos. Palabras como, por ejemplo, *gozocampo* (campo de trabajos forzados) o *Minipax* (Ministerio de la Paz, es decir, Ministerio de la Guerra) significaban exactamente lo opuesto de lo que parecían indicar. Algunas palabras, por otro lado, traducían una franca y despreciativa comprensión por la naturaleza real de la sociedad de Oceanía. Por ejemplo, *prolealimento* significaba la porquería de entretenimiento y falsas noticias que el Partido daba a las masas. Otras palabras además eran ambivalentes, teniendo la connotación de «bueno» cuando eran aplicadas al Partido y de «malo» cuando eran aplicadas al enemigo. Pero además había gran cantidad de palabras que a primera vista parecían meras abreviaciones y que extraían su color ideológico no de su significado sino de su estructura. Hasta donde fuera posible todo lo que pudiera tener un significado político de cualquier tipo entraba en el vocabulario B. Los nombres de organizaciones, grupos de personas, doctrinas, países o instituciones o edificios públicos, habían quedado recortados de forma muy sencilla, es decir, una sola palabra fácilmente pronunciable con el menor número de sílabas y que conservaba la derivación original. En el Ministerio de la Verdad, por ejemplo, el Departamento de Registro donde trabajaba Winston Smith se llamaba *Regdep*, el Departamento de Ficción se llamaba *Ficdep,* el Departamento de Teleprogramas se llamaba *Teledep,* etc. La finalidad no era sólo ganar tiempo. Incluso en las primeras décadas del siglo xx, las palabras y frases abreviadas habían sido uno de los rasgos característicos del lenguaje político y era notorio que la tendencia a usar abreviaturas de este tipo era más marcada en países y organizaciones totalitarias. Ejemplos de ello son palabras tales como *Nazi, Gestapo, Comintern, Inprecorr* y *Agitrop.* Al principio esta práctica se había adoptado instintivamente, pero en neolengua se utilizaba con un propósito consciente. Habían observado que abreviando un nombre se estrechaba y alteraba sutilmente su significado, perdiendo la mayoría de asociaciones de ideas que de otra manera habría mantenido. Las palabras *Internacional Comunista,* por ejemplo, evocan la imagen polifacética de solidaridad humana, banderas rojas, barricadas, Karl Marx y la Comuna de París. La palabra *Comintern,* por otro lado, sólo sugiere una organización tupida y cerrada, con una doctrina concreta. Se refiere a algo tan fácilmente reconocible y limitado en su propósito como una silla o una mesa. *Comintern* es una palabra que se puede pronunciar casi sin pensar, mientras que *Internacional Comunista,* es una frase en la que uno tiene que detenerse por lo menos unos momentos. Del mismo modo. las asociaciones ideológicas que la palabra *Miniver* evoca son menores y más controlables que las sugeridas por *Ministerio de la Verdad.* Ésta era la razón del hábito de abreviar siempre que fuera posible, así como también el casi exagerado cuidado que dedicaban a facilitar la pronunciación de las palabras. En neolengua, la obsesión de la eufonía pesaba más que cualquier otra consideración, salvo la exactitud del significado. Si era necesario, siempre se sacrificaba la regularidad de la gramática en aras de la eufonía. Y con razón, ya que lo que se requería, sobre todo por razones políticas, eran palabras cortas y de significado inequívoco que pudieran pronunciarse rápidamente y que despertaran el mínimo de sugerencias en la mente del parlante. Las palabras del vocabulario B incluso ganaban en fuerza por el hecho de ser tan parecidas. Casi invariablemente estas palabras *bienpensar,*

Minipax, prolealimento, sexocrimen, gozocampo, Ingsoc, corazon-sentir, pensarpol y muchas otras– eran palabras de dos o tres sílabas con el acento tónico igualmente distribuido entre la primera sílaba y la última. Su uso fomentaba una especie de conversación similar a un cotorreo, a la vez roto y monótono; era esto precisamente lo que pretendían. La intención era formar un lenguaje, sobre todo el que versaba sobre materias no neutrales ideológicamente, tan independiente como fuera posible de la conciencia. En asuntos, de la vida cotidiana, sin duda era necesario, o algunas veces necesario, reflexionar antes de hablar, pero un miembro del Partido, llamado a emitir un juicio político o ético, debía ser capaz de disparar las opiniones correctas tan automáticamente como una ametralladora las balas. Su entrenamiento lo preparaba para ello, el lenguaje le daba un instrumento casi infalible y la textura de las palabras, con su sonido duro y una especie de fealdad salvaje de acuerdo con el espíritu del Ingsoc, acababan de completar el proceso. Además contribuía el hecho de tener pocas palabras donde escoger. En relación con el nuestro, el vocabulario de la neolengua era mínimo, y continuamente inventaban nuevos modos de reducirlo. Desde luego, la neolengua difería de la mayoría de otros lenguajes en que su vocabulario se empequeñecía en vez de agrandarse. Cada reducción era una ganancia, ya que cuanto menor era el área para escoger, más pequeña era la tentación de pensar. En definitiva, se esperaba construir un lenguaje articulado que surgiera de la laringe sin involucrar en absoluto a los centros del cerebro. Este objetivo se explícita francamente en la palabra de neolengua *hablapato*, que significa «cuacuar como un pato»; como otras palabras de neolengua, *hablapato* era de significado ambivalente. Si las opiniones cuacuadas eran ortodoxas, sólo implicaban alabanza y cuando el *Times* se refería a uno de los oradores del Partido como a un *dobleplusbuen cuacuador* estaba emitiendo un caluroso y valioso cumplido.

El vocabulario C. El vocabulario C era complementario de los otros dos y contenía totalmente términos científicos y técnicos. Éstos se parecían a los términos científicos en uso hoy en día y procedían de las mismas raíces, pero se tomó el cuidado habitual para definirlos rápidamente, y despojarlos de los significados indeseables. Se atenían a las mismas reglas gramaticales que las palabras de los otros dos vocabularios. Muy pocas palabras C tenían uso en las conversaciones cotidianas o en el lenguaje político. Cualquier científico o técnico podía encontrar todas las palabras necesarias en la lista dedicada a su especialidad, pero sólo tenía una mínima idea de las palabras de las otras listas. Solamente unas cuantas palabras eran comunes a todas las listas y no existía un vocabulario que expresase la función de la ciencia como actitud mental o como método intelectual independiente de sus ramas particulares. No había, de hecho, palabra para designar la «Ciencia», quedando cualquier significado que pudiera tener suficientemente cubierto por la palabra Ingsoc.

Por lo que se ha explicado, podrá verse que en neolengua la expresión de opiniones heterodoxas de bajo nivel era casi imposible. Era factible, claro está, emitir herejías de un tono muy crudo y elemental, como una especie de blasfemia. Hubiera sido posible, por ejemplo, decir el «Gran Hermano inbueno». Pero esta aseveración, que a un oído ortodoxo le sonaba como una manifiesta absurdidad, no podría haber sido sostenida con argumentos racionales, ya que faltaban las palabras necesarias. Sólo podían sostenerse ideas contrarias al Ingsoc de una manera vaga y sin palabras, y formularlas en unos términos muy genéricos que mezclaban y condenaban todo tipo de herejías, sin definirlas particularmente. De hecho, sólo podía utilizarse la neolengua para fines heterodoxos traduciendo de un modo ilegítimo algunas de las palabras a la Viejalengua. Por ejemplo, «Todos los hombres son iguales» era una afirmación posible en neolengua, pero en el mismo sentido en que «Todos los hombres tienen el pelo rojo» pudiera serlo en Viejalengua. No contiene ningún error gramatical, pero expresa una no-verdad palpable como que todos los hombres son de la misma estatura, peso o fuerza. El concepto de igualdad política ya no existía y por lo tanto esta significación secundaria había sido limpiada de la palabra *igual*. En 1984, cuando Viejalengua era todavía el medio normal de comunicación, teóricamente existía el peligro de que al usar palabras de neolengua uno recordara sus significados originales. En la práctica no era difícil, para alguien bien versado en el *doblepensar*, evitar que esto ocurriera, pero dentro de dos generaciones se evitaría incluso la posibilidad de este peligro. Una persona creciendo con neolengua como único lenguaje, no sabría nunca que *igual* había tenido antes la acepción de «igualdad política», o que «libre» había significado anteriormente «intelectualmente libre», del mismo modo que, por ejemplo, una persona que no hubiera oído hablar nunca de ajedrez, podría saber los segundos significados aplicables a la reina y a la torre. Por lo tanto, quedaría descartada la posibilidad de cometer muchos crímenes y errores simplemente porque no tenían nombre y, en consecuencia, son inimaginables. Y era de esperar que con el paso del tiempo las características que distinguían a la neolengua, se volverían más y más acusadas: sus palabras irían disminuyendo, sus significados cada vez más restringidos y más remoto el peligro de utilizarlos impropiamente. Al desaparecer la Viejalengua se habría roto el último lazo con el pasado. La historia ya se había reescrito, pero algunos fragmentos de la vieja literatura sobrevivían aquí y allá, imperfectamente censurados, y mientras persistiera el conocimiento de la Viejalengua era posible leerlos. En el futuro tales fragmentos, incluso si sobrevivieran, serían inteligibles e intraducibles. Era imposible traducir un pasaje de Viejalengua a Neolengua, salvo que se refiriera a algún proceso técnico, a hechos de la vida cotidiana o bien fuese ya de tendencia ortodoxa (*bienpensante* sería la expresión en neolengua). En la práctica, esto suponía que ningún libro escrito antes de 1960 podía traducirse por completo. La literatura anterior a la Revolución sólo podía estar sujeta a una traducción ideológica, o sea, a una alteración tanto de las palabras como del sentido. Tomemos por ejemplo el tan conocido pasaje de la Declaración de la Independencia:

Entendemos que son verdades evidentes el que todos los hombres han sido creados iguales, que han sido dotados por su Creador con ciertos derechos inalienables, entre los que se encuentran la vida, la libertad y la búsqueda de la felicidad. Y que, para asegurar estos derechos, se han instituido entre los hombres los gobiernos, cuyo poder depende del consentimiento de los gobernados. Y que cuando cualquier forma de gobierno perjudica estos fines, el pueblo tiene derecho a alterarla o abolirla e instituir una nueva...

Hubiera sido imposible traducir este párrafo a neolengua conservando el sentido del original. La traducción más aproximada consistiría en tragarse todo el pasaje como *crimental*. Una traducción completa sólo podía ser ideológica, con lo que las palabras de Jefferson se habrían convertido en un panegírico sobre el gobierno absoluto.

Buena parte de la literatura del pasado ya se había transformado en esto. Consideraciones de prestigio aconsejaban conservar el recuerdo de algunas figuras históricas, poniendo al mismo tiempo algunas de sus grandes acciones en relación con la filosofía del Ingsoc. Varios escritores como Shakespeare, Milton, Swift, Byron, Dickens y otros estaban en proceso de traducción. Una vez terminado este trabajo, sus escritos originales, junto con el resto que hubiera sobrevivido de la literatura del pasado, sería destruido. Estas traducciones eran un proceso lento y difícil y no se esperaba que fueran terminadas antes de la primera o segunda década del siglo XXI. Había también gran cantidad de literatura meramente utilitaria –manuales técnicos indispensables y cosas por el estilo– que debían ser tratados del mismo modo. Para dar tiempo a este trabajo preliminar, se fijó una fecha tan lejana como el año 2050 para la adopción definitiva de la neolengua.